Parents épanouis, enfants épanouis

Cultivez le bonheur dans votre famille

Adele Faber &
Elaine Mazlish

DES MÊMES AUTEURES

Parents épanouis, enfants épanouis

Cultivez le bonheur dans votre famille

Adele Faber &
Elaine Mazlish

Titre original :   LIBERATED PARENTS / LIBERATED CHILDREN
                   YOUR GUIDE TO A HAPPIER FAMILY

                   © Adele Faber et Elaine Mazlish (1974)
                   Grosset & Dunlap, inc.
                   ISBN : 0-380-71134-6

Titre français :   PARENTS EPANOUIS, ENFANTS EPANOUIS
                   CULTIVEZ LE BONHEUR DANS VOTRE FAMILLE
                   © Relations ... Plus, inc. (2001)

Traduction :   Roseline Roy
Mise en page :   Pierre Dion
Graphisme et illustration de la couverture : Noémie Roy Lavoie

1ère impression :   printemps 2001
2ième impression :   hiver 2002 (revue et corrigée)
3ième impression :   hiver 2004 (ajout d'un index)

                   Imprimé au Québec (Canada)

Dépôt légal :   deuxième trimestre 2001 (Bibliothèque nationale du Canada)
                   premier trimestre 2002 (Bibliothèque nationale du Québec)
                   ISBN 0-9686562-0-X

RELATIONS ... PLUS est une agence de psychologie et de relations humaines. Les activités de l'agence couvrent plusieurs volets, dont la publication d'ouvrages en français touchant à différentes dimensions de la communication entre les personnes.

                   RELATIONS ... PLUS, inc.
                   1234 allée des Hirondelles
                   Cap-Pelé (N.-B.) Canada E4N 1R7
                   Téléphone : (506) 577-6160
                   Télécopieur : (506) 577-6727
                   Courriel : relplus@fundy.net
                   Internet : www.relationsplus.ca

Pour chaque mère et chaque père, où qu'ils se trouvent,
qui se sont déjà dit un jour :
« Il doit y avoir une meilleure façon ! »

Table des matières

Préface

Nous avons joui d'un privilège unique. Pendant plus de cinq ans, nous avons fait partie d'un groupe de travail destiné aux parents, sous la direction personnelle de Haim Ginott, psychologue, auteur et conférencier. C'était l'un de ces rares professeurs capables de présenter avec beaucoup de clarté des concepts difficiles. Il savait répéter patiemment ce que nous avions besoin d'entendre, tout en nous offrant continuellement la fraîcheur d'idées nouvelles et stimulantes. En retour, il nous demandait d'expérimenter, de partager nos découvertes avec d'autres et d'explorer notre propre potentiel.

Les résultats de cette expérience ont atteint pour nous une portée considérable. Pendant que nous nous débattions pour transformer la théorie en pratique et pour donner à cette pratique une signification personnelle, nous sommes devenues conscientes des changements qui s'opéraient en nous-mêmes et dans nos familles, de même qu'au sein des membres de notre groupe.

Nous devons beaucoup à Haim Ginott. Il nous a donné des compétences pour être davantage utiles à nos enfants, ainsi que des moyens pour nous aider à être plus généreuses envers nous-mêmes. Nous ne pourrons jamais le lui rendre. Toutefois, ce que nous pouvons faire, c'est transcrire notre expérience et la partager avec d'autres parents, en espérant qu'ils en retirent une certaine utilité.

Remerciements des auteures

À nos enfants, Kathy, Liz et John Mazlish, Carl, Joanna et Abram Faber, pour avoir partagé leurs idées et leurs sentiments avec nous au fil des années. Chacun a contribué, à sa façon, à l'enrichissement de ce livre.

À Leslie Faber, qui a passé de nombreuses heures à réviser nos premières ébauches et dont les commentaires et les questions nous ont invariablement menées à repenser, à raffiner et à clarifier les concepts.

À Robert Mazlish, qui a lu nos premiers écrits maladroits et a su y entrevoir un livre déjà terminé. Par sa confiance en nous, il nous a permis de croire en nous-mêmes.

Aux membres de notre groupe, avec qui nous avons partagé les grands et les petits drames de nos vies. À chaque rencontre, nous nous sommes nourries de leur soutien.

À notre éditeur, Robert Markel, pour les conseils pertinents qu'il nous a donnés à chaque stade du processus d'édition.

À Virginia Axline, Dorothy Baruch, Selma Fraiberg et Carl Rogers, dont les écrits nous ont donné de l'assurance et nous ont aidées à élargir notre propre expérience.

À Alice Ginott, pour son encouragement chaleureux et ses nombreux commentaires utiles.

Et tout particulièrement *à Haim Ginott*, pour sa lecture attentive de notre manuscrit et ses suggestions inestimables. Il a été une source continuelle d'inspiration. Nous le remercions de nous avoir donné la permission de publier ce livre fondé sur ses principes de communication avec les enfants.

Note des auteures

Presque aussitôt après avoir conçu l'idée d'écrire ce livre, nous nous sommes rendu compte que nous avions un problème : comment pouvions-nous raconter notre histoire honnêtement, sans violer la vie privée des membres de notre groupe ou de nos propres familles ? Nous avons alors décidé de créer une distribution de personnages dont les expériences seraient un mélange des nôtres et de celles des autres parents que nous avons connus. Joanne, notre narratrice, serait à la fois la meilleure de nous tous et la pire de nous tous, et même si elle n'est en réalité aucune d'entre nous, elle parlerait vraiment en notre nom à tous.

ADELE FABER

ELAINE MAZLISH

Mot de la traductrice

En 1992, alors mère de quatre enfants, je terminais ma dernière année d'études en vue de l'obtention d'une maîtrise en psychologie. Pour satisfaire aux exigences de mon programme, je complétais un internat à la clinique de santé mentale de Moncton, dans la province du Nouveau-Brunswick, au Canada. Surchargée, l'équipe professionnelle de la clinique ne pouvait répondre à la demande d'un groupe de parents dont les enfants d'âge préscolaire présentaient des problèmes de comportement. Mes superviseurs m'ont donc demandé d'offrir des services à ces parents.

À la bibliothèque de la clinique, j'avais accès à différents programmes d'ateliers conçus à l'intention des parents. C'est dans ce contexte que j'ai eu mes premiers contacts avec les travaux de Faber et Mazlish. Je ne me rendais pas compte, à ce moment, que cette découverte allait orienter toute ma vie professionnelle. Dès la première lecture de la trousse d'animation de l'atelier *How To Talk So Kids Will Listen*, j'ai été prise d'un enthousiasme débordant : ce matériel m'est apparu comme une réponse évidente à ma quête personnelle en tant que mère.

J'avais fait des études en éducation ; je lisais tous les livres et les articles portant sur la relation parents-enfants qui me tombaient sous la main ; pourtant, je n'avais trouvé, ici et là, que des parcelles de recettes. Enfin, je découvrais une approche qui me collait réellement à la peau. Je me sentais touchée au plus profond de mes fibres maternelles. Pour la première fois, je pouvais adhérer sans condition à un ensemble d'idées, de principes et d'habiletés directement applicables dans ma vie personnelle. Quand, par surcroît, j'ai vu la réaction enthousiaste des participants (anglophones) de ce premier atelier, je me suis aussitôt rendu compte du potentiel de changement dont le matériel de Faber et Mazlish était porteur.

Ma langue maternelle est le français. C'est dire que je suis beaucoup plus à l'aise lorsque j'enseigne en français. J'ai aussitôt éprouvé le désir d'offrir ces ateliers dans ma langue, mais aucune traduction n'était disponible en français. Avec la permission des auteures et l'aide soutenue de mon conjoint, Pierre Dion, j'ai peu à peu complété la traduction française de ce matériel.

J'utilise maintenant cette traduction depuis 1994. J'ai ainsi pu offrir des douzaines d'ateliers et de conférences en français et rejoindre des centaines de parents, d'enseignants et de professionnels qui travaillent auprès des enfants. Mon enthousiasme du début n'a jamais fléchi. Bien au contraire, il n'a cessé de s'alimenter au cours des années. Je constate aujourd'hui tous les bienfaits que ces nouvelles habiletés ont apportés dans ma propre vie ainsi que celle de mes enfants (désormais au nombre de cinq) et des personnes qui m'entourent.

Chaque fois que je présente ce matériel, la magie se renouvelle. Les gens sont étonnés et ravis d'y trouver enfin des réponses éloquentes à leur soif de mieux interagir avec leurs enfants bien-aimés. J'ai reçu de nombreux témoignages convaincants à propos des avantages qu'ils en retirent dans leur propre vie. Sans compter les récits émouvants concernant le resserrement des liens affectifs qui se produit entre eux et leurs enfants.

La demande ne cesse de grandir. On veut aller plus loin... Voilà pourquoi je me suis mise à la traduction du volume *How To Talk So Kids Will Listen And Listen So Kids Will Talk* ainsi que de *Liberated Parents/Liberated Children,* devenu *Parents épanouis, enfants épanouis.* J'ai également traduit la trousse de l'atelier *Siblings Without Rivalry*, dont le contenu est tout aussi éloquent. Finalement, je prépare aussi en français des textes de Faber et Mazlish qui s'adressent spécifiquement aux enseignants.

C'est donc avec grand plaisir, chers lecteurs et lectrices francophones, que je vous fais part de ma découverte et que je vous offre, dans votre langue, le fruit du travail acharné de ces deux femmes à qui je dédie toute mon admiration, Adele Faber et Elaine Mazlish.

Roseline Roy

Introduction : une mise à jour

En apprenant que notre éditeur se proposait de rééditer *Liberated Parents/Liberated Children* et de lui donner une nouvelle couverture ainsi qu'un plus grand format, nous étions transportées de joie. Sur une étagère, dans une librairie, la durée de vie d'un livre cartonné ordinaire est à peine de quelques semaines. Voilà que, seize ans après sa publication en 1974, non seulement notre tout premier livre continuait d'être en demande, mais il allait renaître sous une forme plus attrayante. Mieux encore, cette nouvelle édition nous permettait de lui ajouter une touche qui le projetterait solidement dans les années 1990 et plus loin encore.

Nous avons commencé par effectuer une chose que nous n'avions pas faite depuis des années : relire notre livre. C'était comme tourner les pages d'un vieil album de photos. Nous avions du mal à nous reconnaître. À l'époque, nous étions de jeunes mères et nous essayions d'apprendre des façons plus efficaces de nous y prendre avec nos enfants. Maintenant que nos enfants étaient grands, nous étions en train d'enseigner nos découvertes à une nouvelle génération de parents.

Et le monde était vraiment différent ! Tant de phénomènes que nous avions jusque-là tenus pour acquis, en les considérant comme normaux et naturels, nous semblaient maintenant étranges. Les mères dont nous parlions alors étaient à peu près toutes à la maison, occupées à prendre soin de leurs enfants ; et tous les pères travaillaient à l'extérieur. Nous avions inclus une seule famille monoparentale et nous n'avions aucune famille reconstituée, tout simplement parce que nous n'en connaissions aucune à cette époque. Nous ne faisions pas non plus allusion à des couples bénéficiant d'un double revenu, à des pères demeurant à la maison, à des gardiennes d'enfants et à des travailleuses en garderie.

Et pourtant, en relisant chaque chapitre, nous constations que certaines attitudes avaient très peu changé. Les mères et les pères d'aujourd'hui se préoccupent encore du bonheur de leurs enfants, souhaitent encore qu'ils aient des amis, qu'ils réussissent bien à l'école et qu'ils *tournent bien* ; ils sont encore contrariés par les disputes, les pleurnichages, les chambres en désordre et les provocations ; ils sont encore également tourmentés par leur colère et leur propre culpabilité ou par la pression écrasante découlant de la prise en charge d'un autre être humain.

Nous nous sommes aperçues avec fierté que, d'une certaine façon, notre livre était en avance sur son époque. Il soulignait qu'en faisant confiance à ce que ressent une enfant, on lui fournit les ressources nécessaires pour se protéger elle-même. Ce livre explorait aussi des manières de libérer les enfants de l'obligation de jouer les rôles qui les accablent, tout en décrivant une multitude de méthodes pour bâtir l'estime de soi. Nous avons aussi constaté que nous avions jeté un regard réaliste sur la colère des parents - de l'irritation mineure jusqu'à la colère incontrôlée - et que nous avions trouvé des façons d'y faire face sans que nos enfants deviennent nos victimes. À maintes et maintes reprises, nous sommes revenues sur l'importance du respect : respect envers les parents ; respect envers les enfants ; et respect à l'égard de la difficulté de vivre ensemble.

En terminant la lecture du dernier chapitre de *Liberated Parents/Liberated Children*, nous avons ressenti de nouveau la conviction et l'excitation qui nous avaient poussées à l'écrire. Non seulement ce livre était-il encore pertinent, mais les principes et les habiletés qu'il exposait nous semblaient, encore de nos jours, plus importants que jamais. En effet, le stress est omniprésent. Les parents qui tentent de tout faire subissent d'énormes pressions. Plusieurs essaient de tout faire seuls. Grandes sont les exigences ; peu élevé le niveau d'énergie ; et persistante l'impatience. La journée ne compte pas assez d'heures. Nous sommes convaincues que ces méthodes de communication honnêtes et pleines d'attention peuvent apporter une contribution majeure à la stabilité et à la santé mentale de la famille d'aujourd'hui.

I

Au commencement
étaient les mots

Qu'est-ce qui n'allait pas ?
Si je posais les bons gestes, pourquoi donc tant de choses allaient-elles si mal ?
Aucun doute dans mon esprit : en faisant des compliments à mes enfants, en leur disant jusqu'à quel point j'appréciais chaque effort, chaque réussite, ils auraient dû acquérir automatiquement de la confiance en eux-mêmes.
Alors pourquoi Julie était-elle aussi anxieuse ?
J'étais convaincue qu'en discutant avec les enfants, en leur expliquant calmement et logiquement pourquoi il fallait faire certaines choses, ils auraient dû, en retour, réagir de façon raisonnable.
Alors pourquoi chaque explication déclenchait-elle une polémique avec David ?
Je croyais vraiment qu'en évitant de couver les enfants, en les laissant faire eux-mêmes ce qu'ils étaient capables de faire, ils auraient dû apprendre à devenir indépendants.
Alors pourquoi André s'agrippait-il à moi en gémissant ?
Tout ça me déconcertait un peu. Mais ce qui m'inquiétait le plus, dernièrement, c'était ma façon d'agir. Quelle ironie ! Moi qui devais devenir la mère du siècle ; moi qui m'étais toujours sentie si supérieure à ces mères du supermarché, criardes, tireuses de bras et méchantes ; moi qui étais si déterminée à ne jamais reproduire avec mes enfants les erreurs de mes parents ; moi qui sentais que j'avais tant à donner, ma chaleur, ma vaste patience, ma simple joie de vivre ; voilà que ce matin-là, dans la chambre des enfants, j'ai vu le plancher tout barbouillé de taches de peinture avec

23

les doigts et que j'ai poussé un hurlement capable de transformer la mère du supermarché en gentille fée. Mais le plus amer pour moi, ce sont mes paroles : *Dégoûtants ! Malpropres ! Je ne peux pas vous faire confiance une minute ?* Les mêmes mots que j'avais entendus dans mon enfance et que j'avais tant détestés !

Qu'était-il arrivé à ma vaste patience ? Où était passée toute cette joie que j'allais apporter ? Comment avais-je pu m'éloigner autant de mon rêve original ?

C'est dans cet état d'esprit que je suis tombée sur une note provenant de la maternelle, rappelant aux parents qu'il y aurait, ce soir-là, une conférence donnée par un psychologue pour enfants. J'étais vraiment fatiguée, mais je savais que j'y assisterais. Arriverais-je à convaincre Hélène de venir avec moi ?

J'en doutais. Hélène avait souvent exprimé son manque de confiance envers les experts. Elle préfère se fier à ce qu'elle appelle son *gros bon sens*, son *instinct naturel*. Contrairement à moi, elle ne s'impose pas autant d'exigences en tant que mère, pas plus qu'elle ne se préoccupe de buts à long terme au sujet de ses enfants. Quoi qu'il en soit, j'envie sa façon de ne pas s'en faire, sa confiance totale en elle-même. Elle a toujours l'air d'avoir la situation bien en main. Pourtant, récemment, elle s'est plainte des enfants. De toute évidence, au cours des dernières semaines, ils passent leur temps à se disputer ; peu importe ce qu'elle dit ou ce qu'elle fait, rien ne change. Ni son instinct, ni son bon sens ne semblent lui venir en aide pour régler leurs constantes batailles quotidiennes.

Tout en composant le numéro d'Hélène, je me disais que ce changement récent dans le cours des événements la pousserait peut-être à mettre de côté ses préjugés à l'égard des professionnels et à m'accompagner.

Toutefois, Hélène restait inflexible. Elle a déclaré qu'elle n'irait à aucune autre conférence sur la psychologie de l'enfant, même si Sigmund Freud lui-même était le conférencier. Elle se disait fatiguée d'entendre ces pieuses platitudes qui insistent sur le besoin qu'ont les enfants de recevoir amour, sécurité, fermeté, amour, consistance, amour, flexibilité, amour...

La dernière fois qu'elle s'était rendue à une rencontre de ce genre, elle avait par la suite passé trois jours à tourner en rond dans la maison tout en mesurant nerveusement sa production d'*amour*.

Depuis cette expérience, elle n'avait pas suffisamment récupéré pour s'exposer à une nouvelle idée englobante, productrice d'anxiété, quelle qu'elle soit.

C'est alors que j'ai entendu un cri jaillir dans le récepteur :

« Je vais lui dire ! Je vais lui dire !

- Si tu lui dis, je le fais encore !
- Maman, Marc m'a lancé un cube !
- Elle m'a marché sur le doigt !
- C'est pas vrai. Tu es juste une grande douillette !
- Oh ! mon Dieu ! gémit Hélène. Voilà que ça recommence ! N'importe quoi pour sortir de cette maison ! »

Je suis allée la chercher à vingt heures.

Ce soir-là, le conférencier au programme était Haim Ginott, psychologue pour enfants, auteur d'un nouveau livre intitulé *Between Parent and Child*. Sa conférence débutait par une question : « Qu'y a-t-il de spécial dans le langage que j'utilise avec les enfants ? »

Nous nous sommes regardées avec stupéfaction.

« Le langage que j'utilise n'évalue pas. J'évite les expressions qui jugent le caractère ou l'habileté d'un enfant. Je me garde bien de prononcer des mots tels que *stupide, maladroit, méchant* et même des termes comme *beau, bon, merveilleux*, parce qu'ils n'aident pas l'enfant ; ils le bloquent. À la place, j'utilise des mots qui décrivent. Je décris ce que je vois ; je décris ce que je ressens.

« Récemment, dans ma salle de jeu, une petite fille m'a apporté une peinture en me demandant : " C'est bien ? " Je l'ai regardée et j'ai répondu : " Je vois une maison mauve, un soleil rouge sur un fond de ciel bleu et beaucoup de fleurs. J'ai l'impression d'être à la campagne. " En souriant, elle a dit : " Je vais en faire une autre ! "

« Supposons que j'aie répondu : " Merveilleux, tu es une grande artiste ! " Je puis vous assurer que cette peinture aurait été sa dernière de la journée. Après tout, que peut-on faire de mieux que merveilleux et splendide ? J'en suis convaincu : les mots qui évaluent créent un obstacle pour l'enfant. Les mots qui décrivent le libèrent.

« J'aime aussi les mots qui décrivent, a-t-il continué, parce qu'ils invitent l'enfant à trouver ses propres solutions à un problème. Voici un exemple. Si un enfant renverse un verre de lait, je lui dis : " Je vois du lait renversé " et je lui tends une éponge. De cette façon, j'évite le blâme et je mets l'accent là où il va : sur ce qui devrait être fait.

« Si je disais plutôt : " Idiot ! Tu renverses toujours tout. Tu n'apprendras donc jamais ? " on peut être certain que toute l'énergie de l'enfant serait mobilisée pour sa défense plutôt que pour la recherche d'une solution. On entendrait : " Robert m'a poussé la main ! " ou bien " C'est pas moi, c'est le chien. " »

À ce moment-là, Mme Duguay a levé la main, elle qui se prononce sur à peu près tout dans notre communauté. « Docteur Ginott, ce que vous venez de dire est vraiment intéressant. Mais j'ai toujours senti que ce qu'on dit à un enfant n'est pas tellement important, pourvu qu'il sache qu'on l'aime. S'il sent qu'on l'aime vraiment, je crois qu'on peut lui dire à peu près n'importe quoi. Je veux dire, n'est-ce pas l'amour qui compte vraiment, en fin de compte ? »

Ginott écoutait pensivement. « Selon vous, pourvu que l'amour soit présent, les mots en eux-mêmes ne sont pas si importants. J'ai une autre opinion. Supposons que vous soyez à une réception et que vous renversiez votre verre par accident. Je présume que vous ne resteriez pas indifférente si votre mari vous disait affectueusement : " Maladroite ! Je vois que ça t'est encore arrivé. Quand on donnera des prix

26

pour la démolition de maisons, tu gagneras sûrement le premier prix. " »

Mme Duguay a souri, mal à l'aise.

« Je pense au contraire que vous aimeriez mieux vous faire dire par votre mari : " Ma chérie, je vois que ton verre est renversé. Est-ce que je peux t'être utile ? Voici mon mouchoir. " »

Pour la première fois, nous avons vu Mme Duguay à court de mots. Ginott a poursuivi : « Je ne sous-estime pas le pouvoir de l'amour. L'amour est une richesse. Mais même en matière de richesse matérielle, on se rend souvent compte qu'il faut changer les grandes sommes en menue monnaie. Dans une cabine téléphonique, une petite pièce est plus utile qu'un gros billet. De même, pour que notre amour puisse être utile à nos enfants, on doit apprendre à le découper en mots qui pourront les aider. Par exemple, chaque fois qu'ils renversent du lait ou qu'ils nous présentent un dessin pour le faire approuver. Et même lorsque nous sommes fâchés, nous pouvons encore utiliser une sorte de mot qui ne détruit pas les personnes qui nous sont chères, ou qui ne leur porte pas atteinte. »

Ensuite, il a parlé de ce qu'il appelait la *colère sans insulte*. Il a expliqué clairement que ce n'était ni réaliste ni nécessaire pour des parents d'être patients tout le temps. Il a souligné l'utilité pour un père ou une mère d'exprimer sa colère, pourvu qu'on n'insulte pas l'enfant : « Notre colère authentique est l'un des moyens les plus puissants dont on dispose pour changer le comportement.

« Comment mettre ça en pratique ? a-t-il alors demandé. Encore une fois, on utilise des mots qui décrivent. On n'attaque pas la personnalité. Par exemple, si un père est contrarié par le désordre qu'il voit dans la chambre d'un enfant, il devrait se sentir libre d'exprimer ses vrais sentiments, mais non pas avec des insultes ou des accusations. Ne pas dire : " Pourquoi es-tu si négligent ? " ni " Tu ne prends jamais soin de tes choses ; tu as déjà brisé toutes les belles choses que je t'ai achetées. " Bien sûr, même avec ce genre de mots, il est possible que l'enfant fasse le ménage de sa chambre, mais il gardera du ressentiment envers son père et se sentira mal à l'aise par rapport à lui-même.

« La question est de savoir comment le père ou la mère peut exprimer de façon facilitante ces mêmes sentiments de colère. Encore une fois, on peut décrire. On pourrait dire : " Cette chambre ne fait pas plaisir à voir ! " ou bien " Je vois quelque chose qui me met en colère ! Les vêtements, les livres et les jouets vont sur les étagères ! " ou encore " Quand je vois des objets partout sur le plancher, je deviens furieux ! Ça me donne le goût de tout balancer par la fenêtre ! " »

Dans l'auditoire, un homme a levé la main. « Docteur Ginott, a-t-il dit, il me semble que certaines des méthodes que vous proposez conviendraient mieux à des professionnels bien entraînés. Je ne peux pas imaginer des parents ordinaires capables d'utiliser cette approche. »

Ginott a répondu : « J'ai une grande confiance dans les parents *ordinaires*. Qui donc peut avoir le bien-être d'un enfant plus à cœur que sa mère ou son père *ordinaire* ? Selon mon expérience, quand on fournit aux parents des habiletés qui les rendent plus *facilitants*, non seulement sont-ils capables de les utiliser, mais en plus, ils les imprègnent d'une chaleur et d'un style qui leur sont uniques. »

La conférence s'est poursuivie pendant une autre demi-heure. Ginott a introduit l'idée d'être *l'avocat* de son enfant. Il a expliqué comment les enfants étaient déjà suffisamment entourés de juges, de membres du jury et de procureurs. Il a fourni des exemples de façons, pour les parents, d'être des *avocats de la défense*. Il a insisté sur l'importance d'accepter les sentiments des enfants, tous leurs sentiments. Il a décrit des façons d'éviter les paroles porteuses de destruction, comme le sarcasme, les avertissements et les promesses. À la toute fin de son exposé, il était entouré d'un groupe de parents qui voulaient tous lui parler personnellement.

Nous avons décidé de ne pas nous mêler à la cohue. Nous sommes plutôt sorties dans l'air frais du soir. Nous sommes restées silencieuses dans l'auto, en attendant que le moteur se réchauffe. Nous savions toutes les deux que nous étions tombées sur quelque chose qui nous avait profondément touchées, et pourtant nous ne pouvions pas cerner ce que c'était. Ce soir-là, nous avions entendu des paroles qui semblaient assez simples pour être utiles dans l'immédiat, et pourtant, nous pressentions que ces phrases toutes simples étaient fondées sur une idée tellement complexe que les possibilités étaient illimitées.

Sur le chemin du retour, nous avons tenté de mettre nos idées en place. Serions-nous capables d'appliquer ce que nous avions appris ce soir-là ? Serait-ce efficace ? Allions-nous trouver étrange de dire les choses d'une nouvelle façon ? Comment les enfants allaient-ils réagir ? Est-ce qu'ils remarqueraient même la différence ? Était-il trop tard pour faire des changements maintenant ? Les dommages déjà causés étaient-ils permanents ? Comment décrire toute l'affaire à nos maris ?

Je réfléchissais à mon explosion du matin, à propos des traces de peinture avec les doigts.

« Hélène, je crois que j'aurais pu éviter toute cette scène si j'avais seulement dit : "Je vois de la peinture sur le plancher. Nous avons besoin de quelques chiffons. " »

Hélène m'a regardée en secouant la tête.

« Je ne suis pas convaincue. Tu étais pas mal fâchée, ce matin. Tu ne me sembles pas très fâchée, maintenant. Haim Ginott a dit : " Ce que tu ressens, montre-le. " »

« D'accord. Que penses-tu de ceci : " Quand je vois de la peinture sur le plancher, ça me rend tellement furieuse que j'aurais le goût de prendre tous les pots de peinture et de les jeter à la poubelle " ? »

« Je suis très impressionnée, a répondu Hélène, mais est-ce que ça va produire un effet sur de vrais enfants vivants ? Hé ! il me vient une idée horrible. Supposons qu'ils ne renversent plus rien à l'avenir ! »

Nous avons pouffé de rire en nous rendant compte que nous avions hâte à la prochaine mésaventure et que nous espérions la voir surgir bientôt, pendant que nous étions encore toutes fringantes.

Nous n'avons pas eu à attendre bien longtemps. Le soleil s'est levé ; le soleil s'est couché. Le lait s'est répandu. Nous avons décrit. Ils ont épongé ! C'était un petit miracle ! Ébahies par notre succès, même s'il était dû à la chance du débutant, nous devions en savoir plus. Nous avons acheté le livre de Ginott, intitulé *Between Parent and Child*, et nous avons été ravies de découvrir qu'il était riche en suggestions pratiques, immédiatement utilisables. Le seul fait de voir les mots par écrit et de pouvoir en lire et relire certaines parties nous permettait de nous raccrocher à quelque chose.

Par exemple, une fois où je m'apprêtais à sortir pour la soirée, mon plus jeune fils, André, m'a saisie par la jambe en pleurant. « Ne pars pas, maman ; reste à la maison ! » Je me suis dégagée doucement, j'ai attrapé le livre sur la table de chevet, je me suis enfermée dans la salle de bain. J'ai ensuite retrouvé la partie intitulée *Les parents n'ont pas besoin d'un permis de divertissement* et j'ai lu à toute allure. À ma sortie, j'étais prête. J'ai dit : « Mon chéri, je le sais, tu souhaites que nous ne sortions pas ce soir. Tu aimerais que nous restions avec toi. Mais ton père et moi, nous nous offrons le plaisir d'aller au cinéma. » Ça pouvait ressembler à un texte récité par cœur, mais ça nous a permis d'aller voir un film, sans avoir à subir la scène habituelle.

Nous avons trouvé très pratique le chapitre traitant des compliments. Auparavant, Hélène complimentait son petit Marc de cinq ans avec des : « Tu es superbe, merveilleux, le meilleur ! » Elle n'avait jamais compris pourquoi il avait l'habitude de protester : « Non, c'est pas vrai. André est meilleur » ou bien : « Arrête de me vanter ». Elle a donc essayé la prescription de Ginott sur les compliments.

Le jour où Marc a empêché le débordement de l'évier de la cuisine, elle a résisté à la tentation de dire : « Fantastique ! Tu es un génie ! » Elle a plutôt décrit ce qu'elle ressentait et ce qu'elle avait vu : « J'étais là, tout énervée à la pensée qu'il me faudrait appeler le plombier. Puis, tu arrives avec la ventouse et, en deux minutes, l'eau se met à s'écouler. Comment as-tu fait pour penser à ça ? »

Et voilà que, de la bouche d'un jeune enfant, était sorti le compliment le plus charmant qui soit, un compliment qu'il s'accordait à lui-même : « Je me suis servi de ma tête. Je suis un bon plombier. »

Une publicité de notre association locale d'aide à l'enfance annonçait que Ginott offrait dans notre communauté une série d'ateliers d'apprentissage à l'intention des parents. On y incluait une formule d'inscription pour les personnes intéressées. Hélène et moi avons aussitôt mis les nôtres à la poste.

Nous étions heureuses de constater la diversité du groupe qui s'est réuni le premier soir. Les femmes présentes avaient entre 23 et 50 ans. La taille de leur famille était aussi très variable : d'un seul enfant à une bande de six marmots. La plupart des femmes étaient mariées ; l'une était divorcée et une autre était veuve. Nous avons dénombré parmi nous des femmes demeurant à la maison, des enseignantes, des femmes d'affaires, une artiste et une musicienne. Nos croyances religieuses étaient aussi diversifiées. Il y avait des catholiques, des protestantes, des juives et des athées.

Cependant, nous avions toutes une chose en commun : nous avions des enfants.

Au début, les rencontres ont pris la forme de conférences ; chaque exposé nous proposait de nouvelles habiletés. Nous avons découvert les limites de la logique quand il s'agit de transiger avec un enfant, et l'influence qu'on obtient par le simple fait de s'intéresser à ses émotions. Nous avons vu comment il est possible de donner à l'enfant, par la fantaisie, ce que nous ne pouvons lui offrir dans la réalité.

Pour moi, qui étais tellement imbue d'une approche rationnelle, cette prise de conscience arrivait comme un cadeau. Je peux encore me voir, assise dans l'auto, en train d'expliquer patiemment à un David grognon que nous étions tous assoiffés ; qu'on ne pouvait rien y faire, bloqués au milieu de la circulation ; qu'en aucune façon il était question de s'arrêter pour se procurer de quoi boire ; que les lamentations ne feraient pas avancer l'auto plus rapidement... Quel soulagement de pouvoir désormais me retourner vers mon fils, dans une situation identique, et de dire : « Eh bien, j'entends un garçon qui a une grosse soif. Je parie que tu aimerais avoir tout un pot de jus de pomme bien frais, juste maintenant ! »

Quand David a ajouté, avec un sourire fendu jusqu'aux oreilles : « Pourquoi pas une pleine baignoire ? » je me suis sentie reconnaissante de mon nouveau savoir.

Une autre technique qui a entraîné tout un changement chez le ténor de la maisonnée, c'est cette habileté qui consiste à remplacer une menace par un choix. « Si tu te sers de ce fusil à eau une autre fois dans le salon, tu vas le regretter ! » est devenu : « Un fusil à eau, ce n'est pas fait pour être utilisé dans un salon. Tu peux jouer avec ce fusil dans la salle de bain ou à l'extérieur. À toi de choisir. »

Nous avons aussi commencé à remarquer qu'il s'opérait en nous certains changements. D'abord, nous nous sommes rendu compte que nous parlions moins longtemps à nos enfants. Selon toute apparence, un dicton maintes fois répété par Haim Ginott exerçait sur nous une influence : « Chaque fois que c'est possible, remplacez un paragraphe par une phrase, une phrase par un mot, un mot par un geste. » Nous nous sommes aperçues qu'en parlant moins, nous écoutions davantage, et d'une façon différente. Nous commencions à entendre ce qu'un enfant était vraiment en train de dire, au-delà des mots. Quand André, sur un pied de guerre, me disait : « Tu emmènes toujours David quelque part : à la bibliothèque, chez le dentiste, chez les scouts », j'entendais maintenant : « Mon frère prend trop de ton temps. Je suis inquiet. » J'ai donc éliminé les longues explications, pour parler aux vraies préoccupations d'André : « Tu aimerais que je passe plus de temps avec toi ? J'aimerais ça, moi aussi. » Nous nous sommes également rendu compte que nous développions une certaine distance émotionnelle par rapport à nos enfants. Nous étions moins facilement affectées par leur mauvaise humeur, leurs tempêtes dans un verre d'eau. Pour Hélène, qui avait souvent senti qu'elle vivait sur le front d'un champ de bataille, sa nouvelle habileté à s'engager de moins en moins intensément représentait une véritable bénédiction. Désormais, plutôt que de s'élancer et de prendre les armes en faveur d'un parti ou d'un autre, elle restait calme et proposait des pistes susceptibles d'aboutir à un règlement pacifique. Quand ses enfants ont commencé à se disputer à propos de la balançoire, elle a pu dire : « Les enfants, je vous fais confiance pour trouver une solution acceptable pour chacun de vous. » Mais son véritable triomphe est survenu cinq minutes plus tard, quand une petite voix a crié du fond de la cour : « Maman, on a pris une décision. On va prendre chacun notre tour. »

Nos histoires n'avaient pas toutes une fin aussi heureuse. Il survenait suffisamment d'insuccès pour nous empêcher de devenir orgueilleuses. En fait, ce nouveau langage ne faisait pas encore réellement partie de nous. Les mots qu'Hélène utilisait semblaient encore étrangers à nos lèvres et maladroits à nos oreilles.

Les enfants aussi semblaient un peu déconcertés par nos nouvelles expressions. De temps à autre, l'étonnement qu'on pouvait lire sur leur visage semblait nous demander : « Mais qui donc est cette dame ? » À certains moments, nous ne savions pas au juste nous-mêmes qui était *cette dame*.

Nos maris nous considéraient aussi avec scepticisme. Pas besoin d'un diplôme en psychologie pour reconnaître l'hostilité à peine voilée dans une phrase telle que : « D'accord, la mère, c'est *toi* l'experte. *Tu* t'occupes de cette crise » ou encore : « Puisque je ne dis rien de correct, tu devrais peut-être m'écrire un scénario. »

Parfois, nous agissions comme la vache du proverbe, qui donne du bon lait pour ensuite renverser le seau d'un coup de patte. Nous disions toutes les bonnes paroles, puis, incapables de résister davantage, nous ajoutions juste une phrase de trop : « Ça va passer... » ou bien : « Dans la vie, il faut savoir en prendre et en laisser. » Nous défaisions ainsi tout notre beau travail.

Nous étions aussi tourmentées par une tendance naturelle à trop insister sur chaque nouvelle habileté. Quand nous avons fait la découverte du pouvoir extraordinaire de : « Ça me rend furieuse ! » nous étions transportées de joie. Ça faisait tellement de bien de le dire, et les enfants sautaient presque toujours au garde-à-vous pour se corriger. Mais le jour où j'ai crié : « Je suis furieuse ! » et que j'ai reçu mon premier : « Pauvre toi ! », j'ai dû me rendre à l'évidence que j'avais poussé une bonne chose un peu trop loin.

Fascinée par l'idée d'utiliser la fantaisie pour satisfaire les désirs, Hélène était portée à entonner si souvent : « Ah ! Tu aimerais avoir... » avec sa fille de sept ans, qu'un jour Laura a répliqué en gémissant : « Maman, tu recommences encore ! » Quand Hélène a mentionné cela à Ginott, il a répondu : « Certaines de ces expressions sont très puissantes et doivent être utilisées avec modération. Comme avec un assaisonnement corsé, qui ajoute de la saveur, une trop grande quantité peut rendre les aliments indigestes. »

Notre cours tirait à sa fin, mais nos problèmes, eux, continuaient. Il y avait des périodes où les enfants fonctionnaient admirablement : ils travaillaient bien à l'école ; ils se faisaient des amis ; ils exploraient leur monde avec contentement ; et c'était un vrai plaisir de vivre avec eux. Mais ces intervalles ensoleillés étaient presque toujours suivis d'une série de tempêtes qui surgissaient de nulle part et sans avertissement : il s'est fait attaquer par d'autres enfants à l'arrêt d'autobus ; un matin, il refuse d'aller à l'école ; il commence à mouiller son lit... Parfois, ces mêmes habiletés auxquelles nous avions pris l'habitude de nous fier devenaient, à leur tour, une source de frustration, car elles nous conduisaient constamment vers de nouvelles questions qui, en retour, réclamaient de nouvelles réponses.

« Docteur Ginott, si je lui permets d'exprimer tous ses sentiments et qu'il m'annonce qu'il déteste son petit frère, qu'est-ce que je fais dans ce cas-là ? »

Nous avions peut-être besoin d'une autre série de rencontres. Haim Ginott a accepté de continuer. Au cours des séances suivantes, nous avons remarqué deux nouveaux développements. En premier lieu, des signes de changements chez nos enfants. Des expressions nouvelles flottaient dans l'air. Hélène a rapporté avoir entendu sa fille dire à une amie : « Chez moi, on ne se blâme pas les uns les autres. » Et je n'oublierai jamais la fois où mon fils aîné, David, est entré en coup de vent dans la chambre de son frère en hurlant : « Je suis tellement fâché que j'aurais le goût de t'enfoncer la tête dans les épaules, mais je ne le ferai pas ! » Puis il est ressorti précipitamment. Pour un observateur étranger, ça n'a peut-être pas l'air d'un progrès, mais chez moi, c'était un petit miracle de retenue et un nez ensanglanté en moins.

En second lieu, c'est notre sentiment de liberté qui était touché. Depuis un bon moment déjà, nous étions préoccupées par notre perte de spontanéité. Allions-nous continuer à soupeser nos moindres mots jusqu'à la fin de nos jours, en redoutant l'impact de chacune de nos paroles ? Intellectuellement, nous comprenions que la maîtrise de n'importe quelle nouvelle habileté implique l'abandon temporaire d'une certaine spontanéité. Même un Horowitz doit s'imposer la pratique régulière de son instrument et une adhésion stricte à la technique, avant de pouvoir ajouter sa touche personnelle à l'interprétation de la musique.

Mais nous nous tracassions quand même. Il était tellement difficile de retenir notre spontanéité dans cette relation si proche et si chère à nos cœurs. Quel soulagement ce fut alors pour nous quand nous nous sommes rendu compte un jour que nous étions devenues désormais plus naturelles, plus à l'aise. Nous osions prendre le risque d'improviser, d'expérimenter. Les mots de l'une ne ressemblaient plus à ceux de l'autre, ni à ceux de Ginott. En vérité, nous utilisions toutes les deux les mêmes habiletés de base, mais nous pouvions désormais interpréter la musique chacune à notre façon.

Puis, les rencontres du groupe ont pris fin. Temps d'arrêt pour les vacances d'été, mais promesse de se retrouver à l'automne.

L'été est venu, puis il s'est enfui, et avec lui s'est évaporée une grande partie de notre expertise si chèrement gagnée. Un plein été avec des enfants, des enfants et encore des enfants, avait eu raison de nous. Si en juin nous avions joué de la musique, en septembre, nous en étions réduites à quelques fausses notes. Nous nous rendions compte que la vie avec des enfants reste un travail exténuant, plein d'embûches, de difficultés et de besoins conflictuels, quels que soient l'habileté des parents ou le charme des enfants. Ils sont bruyants quand on veut de la tranquillité ; ils exigent de l'attention quand on a besoin de temps pour soi-même ; et ils sont négligents quand on est assoiffé d'ordre. En plus, il y a les taquineries, les querelles et les drames surgis soudain des situations les plus banales : « Je ne veux pas me brosser les dents ! Pourquoi dois-je mettre mon pyjama ? Je n'ai pas besoin d'une veste. »

À l'usure, nous nous sommes vues glisser dans nos anciennes méthodes. L'éclat de nos premiers succès s'était dissipé peu à peu. Nous manquions d'exercice.

Haim Ginott avait souvent dit que cette approche pouvait se comparer à l'apprentissage d'une nouvelle langue, comme l'allemand ou le chinois. Nous réalisions que nous devions maintenant accomplir quelque chose d'encore plus difficile. Tout en apprenant ce nouveau langage, nous devions *désapprendre* l'ancien discours, issu d'une vie entière, celui que les générations précédentes nous avaient légué. Des phrases qui étaient autant de mauvaises herbes que nous ne parvenions pas à déraciner.

« Pourquoi tu ne peux jamais... ?
- Tu seras toujours un...
- Tu ne fais jamais...
- Qui a fait ça ?
- C'est quoi, au juste, ton problème ? »
Ces phrases avaient une façon diabolique de reprendre de la force et d'étrangler nos tendres petites pousses :
« Tu souhaiterais...
- J'ai confiance que tu...
- Alors, tu sens vraiment que...
- Ce serait utile si... »
C'est donc avec des sentiments contradictoires que nous sommes retournées au groupe en septembre, un peu sceptiques, en espérant, tout de même, que nous revienne au moins une partie de notre enthousiasme du début. Nous avons vite constaté que nous n'étions pas les seules à avoir cette impression. D'autres voix se faisaient l'écho de nos sentiments. Nous avons entendu : « Oh ! que j'en ai perdu cet été ! Je crois avoir oublié tout que j'ai appris. »

Ginott a écouté silencieusement tous ces commentaires. Puis il a posé une question : « Quel est notre principal objectif en tant que parents ? » Quelqu'un s'est aventuré : « Améliorer nos relations parents-enfants. »

Une autre a dit : « Trouver de meilleures façons de communiquer avec nos enfants. »

Puis, une autre femme a ajouté avec désinvolture : « Élever des enfants qui sont, entre autres choses, brillants, polis, charmants, soignés et, évidemment, bien adaptés. »

Haim Ginott a aussitôt pris un air solennel. Visiblement, ce dernier commentaire ne l'avait pas amusé. Il s'est penché vers l'avant.

« Voici ce que j'en pense, a-t-il dit. Il me semble clair que notre but principal, c'est de trouver des façons d'aider nos enfants à devenir humains et forts. À quoi cela nous avancerait-il d'avoir éduqué un jeune enfant à être soigné, poli et charmant, s'il est incapable de réagir devant la souffrance des autres ? Qu'a-t-on accompli si on a élevé un enfant brillant, un premier de classe, qui utilise son intelligence pour manipuler les autres ?

« Et voulons-nous vraiment des enfants tellement bien adaptés qu'ils sont d'accord avec une situation injuste ? Les Allemands se sont trop bien conformés aux ordres des nazis, qui leur commandaient d'exterminer des millions de leurs semblables. Comprenez-moi bien : je ne m'oppose pas à ce qu'un enfant soit poli, soigné ou instruit. La question cruciale pour moi est la suivante : quelles méthodes a-t-on utilisées pour parvenir à ces fins ? S'il s'agit d'insultes, d'attaques et de menaces, alors on peut être certain qu'on a aussi enseigné à cet enfant à insulter, à attaquer ou à menacer, et à plier sous la menace.

« Si, d'un autre côté, on utilise des méthodes qui sont humanisantes, alors on enseigne quelque chose de beaucoup plus important qu'une série de vertus isolées. On montre à l'enfant comment être une personne, un *mensch*, un être humain qui peut conduire sa vie avec force et dignité. »

À travers la pièce, le regard d'Hélène a croisé le mien. C'était donc ça, l'idée insaisissable qui nous avait tant émues lors de la première rencontre ; on venait finalement de la nommer. Il s'agit d'un *processus* qui a pour but *d'humaniser*. Cette idée affirme que chacun des contacts qu'on a avec un enfant est porteur de sens, qu'il compte pour quelque chose, qu'il devient une partie du tissu de la personne que l'enfant va devenir. Je commençais à comprendre que, en disant à un enfant : « Le lait est renversé » tout en lui tendant une éponge, on est en train de dépasser de loin la simple utilisation d'une technique intelligente qui démontre comment s'y prendre lors d'un incident mineur. À un niveau beaucoup plus profond, on est en train d'affirmer : « Je te vois comme une personne capable de s'aider elle-même. » On déclare :

« Quand il y a des problèmes, on ne blâme pas.
- Quand il y a des problèmes, on se concentre sur les solutions.

- Quand il y a des problèmes, on se tend l'un à l'autre une main secourable.»

Tout est soudain devenu clair et net pour moi. Si la méthode même qu'on utilise avec un enfant détermine le genre d'être humain qu'il va devenir, alors je ne pourrai jamais plus envisager mon travail comme mère de la même façon. Bien sûr, les irritations quotidiennes seront toujours là, mais je pourrai désormais les voir comme des occasions : des occasions de forger le caractère de mes enfants ; des occasions d'affirmer les valeurs auxquelles je crois !

La dame qui avait donné une réponse désinvolte, un peu plus tôt, a de nouveau pris la parole : « Je ne me rendais pas compte que j'accomplissais un travail aussi important.»

Ginott a souri. « Tout dépend de la façon dont on regarde la chose. Laissez-moi vous raconter une histoire. Trois travailleurs se font aborder par un villageois. " Que faites-vous ? " leur demande-t-il. Le premier travailleur répond : " Je gagne ma vie. " Le deuxième dit : " J'empile des briques. " Le troisième répond : " Je construis une cathédrale. "»

Silence. La dame a acquiescé discrètement.

J'ai pensé : nous sommes, nous aussi, des travailleurs ; notre travail, c'est d'élever des enfants ; nos briques, ce sont nos réponses de tous les instants ; et notre cathédrale, ce sont des enfants pleinement humains.

Les enfants sont des personnes

II

Leurs sentiments sont bien réels

Au départ, Haim Ginott avait comme but de nous faire comprendre qu'il est important d'accepter les sentiments des enfants. C'est de multiples façons qu'il réaffirmait ses convictions.

« Tous les sentiments sont permis ; on peut limiter les gestes.

- On ne doit pas nier les perceptions d'un enfant.
- C'est seulement quand un enfant se sent bien qu'il peut bien penser.
- C'est seulement quand un enfant se sent bien qu'il peut bien agir. »

Je n'étais même pas certaine de comprendre complètement ces idées. Est-ce vraiment si important d'accepter les sentiments des enfants ? Et si c'est le cas, quel est le rapport entre le fait de les accepter et le désir d'élever des enfants forts et pleinement humains ?

Dans mon propre passé, les sentiments d'un enfant semblaient compter pour très peu. « C'est seulement une enfant, qu'est-ce qu'elle en sait ? Si elle continue comme ça, on pourrait croire que la fin du monde est proche. » Enfant, j'ai eu la très nette impression que mes sentiments ne devaient pas être pris au sérieux tant que je n'aurais pas atteint la maturité. J'étais habituée d'entendre des remarques comme ceci :

« C'est idiot de se sentir comme ça.

- Tu n'as aucune raison d'être aussi bouleversée.
- Tu te fais une montagne avec des riens. »

e n'y avais jamais pensé de nouveau. C'était comme ça.

maintenant, en tant que mère, on me disait que mon ... ail consiste à aider mes enfants à reconnaître leurs vrais sentiments parce qu'il est bénéfique pour eux de savoir ce qu'ils ressentent.

« Tu sembles contente d'avoir terminé ce casse-tête par toi-même.
- Tu dois être déçu que Tristan n'ait pas pu venir à ta fête. »

On nous disait aussi que tous les sentiments de nos enfants, même négatifs, devraient être reconnus.

« Un jouet si difficile à faire fonctionner, ça doit être frustrant.
- Tu détestes vraiment que tante Henriette te pince la joue. »

Je pouvais voir en quoi le fait de placer un miroir devant les sentiments peut avoir du mérite. D'une certaine façon, les relations familiales sont adoucies quand on reconnaît un sentiment au lieu de le combattre. Ce matin, au déjeuner, quand David a dit : « Pouah ! Cet oeuf est trop mou ! » j'ai éliminé un long monologue portant sur le thème : « Comment est-il possible qu'il sache de quoi il parle ? » Je ne lui ai pas rappelé que cet œuf avait cuit exactement aussi longtemps que celui qu'il avait aimé la veille. J'ai tout simplement dit : « Oh ! tu l'aimes plus ferme. » C'était beaucoup plus facile et j'ai réussi à éviter que *la question de l'œuf* n'atteigne un tel degré d'ébullition qu'elle n'entraîne un débordement de mauvaise humeur.

Toutefois, je ne comprenais toujours pas ce grand mystère à propos des sentiments. C'est alors qu'il s'est passé quelque chose qui m'a fourni un éclairage sur l'ensemble du processus.

Un soir d'orage, pendant le souper, dans un énorme bruit de tonnerre, la maison s'est trouvée plongée dans l'obscurité totale. Quand la lumière est revenue, quelques secondes plus tard, les enfants semblaient effrayés. J'ai pensé que la meilleure façon de faire face à la situation était de traiter leurs peurs à la légère. J'ai presque lancé : « Bon ! pas si terrible après tout ? »

Mais mon mari, Thomas, a parlé le premier. « Hé ! C'était plutôt effrayant ! »

Les enfants l'ont regardé fixement. Ça sonnait bien de l'entendre dire ça. J'ai enchaîné dans le même état d'esprit : « C'est drôle, quand il y a de la lumière dans une chambre, tout nous semble amical, familier, mais si la même pièce, avec les mêmes objets, est plongée dans l'obscurité, elle devient soudain effrayante. Je ne comprends pas pourquoi. C'est juste comme ça. »

Trois paires d'yeux m'ont regardée avec un tel soulagement, une telle gratitude, que j'en ai été saisie. J'avais dit une phrase toute simple au sujet d'un événement très ordinaire, et pourtant, ça semblait avoir beaucoup de sens pour eux. Ils ont commencé à parler, tous en même temps, en se bousculant pour avoir leur tour.

DAVID : Parfois, je pense qu'un voleur va venir me kidnapper.

ANDRÉ : Ma chaise berceuse ressemble à un monstre dans le noir.

JULIE : Ce qui m'effraie le plus, c'est quand les branches de l'arbre frôlent la fenêtre.

Les mots coulaient à flots, chaque enfant exprimant tout haut les pensées effrayantes qu'il avait quand il était tout seul dans l'obscurité de sa chambre. Tous les deux, nous avons écouté et hoché la tête. Ils ont parlé, parlé. Finalement, ils se sont tus.

Dans le silence qui a suivi, nous nous sommes tous sentis tellement aimés et aimants que j'étais certaine d'avoir touché le cœur même d'un phénomène très puissant. Ce n'est pas une mince affaire que de valider les sentiments d'un enfant. Est-ce que les autres savent ça ?

J'ai commencé à tendre une oreille indiscrète aux conversations entre des parents et leurs enfants. Au jardin zoologique, j'ai entendu :

L'ENFANT : *(en pleurs)* Mon doigt ! J'ai mal au doigt !

LE PÈRE : Ça ne peut pas faire si mal, c'est seulement une petite égratignure.

Au supermarché, j'ai entendu :

L'ENFANT : J'ai chaud.

LA MÈRE : Comment peux-tu avoir chaud ? Il fait frais ici.

Au magasin de jouets, j'ai entendu :

L'ENFANT : Maman, regarde ce petit canard ; comme il est mignon !

LA MÈRE : Oh ! c'est pour un petit bébé. Les jouets pour bébés ne t'intéressent plus.

C'était ahurissant ! Ces parents semblaient incapables d'entendre les émotions les plus simples de leurs enfants. Leurs réponses n'étaient pas fondées sur de mauvaises intentions. Pourtant, en réalité, ce qu'ils répétaient avec insistance à leurs enfants, c'était :

« Tu ne veux pas vraiment dire ce que tu dis.
- Tu ne sais pas ce que tu sais.
- Tu ne ressens pas ce que tu ressens. »

Je devais me retenir pour ne pas taper sur l'épaule de chacun de ces parents et leur suggérer de dire plutôt :

« Je vois que tu t'es égratigné. Une égratignure, ça peut faire mal.
- D'après toi, il fait vraiment chaud ici, n'est-ce pas ?
- Ah ! tu aimes ce beau petit canard en peluche, n'est-ce pas ? »

Je voulais exploser. Si je ne pouvais pas le dire à des étrangers, au moins je pouvais le dire à des amis. Je me devais de répandre la bonne parole. J'ai téléphoné à quelques amies que je croyais capables d'accueillir ma ferveur et je leur ai décrit mes récentes révélations. Elles m'ont écoutée poliment, même avec intérêt. Puis est venue la série de *mais*.

« Mais Joanne, je ne suis même pas certaine de comprendre ce que tu veux dire quand tu parles *d'accepter les sentiments et de limiter les actions.* Comment mettre ça en application avec Timothée ? »

Je réfléchis à quelques exemples.

« Tim, je sais que tu aimerais cueillir un gros bouquet de ces jonquilles et les apporter à la maison. L'écriteau indique qu'on ne doit pas cueillir les fleurs dans le parc.

- Tim, je peux voir que tu aimerais goûter à tous les chocolats de cette boîte, juste pour voir ce qu'il y a à l'intérieur de chacun. Ça te tente vraiment. Voici ce que tu *peux* faire : en choisir un maintenant et un autre demain.

- Tim, tu es vraiment fâché qu'Éric ait brisé ta bicyclette. J'imagine que tu aurais le goût de lui taper dessus. Je sais. Mais parle avec des mots, pas avec tes poings. »

Une autre amie m'a dit : « Mais Jo, si tu acceptes les sentiments d'un enfant, n'es-tu pas, en fait, en train de les approuver ? Ma fille ne laisse personne s'approcher de ses jouets. Je ne veux certainement pas valider ce sentiment égoïste. Je pense qu'il est important pour Noémie de grandir en devenant généreuse, alors je lui enseigne que nous avons tous à apprendre le partage. »

Et de la part d'une autre amie, j'ai entendu ceci : « Mais Joanne, si je laissais Roger me dire jusqu'à quel point il déteste le bébé, est-ce que je ne serais pas tout simplement en train d'encourager ses pires sentiments, de les renforcer, de lui donner la permission d'éprouver de la haine ? »

C'était tellement difficile à expliquer. J'essayais de leur dire qu'aider un enfant à clarifier ses sentiments ne veut pas dire qu'on est d'accord avec les sentiments ou qu'on les appuie. Qu'il ne s'agit pas d'une réponse d'approbation, comme : « Bravo, Noémie, tu détestes partager ! » pas plus que « C'est merveilleux, Roger, tu aimerais étrangler ta sœur ! »

Je voulais parler du genre d'écoute et de réaction qui provient d'un effort réel en vue de *sentir par en dedans* les émotions de l'enfant. Je voulais expliquer qu'un simple et honnête : « Oh ! Je vois » signifie pour l'enfant : « Tes sentiments, *tous* tes sentiments sont importants, les bons et les mauvais. Ils font tous partie de toi. Tes sentiments ne me bouleversent pas, ne me font pas peur. »

Je voulais dire qu'aussi longtemps que les sentiments colériques ou blessants d'un enfant ne sortent pas au grand jour, tant qu'ils ne sont pas écoutés et acceptés, l'enfant n'est pas libre de changer.

Je n'étais pas certaine que mon zèle non sollicité soit apprécié. C'est donc avec bonheur que j'ai reçu deux appels téléphoniques quelques jours plus tard.

« Jo, l'impossible vient tout juste d'arriver. L'amie de Noémie était à la maison ce matin et elle m'a demandé de forcer Noémie à partager son nouveau jeu de construction. Pour une fois, j'ai réfléchi à la façon dont Noémie pouvait se sentir. Et il est arrivé quelque chose d'étrange. Au lieu d'être fâchée contre elle, je me suis mise à me sentir presque tendre. J'ai dit : " Il me semble que ça doit être vraiment difficile de partager un nouveau jouet. Les gens aiment garder longtemps leurs nouvelles choses pour eux-mêmes. " Puis, je me suis adressée à l'amie de Noémie : " Quand Noémie sera prête, elle partagera. " Personne n'a plus dit un mot, mais une demi-heure plus tard, j'ai bien entendu Noémie annoncer : " D'accord, Berthe, je suis prête à partager maintenant ! " »

La deuxième personne qui m'a appelée avait le même ton impressionné. « Tu ne me croiras pas, Joanne. Ce matin, le bébé dormait et Roger n'arrêtait pas de tirer sur sa couverture. J'étais sur le point de lui donner la fessée et de dire : " Tu es un grand garçon maintenant, tu devrais mieux te conduire ! " mais je me suis rappelé ce que tu m'avais dit l'autre jour au sujet des bons sentiments qui ne s'installeront pas à l'intérieur tant que les mauvais sentiments ne seront pas évacués. Alors, je lui ai seulement retenu la main et j'ai dit : " Hé ! Roger, j'étais en train de penser que la présence du bébé doit parfois te déranger. Même quand elle dort. Je parie que juste le fait qu'elle soit dans la maison, rien qu'à la voir, ça peut parfois te mettre en colère. " Il m'a jeté un long regard reconnaissant. " Bébé a froid. Remonte sa couverture " a-t-il dit. Incroyable ! »

J'étais transportée de joie par ces récits. Ces personnes me disaient que j'étais sur une bonne piste. La simple acceptation d'un sentiment suffit pour tout changer. Et quel changement ! Au lieu de parents irrités qui essaient d'imposer leurs perceptions d'adultes à des enfants contrariés, voici des parents qui ont vraiment essayé d'écouter et de comprendre. Et voilà des enfants qui ont été entendus et qui se sont sentis compris, des enfants qu'on a rendus libres de répondre de façon plus aimante.

C'est alors qu'il s'est passé une chose qui m'a donné à réfléchir. Marie-Suzanne, la meilleure amie de Julie depuis l'époque de la garderie, a commencé à se moquer d'elle, à la taquiner en disant qu'elle portait des vêtements de bébé et à chuchoter à propos d'elle aux oreilles d'autres fillettes qui ricanaient. Mais Julie faisait tellement confiance à cette ancienne amie qu'elle ne semblait pas se rendre compte de ce qui se passait. Un beau samedi, Julie a téléphoné à Marie-Suzanne en l'invitant à venir jouer avec elle. Cette fois, Marie-Suzanne a frappé encore plus bas. Elle a dit à Julie qu'elle ne voulait plus être son amie et que les autres filles ne l'aimaient pas, elles non plus.

Julie en est restée bouche bée, atterrée. Elle a raccroché et s'est rendue à sa chambre. Une heure plus tard, en passant devant sa porte ouverte, je l'ai aperçue étendue sur son lit, le visage inondé de larmes, fixant le plafond. J'aurais soudain voulu mettre la main sur cette Marie-Suzanne et la secouer jusqu'à ce que ses dents s'entrechoquent. Cette garce mesquine, égocentrique, comment avait-elle osé faire ça à Julie ? J'aurais aimé dire à mon enfant que ses pires défauts n'étaient rien à côté de ceux de Marie-Suzanne. J'aurais voulu crier : « La pomme ne tombe pas loin de l'arbre ! Rien qu'à voir la mère, cette chipie froide et hypocrite… » Mais par-dessus tout, j'aurais souhaité détenir le pouvoir de soulager la souffrance de Julie, avoir les mots de sagesse capables de l'aider.

Quel conseil lui donner ? Je savais que d'habitude les enfants n'aiment pas les conseils. Je savais aussi que Julie avait besoin de temps pour trouver ses propres solutions. Pourtant, je me sentais poussée à résoudre son problème. Dans ce cas-ci, l'empathie semblait hors de question. J'avais peur qu'en lui renvoyant dans un miroir sa douleur, son sentiment de rejet, sa solitude, elle en sorte complètement démolie.

De mon ton le plus doux, je lui ai dit : « Ma chérie, tu ne peux pas passer toute ta vie à dépendre d'une seule amie. Tu es une fille si merveilleuse. Tu pourrais avoir beaucoup d'amies. Pourquoi pas téléphoner à quelqu'un d'autre avec qui tu pourrais jouer aujourd'hui ? »

Julie a fondu en larmes et m'a répliqué en sanglotant : « Tu me dis toujours quoi faire ! Qu'est-ce qui te fait croire que je ne l'aurais pas fait ? Eh bien, je ne le fais pas *maintenant !* »

J'ai ruminé cet incident toute la journée. Si la réponse n'était pas d'offrir une solution, que faire alors ? Quoi faire d'autre pour aider mon enfant ? Dans pareille situation, il ne faudrait pas s'attendre à ce que je manifeste seulement de l'empathie, pour me contenter ensuite de rester assise à la regarder souffrir.

Il semblait y avoir une limite interne à cette tendre théorie qui suggère d'accepter les sentiments de nos enfants. Ça fonctionne certainement pour les petits problèmes, comme un doigt égratigné, un jouet perdu ou une déception à la suite de l'annulation d'un pique-nique pour cause de pluie. Mais que faire en cas de blessures graves, comme une vraie perte, la mort d'un animal de compagnie adoré, ou un rejet de la part d'une amie ? Est-ce approprié ou même utile de revenir sur ces sentiments ? Ne cause-t-on pas plus de tort que de bien en rouvrant ces blessures ?

J'ai apporté mes doutes à la rencontre suivante. Haim a secoué la tête, puis il a dit : « J'aimerais connaître le moyen de convaincre les parents que la souffrance peut entraîner de la croissance, que la lutte peut renforcer le caractère. Les parents veulent tellement le bonheur de leurs enfants qu'ils les privent souvent des expériences de maturation associées à la déception, à la frustration et au deuil. " Ne pleure pas, disent-ils, nous irons te chercher un autre chien. "

« Si seulement les parents savaient qu'on donne des forces aux enfants quand on reconnaît leurs émotions pénibles, ils n'auraient pas peur de dire : " Tu t'ennuies beaucoup de Prince. Tu sens que ton cœur voudrait éclater. Je sais ! " *Voilà* l'aide la plus réconfortante que nous pouvons offrir à nos enfants.

« Quand votre enfant se coupe, rien sur la terre ne peut guérir la blessure immédiatement. On applique de l'antiseptique et un pansement, et on sait que le temps va se charger du reste. Pour les blessures de l'âme, c'est la même chose. On donne les premiers soins émotionnels, mais il faut comprendre que le processus de guérison opère lentement. On peut dire à Julie : " Qu'une meilleure amie te tourne le dos après tant d'années, ça fait mal. Très mal ! On peut se sentir soudain très seule. "

« Cette compréhension donne alors à Julie la chance de se dire à elle-même : " J'ai peut-être perdu une amie, mais j'ai une mère qui me comprend. " »

Je suis rentrée un peu perplexe à cause de ce que j'avais entendu. Je n'avais jamais pensé à toutes ces choses. La place d'une souffrance authentique dans la vie d'un enfant… Le pouvoir, l'extraordinaire pouvoir que détiennent les parents en offrant du réconfort, en comprenant simplement la profondeur des émotions… Le pouvoir de la mère ou du père qui admet la douleur de l'enfant, qui n'est pas détruit par cette douleur… Le pouvoir d'un père fort, d'une mère forte, qui entend l'angoisse, qui comprend la peine et qui donne à son enfant, par le simple fait d'écouter, le message le plus profond de tous : *c'est supportable*. En effet, pourvu qu'une personne dans le monde puisse vraiment nous entendre, être vraiment attentive à nous, c'est supportable.

J'étais perdue dans mes pensées quand la porte d'entrée a claqué. J'ai levé les yeux et j'ai vu un petit André de six ans, debout au beau milieu de la pièce, le visage crispé.

« L'enseignante a crié après moi, a-t-il dit d'une voix rauque. J'étais en train de ramasser mon crayon sur le plancher et elle s'est mise à crier. Elle a dit que je n'étais pas attentif. Tout le monde me regardait. Elle m'a donné une retenue en disant que ça me servirait de leçon. Elle m'a obligé à rester après le départ des autres. Et tu ne savais même pas où j'étais ! »

Mon cœur s'est déchiré. Comme cette situation avait dû être terrible pour lui ! Vite, vite, je devais chasser au loin la douleur, dire que ce n'était rien, rien qui vaille la peine de se sentir troublé. Je lui dirais d'essayer de faire plus attention à l'avenir. Puis un baiser, un biscuit, et il serait réconforté, juste bien !

Ensuite, je me suis souvenue d'un autre enfant, une petite fille de première année. Il y a longtemps de ça, elle s'était fait mettre dans le coin pour avoir parlé. Je me suis rappelé la peinture écaillée dans ce coin sombre, le son des pas des enfants quittant l'école pour s'en aller dîner, puis le terrible silence. Et soudain, la voix cassante : « Tu peux t'en aller à la maison maintenant, Joanne. J'espère que tu viens d'apprendre une leçon. »

Je me souviens d'avoir couru jusqu'à la maison, avec l'envie de crier, l'envie de hurler, l'envie de pleurer et par-dessus tout l'envie de tout raconter à ma mère… « Ne parle pas autant, n'arrêtait-elle pas de dire. Mange. Tu vas être en retard. » Et je me souviens d'avoir mâché et essayé d'avaler ce sandwich tout sec.

J'ai alors pris André sur mes genoux. « Ça peut être vraiment blessant de se faire crier par la tête par une enseignante. » Il a enroulé ses bras autour de mon cou, enfoui sa tête au creux de mon épaule. « Puis de se faire regarder par toute une classe, ça peut être encore deux fois pire. Et d'être obligé de rester assis là tout ce temps, après le départ de tous les autres, et d'avoir le goût de courir à la maison, toi aussi, et ne pas pouvoir le faire. Tout un tas de sentiments pénibles et blessants en même temps !»

J'étais totalement concentrée sur l'expérience d'André. J'essayais d'en saisir l'essentiel, tout en cherchant à apaiser ses sanglots, quand j'ai constaté avec surprise que des larmes ruisselaient sur mes propres joues et que j'étais soudain envahie par un étrange sentiment de soulagement.

Je ne sais pas combien de temps nous sommes restés là, à nous bercer doucement. Je sais seulement qu'à la fin, j'avais fait en quelque sorte un retour trente ans en arrière et que j'avais fait sortir du coin une petite fille.

III

Les variations
dans l'écoute des sentiments

Pour un certain temps, nous avions acquis la certitude que l'ingrédient principal d'une relation vraiment humaine résidait dans le simple fait d'écouter et de valider les sentiments d'un enfant. Et fondamentalement, c'était vrai. Mais nous avons découvert, par la suite, les différentes variations de cet ingrédient et l'utilité de les connaître toutes.

VARIATION I

Chez certains enfants, le besoin d'être entendu dépasse la capacité d'écoute de leurs parents. Il faut trouver une façon de terminer un échange tout en montrant à l'enfant que nous sommes sensibles à ce qu'il vit.

Louise a rapporté qu'elle avait passé dix minutes à écouter sa fille Stéphanie se plaindre du rôle qu'elle n'avait pas obtenu dans la pièce de théâtre à l'école.

« J'ai tenté de la réconforter, mais elle a continué à tempêter. Ça dépassait ma capacité d'encaisser. Je me suis alors dit : c'est le temps de résumer et de demander une pause.

« J'ai donc terminé ainsi : " Stéphanie, je t'entends. Tu me dis que tu tiens vraiment à avoir ce rôle. Tu sens que tu es aussi bonne que toutes celles qui tentent de l'avoir, peut-être même meilleure. Je comprends, mais je ne suis plus capable d'écouter. Je m'en vais à la cuisine maintenant et pendant que je prépare le souper, je saurai jusqu'à quel point tu es déçue et fâchée. " »

Parfois, les enfants expriment leurs sentiments dans un langage si choquant qu'on ne peut pas les écouter, encore moins les aider. Chacun de nous a son propre niveau de tolérance, mais certaines phrases nous provoquent.
« Papa a l'air d'un vieux. Pourquoi faut-il que j'aie un papa aussi vieux ?
- Mon enseignant est un vieux *trou-de-cul*. »
Quand Laura a dit à Hélène : « Je souhaite que tu meures ! » Hélène a répliqué : « C'est inacceptable ! Je peux voir que tu es fâchée, mais tu devras trouver une autre façon de m'en parler. Maintenant, j'aimerais être seule pour la prochaine heure. »
Au « Pourquoi ? » de Laura, elle a simplement répondu : « Penses-y. »

Un petit cadeau peut parfois aider un enfant en détresse. Sans lui demander s'il le veut ou non, on le lui donne, tout simplement. Un nouveau crayon, un ballon, une boîte de raisins secs offerts au bon moment parlent directement à son cœur.
Quand le fils de Roselyne, cinq ans, s'est plaint tout en larmes : « Maman aime tous les autres plus que moi », elle l'a entouré de son bras en lui disant : « Tu ne te sens pas aimé ? Ce n'est pas agréable de vivre ce sentiment, pas du tout. Je pense que c'est un bon moment pour s'embrasser et boire un bon chocolat chaud. »
Quand le fils de Louise est devenu hystérique pour un bleu microscopique infligé par son frère pendant qu'ils s'amusaient à lutter, Louise a pris deux glaçons, les a enveloppés dans un linge rouge, puis lui a donné le tout pour qu'il l'applique sur son bras *blessé*.

Quand un enfant est aux prises avec une émotion très intense, on est parfois capable de l'aider à diriger ses sentiments vers un exutoire créatif. Haim Ginott disait qu'on devrait avoir à sa disposition une surabondance de matériel artistique dans la maison : stylos, crayons, peinture, tablettes de papier, cartons, tableaux noirs, boîtes, pâte à modeler et ainsi de suite. Dans notre groupe, les participantes l'ont pris au pied de la lettre.

Il ne se passait pas une semaine sans qu'on entende parler d'un poème exprimant le deuil vécu lors de la mort d'une tortue ; d'une lettre envoyée à un poste de télévision pour protester contre la suppression d'une émission favorite ; ou d'un dessin rempli de colère représentant le tyran du voisinage.

Pour l'enfant trop jeune ou celui qui choisit de ne pas dessiner ni d'écrire, un des parents peut agir comme secrétaire.

Un jour, Stéphane, sept ans, le fils d'Éveline, est revenu à la maison en colère après une journée de camping. Son instructeur lui avait dit que s'il ne descendait pas la glissade de trois mètres, dans la partie creuse de la piscine, il serait retiré de son groupe de natation et qu'il devrait utiliser la piscine des petits.

Comme Stéphane fulminait, son père a tranquillement pris un stylo et s'est mis à écrire. Quand Stéphane s'est arrêté pour reprendre son souffle, son père a dit :

« Hé ! Tu as dû être vraiment fâché contre ton entraîneur aujourd'hui. Écoute tout ce que tu viens de dire : " Ce gros monsieur se croit le patron de tout le monde. Il est vraiment méchant, je le déteste. " »

Stéphane écoutait, captivé. « Ouais ! a-t-il repris avec conviction. Écris que je vais le pousser en bas de la glissade et lui tenir la tête sous l'eau jusqu'à ce qu'il se noie. »

Le père écrivait aussi vite qu'il le pouvait. « Maintenant, écris que je vais tirer le bouchon de la piscine et que toute l'eau va s'en aller dans le trou et qu'il va y couler lui aussi. »

Ce sentiment aussi a été ajouté à la liste. Quand Stéphane a entendu la lecture de tout son discours, il a acquiescé avec vigueur et a demandé de l'entendre de nouveau.

« Voilà, a dit son père en lui tendant le papier, tu peux le garder pour le relire quand tu en auras envie. Maintenant, j'ai une lettre à écrire. J'aimerais que tu la remettes à ton instructeur demain. Ça dira : " Mon fils Stéphane ne sera obligé, sous aucun prétexte, de descendre une glissade de trois mètres, et cela tant que *lui-même* ne se sentira pas prêt à le faire. " »

VARIATION V

Dans certaines circonstances, il est préférable de *ne pas* comprendre, de *ne pas* être en contact, de *ne pas* savoir ce qu'un enfant ressent. Haim Ginott appelle ça *laisser à chaque enfant un espace dans son âme à lui.*

Je peux encore me souvenir de Julie, qui avait alors quatre ans. Étendue sur son lit, elle suçait son pouce et me regardait fixement.

« Sais-tu à quoi je pense ? a-t-elle demandé.

- Non, ai-je répondu.

- Tant mieux ! a-t-elle dit en mettant de nouveau son pouce dans sa bouche. »

VARIATION VI

Dans la vie d'un enfant, il est parfois approprié de faire entendre la sonnerie d'une trompette pour rallier son courage et son esprit combatif. C'est ce que nous appelons le *message fortifiant.* Il ne s'agit pas du genre de phrase que les parents ont l'habitude de prononcer quand ils veulent renforcer le caractère de leurs enfants et leur fournir une armure pour faire face aux dures réalités du monde extérieur. Ce n'est pas le froid et impersonnel : « Endure, petit, tu n'en mourras pas. » C'est plutôt la reconnaissance compatissante :

« Oui, c'est dur. Oui, c'est difficile. Je respecte ta lutte et j'ai confiance que tu vas trouver un moyen de t'en sortir. »

Par exemple, Hélène a dit à Laura : « Même si ton enseignante est sarcastique avec toi, tu apprends d'elle, en dépit de ses manières vraiment déplaisantes ! » Et Thomas a valorisé André de cette manière : « J'ai vu comment tu as ignoré cet enfant qui te taquinait parce que tu es de petite taille. Tu dois savoir que, dans notre famille, ce n'est pas à la taille d'une personne qu'on accorde de la valeur, mais plutôt à son caractère. »

Toutefois, l'exemple qui m'a le plus touchée vient de Nicole, qui avait perdu son mari quelques mois auparavant. Au cours d'une de nos rencontres, elle déballait problème sur problème sans qu'on puisse entrevoir de solution. Son fils était malheureux de ne plus avoir de père. Il se plaignait constamment et allait jusqu'à la rendre responsable de sa tristesse. Elle se sentait sans recours.

Dans le lourd silence qui a suivi, nous nous attendions à ce que Ginott applique le baume de l'empathie. Nous avons été saisies quand il l'a regardée avec beaucoup d'intensité en lui disant : « Nicole, ne laisse pas la vie prendre le dessus sur toi. »

Les yeux de Nicole se sont remplis de larmes et quelqu'un a discrètement changé le sujet.

La semaine suivante, Nicole avait une tout autre allure. Hélène lui a demandé de ses nouvelles.

« Je ne suis pas trop certaine, a-t-elle dit, mais il y a quelque chose de différent. Quand Rémi a recommencé à se plaindre, je l'ai arrêté. J'ai dit : " Rémi, je sais que ça n'a pas été facile pour toi depuis la mort de ton père. Nous sommes désormais une famille *monoparentale* et nous aimerions qu'il en soit autrement. Mais je pense qu'il est grand temps pour nous deux de commencer à réfléchir aux moyens de devenir la meilleure famille monoparentale possible ! " »

Cet après-midi-là, sans le dire à sa mère, Rémi a tondu la pelouse, qui avait été négligée depuis longtemps.

IV

Quand un enfant se fait confiance

Au fil des semaines, je devenais davantage consciente du rôle des sentiments dans la vie de mes enfants. Ces prises de conscience étaient vraiment nouvelles pour moi.

UN SENTIMENT, C'EST UN FAIT RÉEL

Les sentiments de mes enfants étaient devenus tout aussi réels à mes yeux que des pommes, des poires, des chaises ou n'importe quel autre objet physique. Je ne pouvais plus ignorer ce que les enfants ressentent, pas plus qu'une barricade au milieu de la route. Il est vrai que leurs sentiments peuvent changer, parfois très rapidement, mais lorsqu'ils les ressentent, ces sentiments, il n'y a rien de plus réel pour eux.

Il n'était pas rare d'entendre des phrases comme les suivantes :

« Pourquoi prends-tu toujours la défense d'André ? Tu prends toujours son parti.
- On ne va jamais nulle part ; tous les autres le font. »

Auparavant, je me serais directement opposée à cette sorte de non-sens, avec toute la force de ma logique d'adulte :

« Ce n'est pas vrai. Je prends très souvent ton parti et tu le sais.
- Comment peux-tu parler ainsi ? Ne sommes-nous pas allés au jardin zoologique la semaine dernière ? Tu as la mémoire courte. »

Désormais, je percevais dans ces phrases un message intérieur différent. *Si un enfant se sent d'une certaine façon,*

57

pour lui, c'est de cette façon que les choses existent vraiment à ce moment-là. En m'en rendant compte, j'étais capable de formuler une autre sorte de réponse.

« Selon toi, il te semble que je prends toujours le parti d'André ? Je vois. Merci de me faire part de tes sentiments.

- D'après toi, notre famille ne part pas assez souvent en voyage. Tu aimerais qu'on aille ensemble beaucoup plus souvent à différents endroits. Je suis contente que tu me le dises. Maintenant, je le sais. »

DEUX SENTIMENTS CONTRADICTOIRES, OU DAVANTAGE, PEUVENT COEXISTER EN MÊME TEMPS

Lorsque cette pensée s'est imposée à moi, des phrases d'un certain genre sont devenues désuètes.

« Eh bien, est-ce qu'elle te manque ou pas ?

- Décide-toi. Tu veux aller au camp ou tu ne veux pas ? »

Désormais, je ressentais une autre vérité qui pouvait se formuler ainsi :

« D'une façon, ton amie te manque, et d'une autre façon, tu es contente qu'elle soit déménagée.

- Une partie de toi aimerait retourner à ton ancien camp, une autre partie aimerait rester à la maison, et encore une autre partie aimerait essayer un nouveau camp. »

LES SENTIMENTS DE CHAQUE ENFANT SONT UNIQUES

Aussi vrai que deux feuilles du même arbre ne sont pas exactement pareilles, il n'y a pas deux enfants qui se sentent exactement de la même façon au sujet d'une même chose. Et c'est précisément cette différence que nous nous sommes mises à apprécier, la différence qui fait que lui, c'est *lui* et personne d'autre.

Je ne pouvais plus dire d'un air contrarié : « Comment se fait-il que tu n'aimes pas la crème glacée ? Tu es le seul dans la famille qui n'aime pas la crème glacée. » Désormais, je pouvais observer sa *différence* avec plaisir. Son aversion était même une marque de distinction. « Ton frère adore la crème glacée. Ça ne t'attire pas du tout. Toi, tu préfères les sorbets. »

Je tentais d'émettre comme message que les différences ne sont pas des handicaps. Je mettais plutôt l'accent sur les forces. J'ai remplacé l'affirmation suivante : « Tous les garçons font partie de la ligue mineure. Pourquoi faut-il que tu sois différent ? » par celle-ci : « Le base-ball est un sport que tu ne sembles pas particulièrement apprécier. J'ai remarqué que tu as d'autres intérêts. »

QUAND ON IDENTIFIE ET QU'ON ACCEPTE LEURS SENTIMENTS,
LES ENFANTS PRENNENT DAVANTAGE CONTACT
AVEC CE QU'ILS RESSENTENT

J'ai entendu David dire : « Papa, quand tu me parles de cette façon, je me sens accusé ; alors, je sens que je dois me défendre. »

J'ai entendu André dire : « Maman, sais-tu pourquoi j'agis de cette façon ? C'est parce que je veux qu'on me remarque. »

J'ai entendu Julie dire : « J'ai fabriqué une boîte pour montrer comment je me sens à différents moments. Je l'appelle ma *boîte à humeurs*. Elle contient des images illustrant quand je me sens en colère, joyeuse, furieuse, heureuse, triste ou dédaigneuse. »

QUAND LES PARENTS RESPECTENT LES SENTIMENTS DE LEURS
ENFANTS, CEUX-CI APPRENNENT, EN RETOUR, À RESPECTER
LEURS PROPRES SENTIMENTS ET À LEUR FAIRE CONFIANCE

Cette observation, en quelque sorte évidente, n'a pas toujours été aussi claire pour moi. Il m'a fallu une série d'expériences personnelles pour commencer à comprendre l'importance d'enseigner à un enfant à faire confiance à ses propres perceptions.

Le premier incident est survenu quand Thomas et moi sommes allés reprendre la bicyclette de Julie chez le réparateur. Elle avait sept ans. Aussitôt après avoir repéré sa bicyclette, elle l'a fait rouler à l'extérieur de l'atelier. Pendant ce temps, Thomas se dirigeait vers la caisse. Un instant plus tard, Julie était de retour, le regard inquiet : « Les freins ne fonctionnent pas bien » a-t-elle dit.

Le mécanicien avait l'air ennuyé : « Ces freins sont en bon état. J'ai moi-même travaillé sur cette bicyclette. »

Julie m'a lancé un regard malheureux : « Je sens qu'ils ne sont pas corrects. »

Le mécanicien restait ferme : « Ils sont seulement un peu serrés, c'est tout. »

Julie a dit timidement : « Non, ils ne sont pas seulement serrés, je les *sens* bizarres. » Puis, elle a couru le dire à son père.

Ce moment était inconfortable. Le regard du mécanicien indiquait clairement : « Madame, votre enfant est insupportable. Ne me dites pas que vous allez prendre sa parole plutôt que la mienne ! »

Je ne savais plus quoi faire. J'avais essayé d'enseigner à Julie qu'il valait la peine d'écouter sa voix intérieure, de se dire à soi-même : « Si je ressens quelque chose, il se peut qu'il y ait quelque chose de réel dans ce que je ressens. » D'un autre côté, ce mécanicien compétent insistait pour dire qu'il n'y avait rien de défectueux. Son froncement de sourcils m'impressionnait. J'ai murmuré que j'étais certaine qu'il avait raison et que les enfants ont parfois tendance à exagérer.

À ce moment, Thomas est arrivé et il a dit d'un ton décidé : « Ma fille sent que quelque chose ne va pas avec les freins. »

De mauvaise grâce, sans un mot, le mécanicien a posé la bicyclette sur un support, il a examiné la roue, puis il a ajouté : « Vous devrez nous la laisser. Il lui faut un nouvel essieu. Il n'y a plus de frein. »

J'étais tellement affligée de ce qui était presque arrivé que je me suis juré : Plus jamais !

Quelques semaines plus tard, Julie et moi attendions le feu vert à une intersection achalandée. Je lui ai pris la main et j'ai commencé à traverser la rue, mais elle m'a tirée vers l'arrière. J'étais sur le point de lui dire comme ça m'agaçait, quand je me suis souvenue... J'ai dit : « Julie, je suis contente de voir que tu fais confiance à ton propre jugement ; tu sens ce qui est sécuritaire pour toi-même. Nous traverserons quand tu sentiras que c'est le bon moment pour toi et nous y mettrons le temps qu'il faudra. »

Nous avons attendu plus de cinq minutes, à piétiner pendant que je voyais passer une dizaine d'occasions de traverser. Je me disais que si quelqu'un me regardait, il devait me prendre pour une folle. Je poussais peut-être trop loin cette idée de lui enseigner à respecter ses propres sentiments.

Puis, un incident est survenu, qui a changé de façon permanente ma manière de penser. C'était par un après-midi torride de l'été. Julie est arrivée en trombe à la maison, son maillot de bain encore tout humide, le regard étrange.

« Nous avons eu beaucoup de plaisir à la piscine avec un grand garçon gentil que nous avons rencontré, a-t-elle dit. Il a joué à la pie avec nous, dans l'eau. Puis après, il nous a emmenées, Linda et moi, du côté des arbres. Il m'a demandé s'il pouvait lécher mes orteils. Il disait que ça serait amusant.

Je retenais mon souffle.

« Puis ? ai-je demandé.

- Je ne savais pas quoi faire. Linda pensait que c'était drôle, mais je n'ai pas voulu qu'il le fasse. Ça m'a fait sentir... Je ne sais pas…

- Tu veux dire que dans toute cette affaire quelque chose ne te semblait pas correct même si tu ne savais pas au juste ce que c'était ?

61

- Oui, a-t-elle fait d'un signe de tête. Alors, j'ai couru jusqu'ici. »

J'essayais de ne pas lui montrer jusqu'à quel point j'étais soulagée. En prenant l'air le plus dégagé possible, j'ai ajouté : « Tu as fait confiance à tes sentiments et ils t'ont dit exactement ce que tu devais faire, n'est-ce pas ? »

C'est alors que j'ai été frappée par l'énormité de toute cette affaire. La confiance d'un enfant, par rapport à lui-même et à ses propres perceptions, pourrait-elle l'aider à assurer sa propre sécurité ? Et en démentant les perceptions de l'enfant, n'affaiblit-on pas sa capacité de sentir le danger et ne le rend-on pas vulnérable à l'influence de ceux qui n'ont pas son bien-être à cœur ?

Le monde extérieur travaille fort pour rendre un enfant sourd à ses propres sirènes d'alarme.

« Pas d'importance s'il n'y a pas de sauveteur ! Tu sais nager !
- Aucune raison d'avoir peur. Même si une auto arrive, tu as amplement le temps de diriger ton traîneau hors de la route.
- Ne te dégonfle pas. Tous les enfants l'essaient. Ça ne crée pas d'accoutumance. »

Se pourrait-il, parfois, que la survie même d'un enfant dépende vraiment de la confiance qu'il accorde à sa petite voix intérieure ?

Un an plus tôt, si quelqu'un m'avait demandé quelle importance il fallait attacher à la validation des sentiments des enfants, j'aurais faiblement répondu : « Eh bien, je suppose que ça évite des frictions et que ça ne cause sûrement pas de mal. »

Aujourd'hui, je répondrais d'une façon beaucoup plus passionnée, parce que je suis désormais pleinement consciente du fait qu'en disant à un enfant qu'il ne ressent pas ce qu'il ressent, on le dépouille de sa protection naturelle. Mais ce n'est pas tout. On le rend également confus, on le désoriente, on le désensibilise. On le force à se construire un monde faux, fait de mots et de mécanismes de défense qui n'ont rien à voir avec sa réalité intérieure. On le sépare de ce qu'il est. Et quand on ne lui permet pas de connaître ce qu'il ressent, je crois qu'il devient moins capable d'être sensible aux autres.

Par contre, quand on reconnaît comme réels les sentiments d'un enfant, quel cadeau magnifique on lui offre : la force d'agir de son propre chef, la possibilité d'avoir un cœur sensible aux autres et l'occasion d'être en contact avec un être humain tout à fait unique : lui-même !

V

Lâcher prise :
dialogue sur l'autonomie

Hélène avait quelque chose en tête. Elle m'a téléphoné pour demander si elle pouvait passer me voir. En franchissant le seuil, elle était visiblement agitée. Elle restait debout, le manteau sur le dos. Elle s'est lancée dans un long monologue.

« Jo, je ne sais pas si tu t'en es rendu compte, mais je pouvais à peine rester assise pendant la rencontre d'hier. Il y avait dans la discussion quelque chose qui me rendait tellement mal à l'aise ! Je sais que ça peut ressembler à de la paranoïa, mais il me semblait que chacun des mots de Ginott s'adressait directement à moi.

« Au début, je ne réagissais pas ainsi. Puis il a ajouté : " Un de nos buts les plus importants, c'est d'aider nos enfants à se séparer de nous. " J'ai pensé : c'est l'évidence même. Personne ne voudrait vivre avec un grand enfant de 30 ans à la maison ! Mais il a poursuivi : " La mesure d'un bon père, d'une bonne mère, c'est ce qu'ils sont prêts à *ne pas faire* pour leur enfant. " Alors, je me suis mise à trembler en dedans. Mon Dieu, ai-je pensé, si telle est la mesure des bons parents, je ne fais tout simplement pas le compte. »

Après une pause, Hélène a repris la parole en s'adressant davantage à elle-même qu'à moi.

« D'un autre côté, si j'en fais trop pour mes enfants, c'est seulement parce que je crois réellement que c'est pour leur bien. Si Marc oublie son goûter et que je ne l'apporte pas à l'école, il se fâche et se met à avoir faim. Car il ne mange pas les repas offerts à l'école. Si je ne fais pas répéter Laura avant ses examens d'orthographe, elle ne réussit pas bien et se décourage. Si je ne les conduis pas tous les deux à l'école quand il fait mauvais, ils attrapent tous les deux le rhume ; ça ne manque jamais.»

Elle s'est soudain retournée vers moi. « Dis-moi, qu'est-ce que je fais de si terrible ? N'est-ce pas pour ça que les parents sont là ? Pour aider et protéger leurs enfants ? Pourtant, après avoir entendu Ginott répéter maintes et maintes fois : " On les aide davantage en ne les aidant pas ", je ne suis plus si certaine. Ce que je fais n'est peut-être pas bon pour eux.»

Hélène est passée au salon et je l'ai suivie. « Mais qui peut dire s'il a raison, a-t-elle murmuré. Les experts ont déjà eu tort auparavant, tu sais ! Bien sûr, parmi toutes les choses que je fais pour les enfants, ils pourraient en faire quelques-unes par eux-mêmes. Marc a maintenant sept ans ; il vient dans ma chambre chaque matin et me tend sa brosse. Il peut parfaitement se brosser les cheveux tout seul, mais quand j'en ai terminé avec lui, il a l'air si beau, si attrayant... Non, je ne peux pas croire qu'un geste aussi innocent que de peigner un enfant puisse le rendre moins autonome !

« Autonome ! J'étais dans un tel état après cette dernière rencontre que j'ai pris le dictionnaire pour vérifier si je savais encore ce que ce mot voulait dire. Je pense que j'espérais voir la définition littérale me tirer d'affaire d'une manière ou d'une autre. C'était une erreur. Selon le dictionnaire, autonome veut dire : *qui s'administre lui-même* ; *qui se gouverne selon ses propres lois* ; *qui se dirige par l'intérieur* ; *qui est distinct*. Ça ne décrit certainement pas *mes* enfants. Ils me demandent encore chaque jour quels vêtements porter pour l'école ; et le pire, c'est que je leur donne encore la réponse.»

« Hélène, ai-je répliqué, tu es trop sévère envers toi-même !»

Elle m'a ignorée. « Une meilleure description de mes enfants serait : *administrés par maman, gouvernés par maman, dirigés par maman*. Quant à *distinct*, quand j'y pense, je ne sais pas s'il faut en rire ou en pleurer. Parfois, je me sens tellement rattachée à eux que je ne suis pas certaine où je m'arrête et où ils commencent. Laura obtient une note parfaite à un examen et je me sens comme si j'avais moi-même obtenu la même note. Marc n'est pas sélectionné pour faire partie de l'équipe et je sens que je n'ai pas été choisie, moi non plus. »

Hélène s'est écroulée lourdement sur le divan.

« Pourtant, j'ai assez souvent entendu parler des principes d'autonomie. Je n'ai tout simplement pas l'impression d'être capable de les appliquer. Qu'est-ce au juste que Ginott dit toujours ? " L'intellect peut absorber seulement ce que les émotions lui permettent d'absorber " ? Eh bien, de toute évidence, mes émotions n'ont pas permis à grand-chose de se rendre jusqu'à mon cerveau. »

Je me suis assise à côté d'Hélène. Nous avons toutes les deux froncé les sourcils, puis fixé le plancher. Je ne savais pas quoi dire. « Hélène, ai-je demandé faiblement, est-ce que je devrais aller chercher mes notes ? Penses-tu que ce serait utile ? »

« Tes notes ! s'est-elle exclamé. Tu n'as pas besoin de notes. Pourquoi crois-tu que c'est toi que je suis venue voir ? C'est parce que j'ai vu comme c'est facile pour toi de laisser tes enfants se prendre en charge eux-mêmes. Je me souviens encore de ce jour d'hiver où Julie est arrivée à la maison avec, pour seuls vêtements, un short et un tee-shirt. Si ç'avait été Laura, ça m'aurait mise dans tous mes états et j'aurais exigé de savoir où était son manteau. Pas toi. Je n'oublierai jamais ta réponse à Julie quand elle a dit : " Maman, le chauffeur d'autobus m'a dit que j'allais être punie quand j'arriverais à la maison. Qu'est-ce que tu vas me faire ? " Très calmement, tu as répondu : " Par temps froid, je m'attends à ce que ce soit *toi* qui prennes la responsabilité de mettre ton manteau ! " »

« Il y a un autre incident que je n'oublierai jamais. C'est le jour où David s'est précipité dans la maison en criant : " J'ai encore oublié mon violon aujourd'hui. C'est la troisième semaine de suite que je l'oublie ! Tu devras me le rappeler, à l'avenir. C'est chaque mardi. "

« Sais-tu ce que tu as fait ? Tu as seulement hoché la tête avec sympathie et tu as dit quelque chose comme : " C'est difficile de se rappeler ces leçons qui n'ont lieu qu'une seule journée par semaine, n'est-ce pas David ? Mais je te connais. D'une manière ou d'une autre, tu vas toi-même trouver un moyen de te le rappeler. "

« Tu sais ce que j'aurais fait ? Je me serais écrit une grande note pour *me* rappeler de le *lui* rappeler chaque mardi. Là où je veux en venir, Jo, c'est que tu l'as dans ta nature. »

J'écoutais Hélène avec intérêt. Est-ce vraiment plus naturel pour moi ? Si oui, pourquoi ? J'ai alors essayé de me souvenir de la façon dont ça se passait quand j'étais enfant. Mes parents étaient tous les deux des immigrants, des travailleurs acharnés, très occupés. Ma mère cuisinait et nettoyait sans relâche et mon père se souciait constamment de la bonne marche de sa petite entreprise. Il était difficile pour eux d'arriver à nous nourrir et à nous habiller. Ils s'attendaient à ce que nous fassions le reste par nous-mêmes. C'est ce que nous avons fait. Nous retournions nous-mêmes nos livres à la bibliothèque, nous prenions le métro ou l'autobus quand nous devions nous rendre quelque part et nous avons surmonté, à notre manière, les tracas reliés à nos propres problèmes scolaires. Le seul temps où nous impliquions nos parents dans nos affaires scolaires, c'était quand nous devions faire signer nos bulletins. Et dans ce cas aussi, l'accent n'était pas mis sur nos notes, mais sur leur signature. Je vois encore mon père nettoyer un espace sur la table de cuisine, s'asseoir cérémonieusement et écrire fièrement mais péniblement son nom au complet, dans la langue de son nouveau pays.

Je crois que mes parents m'ont vraiment rendu service. Ils n'ont rien fait de spécial pour me *donner* mon autonomie. Ils n'auraient probablement même pas su ce que ce mot voulait dire. Mais je l'ai obtenue de toute façon, par défaut.

J'ai raconté à Hélène une partie de ces souvenirs.

« Te rends-tu compte du cadeau qu'ils t'ont fait ? a-t-elle enchaîné. Mon enfance a été tellement différente. Je devais rendre des comptes à ma mère pour à peu près tout : mes vêtements, mes notes, mes déplacements et mes amies. Je me souviens encore d'être revenue à la maison après une sortie, en sachant que toutes les lumières seraient allumées et que mon père et ma mère seraient debout à m'attendre. Ils ne pouvaient pas s'endormir avant d'avoir reçu un rapport complet. Parfois, je pense qu'ils prenaient plus de plaisir à mes sorties que j'en prenais moi-même. »

« Mince ! Ça devait être difficile ! »

« Non, pas vraiment. Je ne connaissais rien d'autre. Mais je peux voir en quoi tes antécédents te donnent un net avantage. Je vois le portrait au complet maintenant. On t'a laissé beaucoup d'indépendance. Et voilà pourquoi c'est si facile pour toi de la refiler à tes enfants. »

« Pas si vite, ai-je rétorqué. Peut-être que mon milieu familial m'a aidée, mais les habiletés que j'utilise maintenant ne sont pas venues de mes parents. Par exemple, j'ai toujours cru que chaque question méritait une réponse. Il ne me serait jamais arrivé de *ne pas* répondre aux questions d'un enfant. C'est seulement après que Ginott a expliqué comment un enfant a besoin d'air et d'espace pour explorer ses propres pensées et comment les adultes, avec leurs réponses toutes faites, transgressent ce droit de penser des enfants, que j'ai commencé à prendre du recul.

« La première fois que j'ai choisi de ne pas répondre à une question, je me suis sentie très étrange. Un matin, David m'a demandé : " Penses-tu que Jérémie et Tristan vont s'entendre ? Ils viennent tous les deux à la maison aujourd'hui. " Eh bien, c'était la question la plus provocatrice qu'on m'ait posée depuis des jours ! Tout était en place pour que je me lance dans une analyse du caractère des deux garçons et que je complète le tout par une prédiction sur l'avenir de leur relation. Soudain, je me suis souvenue. Je me suis mordu la langue et j'ai répondu :

" C'est une question intéressante. Qu'en penses-tu toi-mên.
David ? " Il a réfléchi un instant, puis a répondu : " Je pense
qu'ils vont d'abord se disputer et qu'ensuite ils vont devenir
des amis. " »

Je croyais qu'Hélène sourirait en entendant ça. Elle m'a
plutôt regardée avec tellement d'intensité que je me suis
sentie poussée à continuer.

« Te souviens-tu de l'histoire de Ginott au sujet du mari
qui ne voulait pas laisser sa femme apprendre à conduire ?
" Ma chérie, disait-il, il n'y a aucune raison pour que tu te
donnes le mal de conduire. Tant que je suis là, tu n'as qu'à
me demander et je serai heureux de te conduire n'importe
où. "

« Je me suis mise à la place de cette femme et j'ai
aussitôt vu comme les enfants doivent se sentir frustrés
quand les adultes se chargent de tout et ne les laissent pas
agir par eux-mêmes. Puis, j'ai pensé aux milliers de menus
moyens que les parents peuvent prendre pour faire en sorte
que l'enfant se sente incapable et dépendant, mais toujours
au nom de *l'amour*.

« Maman va dévisser le couvercle du pot pour toi, mon
    chéri.
- Tiens, laisse-moi te boutonner, mon petit cœur.
- As-tu besoin d'aide pour tes devoirs ?
- J'ai préparé tes vêtements pour toi, mon amour.

« Ç'a toujours l'air si innocent. Les parents ont les
meilleures intentions du monde, mais ça se résume tout de
même à une chose : " Tu as besoin de maman ou de papa. Tu
ne peux pas y arriver par toi-même. "

« On pourrait croire que cette nouvelle prise de
conscience m'aurait incitée à me rendre directement à la
maison et à procéder différemment. Ce n'est pas ce qui s'est
passé. Il a fallu que j'entende exemple après exemple, de la
part des autres femmes, avant de pouvoir commencer à faire
des changements dans ma propre maison.

« Hélène, sais-tu que j'avais pris l'habitude de diriger,
chaque matin, les opérations du départ des enfants ?

auraient-ils pu, sans moi, rassembler aliments, ssures, lunettes, notes, argent, gants et bottes ? Il je sois là pour tenir les manteaux, monter les clair, attacher les capuchons, enfiler les bottes et .... enfants en leur rappelant l'heure.

« Un beau matin, je me suis fait violence pour rester dans ma chambre et j'ai crié : " Dites-le moi quand vous serez prêts à partir, les enfants ! " Pendant dix minutes, je suis restée assise sur mon lit, comme une pièce de machinerie désuète. Quand ils sont finalement venus me dire au revoir, en traînant les pieds, tout emmitouflés et fiers d'eux-mêmes, ça m'a soudainement paru sans importance que les boutons ne soient pas tous boutonnés et que le plus grand porte les gants du plus jeune. »

Hélène continuait à me regarder avec un intérêt presque affligé. J'ai essayé de penser à un autre exemple. « Je vais te confier autre chose qui ne serait jamais arrivé si je n'avais pas consciemment utilisé mes nouvelles habiletés. David avait huit ans quand il m'a dit qu'il avait besoin d'argent et qu'il voulait se trouver du travail. C'était presque insupportable pour moi de ne pas lui dire, même avec gentillesse, que personne n'embaucherait un jeune de huit ans. Mais c'était le jour où Ginott avait tonné si fort : " *Ne supprimez pas l'espoir. N'essayez pas de prévenir la déception.* " Alors, j'ai simplement répondu : " Je vois. "

« L'heure suivante a été incroyable. David s'est emparé du bottin téléphonique. Il a parlé du genre de travail qu'il croyait être capable de faire. Il a cherché le nom des marchands locaux. Il a fait des appels et parlé à des gérants de magasins. Finalement, il m'a annoncé : " Savais-tu qu'il faut avoir quatorze ans et détenir un permis de travail pour obtenir un emploi ? Quand je serai adolescent, je vais travailler à la quincaillerie. Le propriétaire est gentil et j'aime être entouré d'outils. "

« Hélène, te rends-tu compte jusqu'à quel point j'ai été tentée d'intervenir et de le priver de toute cette expérience ?

Ma propre mère aurait dit : " Quelle sottise ! Qui pourrait laisser un enfant de huit ans se chercher du travail ? " »

Hélène a grimacé. « S'il te plaît, Jo, c'en est assez ! Il y a un moment, j'étais juste déprimée. Maintenant, je pourrais ramper dans un trou de souris. »

L'impression que j'étais devenue insupportable me traversa l'esprit, mais j'étais trop montée pour m'arrêter. « Hélène, sais-tu ce qui me fait le plus plaisir ? C'est de ne plus être un sergent-chef. Toute la journée, j'étais habituée à lancer des ordres : " Ramassez les jouets ! Lave-toi les mains ! Mettez vos bottes ! Ferme la porte ! " C'est tellement agréable, maintenant, d'être capable de décrire un problème au lieu d'aboyer un ordre. J'adore chantonner : " Les enfants, la porte est ouverte ! " ou encore : " On annonce de la pluie aujourd'hui ! »

Hélène s'est levée et elle a attrapé son manteau. « Jo, je ne suis plus capable de t'écouter. Est-ce que tu t'entends ? " Me faire plaisir... c'est tellement agréable... j'adore chantonner. " Eh bien, je ne chantonne pas. Ce n'est pas dans mon caractère. Ce n'est pas mon style. »

« Écoute, ai-je repris, un peu vexée, je ne veux pas de médaille, mais ce *style* dont tu parles m'a demandé beaucoup de travail. Tu te sentirais peut-être mieux si je te confiais jusqu'à quel point je me suis sentie stupide et découragée tout au long de ce processus. Par exemple, au début, j'étais incapable de maîtriser une chose aussi simple que m'imposer silence quand quelqu'un posait une question à mon enfant. »

Hélène a repris son siège.

« C'est arrivé l'année dernière. Ma tante Sophie est venue nous visiter et elle a demandé à André quel âge il avait. Je me suis dit : " Je ne vais *pas* parler à sa place. C'est important qu'un enfant ait la chance de parler en son propre nom. " Mais quand je l'ai vu la fixer, la bouche ouverte comme l'idiot du village, je n'ai pas pu le tolérer. Avant même de m'en rendre compte, j'ai lâché : " Six ans ! " »

« Je me sens un petit peu mieux » a soupiré Hélène.

« Ça pourrait aussi te remonter le moral de savoir que certains des principes les plus simples ont été, pour moi, les plus difficiles à accepter. J'étais presque indignée quand Ginott a suggéré de compter davantage sur d'autres personnes pour nous aider avec nos enfants. Te souviens-tu de ce qu'il a dit ? " Demandez-vous quelle personne, dans cette situation, peut être la plus efficace avec vos enfants. Le vendeur, le professeur, le dentiste ou la mère poule ? "

« Je n'étais pas du tout d'accord. Quel étranger pourrait m'égaler en efficacité auprès de mes propres enfants ? Tu peux donc t'imaginer quel choc ç'a été pour moi de découvrir que la phrase la plus ordinaire provenant du monde extérieur, justement parce qu'elle vient du monde extérieur, crée un impact que je ne pourrais jamais égaler.

« Par exemple, j'avais fait des pirouettes verbales depuis plus d'un mois pour essayer d'envoyer David chez le coiffeur. Rien à faire. Puis un jour, il entre en coup de vent : " Hé ! Maman, il me faut une coupe de cheveux cet après-midi. " Hélène, sais-tu d'où ça venait ? Du concierge de l'école ! Sais-tu ce qu'il avait dit ? " David, tu as besoin d'une coupe de cheveux. "

« Je vais te confier une autre chose qui a été difficile pour moi. Et c'est encore difficile. C'est de garder mon nez hors des affaires de mes enfants. Je meurs d'envie de poser des questions et de faire des commentaires sur un tas de petites choses. Te rends-tu compte de ce que je ne *dis pas* quand Julie rentre à la maison ? Je ne dis pas : " Est-ce que l'enseignante a aimé ta rédaction ? Qu'est-ce qu'elle en dit ? Le devoir de math pour lequel je t'ai fourni de l'aide était-il correct ? Ta nouvelle robe te va si bien. Quelqu'un l'a remarquée ? "

« Sais-tu quelle retenue ça prend pour dire seulement : " Salut Choupette ! " et la laisser me raconter ce qu'*elle-même* considère important ? »

Pour la première fois, cet après-midi-là, Hélène m'a fait un sourire. « Enfin ! Tu mentionnes la seule chose que *je ne fais pas* à mes enfants ! Ma mère m'a si longtemps imposé ses commentaires continuels, et à doses tellement massives, que je n'aurais pas le cœur d'infliger la pareille à mes enfants.

« Je l'entends encore aujourd'hui, chaque semaine, à chacune de ses visites : " Tu as l'air fatiguée, ma chérie. Prends-tu assez de repos ? Jacques revient-il du travail toujours aussi tard ? Pourquoi attends-tu à la dernière minute pour sortir le rôti du congélateur ? Il ne sera jamais prêt à temps. Je ne veux pas me mêler de ce qui ne me regarde pas, ma chère, mais je pense que la viande a bien meilleur goût quand on la dégèle d'abord. "

« Quand j'entends ça, Jo, je m'arrête tout net et je me surprends. Je me vois en train d'expliquer que j'ai amplement de sommeil et que Jacques traverse une période très occupée de l'année, puis de défendre les mérites du mode de cuisson d'une viande surgelée et de rassurer ma mère que le repas sera servi à temps...

« Tu sais, Jo, le seul fait de le dire à haute voix me fait réaliser jusqu'à quel point c'est dégoûtant. C'est comme si on disait à l'enfant : " Je dois faire partie de tout ce qui t'arrive. J'aimerais contrôler chacun des détails de ta vie. Tu serais incapable de te débrouiller sans l'opinion, l'approbation, la direction de maman. " Et le pire, c'est que les questions et les commentaires incessants dérobent du temps à l'enfant, du temps pour que surgisse sa propre expérience, pour qu'elle se fige, qu'elle livre une signification qui lui est propre. »

« C'est vrai ! » me suis-je exclamée, tout excitée. Puis, je l'ai fixée. Une personne pouvant s'exprimer avec autant d'éloquence en sait probablement beaucoup plus qu'elle ne le croit.

« Hélène, ai-je enchaîné, il faut que je change de vitesse. Pour un moment, tu m'avais presque convaincue que tu es une mère insupportable et surprotectrice. Si je m'étais arrêtée une minute pour y réfléchir, je me serais rendu compte que tel n'est pas le cas. »

Hélène avait l'air déroutée.

73

« La fois où Laura et son concours de pancartes chez les guides... »

« Oh ! ça ! » a-t-elle protesté avec dépit.

« Oui, ça ! Tu avais là une douzaine d'occasions de t'en mêler et de prendre le pouvoir. Laura avait essayé très fort de t'amener à décider à sa place. Elle t'avait suivie d'une pièce à l'autre en demandant : " Maman, qu'est-ce que je devrais faire ? Je devrais m'inscrire au concours ou pas ? Penses-tu que je pourrais gagner ? " Te souviens-tu de ta réponse ? »

Hélène a secoué la tête.

« Tu as remis la décision entre les mains de la personne à qui elle appartenait : Laura. Tu as dit : " Tu songes à participer à un concours. C'est excitant ! Et tu te demandes si tu peux gagner. Qu'en penses-tu toi-même, Laura ? " Elle a retenu son souffle, puis elle a dit : " Je vais essayer. "

« As-tu ajouté : " C'est une sage décision ma chérie. Après tout, qui ne risque rien n'a rien " ? Non, tu ne l'as pas fait. Tu lui as plutôt donné la réponse la plus facilitante possible. Tu as dit : " Oh ! " »

« Mais c'est quelques semaines plus tard que j'ai été le plus surprise, quand Laura est revenue à la maison avec un ruban de mention honorable. Je me serais exclamée avec exubérance : " Laura, tu es merveilleuse ! Je suis tellement fière de toi ! " Mais toi, tu l'as simplement prise dans tes bras en disant : " Laura, tu dois être si fière de toi ! " Comme elle était grande alors, debout devant toi, en pleine possession d'elle-même.

« Bon sang, une femme capable de se réjouir aussi manifestement du triomphe de son enfant, sans pour autant se l'approprier, doit en savoir beaucoup plus long qu'elle ne veut bien l'admettre. »

Hélène avait l'air mal à l'aise. « J'avais probablement un bon comportement parce que tu étais présente. D'accord, je suis capable de faire du théâtre devant un auditoire, mais tu devrais me voir quand il n'y a personne. Jo, je ne sais pas pourquoi je suis la seule à avoir autant de problèmes à propos de l'autonomie. Je t'assure que c'était une pure torture, hier, de rester assise pendant cette rencontre et d'écouter toutes ces histoires de succès.

« As-tu entendu Roselyne ? Elle avait l'air tout à fait détendue de voir que sa fille partait en retard pour l'école. Elle était certaine qu'une remontrance sévère de la part de l'enseignante serait plus efficace que ses propres criailleries quotidiennes. Je serais incapable d'en faire autant. Il faudrait que je protège Laura du déplaisir de son enseignante.

« Prends Louise. Elle a refusé de se quereller avec ses enfants quand ils ont joué dans la neige sans leurs moufles. Elle disait avoir confiance qu'ils viendraient chercher leurs moufles quand ils auraient assez froid, et qu'elle serait heureuse de leur frotter les mains ou de leur servir une boisson chaude. Je me serais préoccupée des engelures.

« Et Catherine. Elle a trouvé la boîte à lunch de son fils sur la table de la cuisine et ne s'est pas sentie obligée de l'apporter précipitamment à l'école. Peu importe ce qui arriverait, soit qu'il emprunte de l'argent de son enseignante, soit qu'il obtienne d'un ami la moitié d'un sandwich, ou encore qu'il se mette à avoir faim, je parie qu'elle était convaincue qu'il y gagnerait quelque chose, d'une manière ou d'une autre. Il aurait vécu une expérience lui démontrant qu'il pourrait survivre sans maman.

« Alors, tu vois, Jo, je ne suis pas ignorante de ce que je *devrais* faire. Je suis juste incapable de me mettre à le faire. C'est à l'encontre de tous mes instincts naturels qui me poussent à aider, à protéger, à diriger... Voilà mon problème. »

Je voulais la secouer. « Le fait est que ce n'est pas *ton* problème ! C'est le problème de chacun des parents. Tu dis que ce n'est pas naturel pour toi de donner de l'autonomie. Je vais te dire ce qui est naturel pour des parents. C'est naturel de vouloir retenir, protéger, contrôler, conseiller, diriger. C'est naturel de désirer qu'on ait besoin de nous, pour nous sentir importants, d'une importance vitale pour nos enfants.

« C'est l'autre façon qui n'est pas naturelle. Séparer les espoirs des enfants des nôtres, séparer leurs déceptions des nôtres. Leur permettre de vivre leurs luttes. Faire en sorte qu'ils se passent de nous. Lâcher prise. Qu'une mère ou un père puisse même y parvenir, c'est un vrai miracle. »

Hélène est restée silencieuse un long moment. Quand elle a finalement ouvert la bouche, c'était avec tellement d'hésitation et pour parler d'une voix si basse que j'ai dû me pencher vers elle pour l'entendre.

« On pourrait dire, je suppose, que donner de l'autonomie, c'est en fait une manière de donner de l'amour à notre enfant... Nous l'aimons *davantage*, n'est-ce pas, en le laissant utiliser son propre dynamisme pour avancer ? Nous l'aimons *davantage*, n'est-ce pas, en le laissant faire l'expérience des choses, même si elles sont déplaisantes ? On peut presque dire que toutes les autres façons sont porteuses de haine. C'est comme si on ne les laissait pas vivre. »

Hélène s'est levée brusquement et s'est dirigée vers la porte.

« Où vas-tu ? » ai-je demandé.

« Chez moi, a-t-elle répondu. J'ai quelque chose à donner à mes enfants. »

« C'est-à-dire ? » ai-je ajouté.

Elle s'est retournée en souriant.

« Un peu de saine négligence ! »

VI

Bien, ce n'est pas assez bien : une nouvelle façon de complimenter

Roselyne, une jeune mère éveillée et consciencieuse, a ouvert la séance suivante. Avec vivacité, elle a décrit en détail une rencontre fortuite qu'elle avait faite avec une personne qui avait partagé son appartement pendant ses études collégiales.

« En l'apercevant, j'ai eu la réaction la plus étrange. J'ai fait semblant de ne pas la reconnaître. Je ne sais pas pourquoi. Elle avait toujours été plutôt gentille. Mais d'une manière ou d'une autre, elle avait une façon de me faire sentir tellement... peu sûre de moi et pas très brillante. Pendant un moment, j'ai voulu changer de direction, puis je me suis dit : C'est ridicule ! Je suis une femme adulte maintenant. J'ai une famille.

« Je l'ai interpellée comme si je venais tout juste de la remarquer : " Bonjour, Marcia ! Ça fait des années ! " Elle avait l'air si contente de me voir que je me suis sentie odieuse d'avoir songé à l'éviter. En m'embrassant, elle m'a dit : " Roselyne, tu habites près d'ici ? Je viens tout juste de déménager dans les environs ! " Après quelques instants, nous parlions du bon vieux temps et nous échangions les photos de nos enfants. Ensuite, elle m'a demandé ce que je faisais d'intéressant. Sans trop savoir pourquoi, je n'avais pas le goût d'en parler. Qui donc pourrait avouer à une autre personne que sa principale activité sociale consiste à suivre un cours afin d'apprendre à devenir une meilleure mère ? Puis, quand elle a mentionné qu'elle enseignait à des enfants handicapés, je me suis dit tout à coup : Mais pourquoi pas ?

Tout ce que nous apprenons ici pourrait être très utile à une enseignante.

« Je me suis donc mise à décrire notre cours. Je lui ai expliqué comment nous apprenions à exprimer notre colère sans causer de dommage, comment nous aidions nos enfants à devenir plus autonomes. Je lui ai également parlé de toutes les choses merveilleuses qui arrivaient une fois que nous avions appris à accepter les sentiments de nos enfants. Elle écoutait avec beaucoup d'intérêt, jusqu'à ce que je mentionne la nouvelle façon de complimenter.

« C'est alors qu'est revenu son regard désapprobateur d'autrefois. " Décrire ce que tu vois ou ce que tu ressens ? a-t-elle répliqué en fronçant les sourcils. Je ne suis pas du tout d'accord. Pourquoi passer par un tel détour quand tu peux dire directement à l'enfant ce que tu penses ? Je ne vois rien de mal à dire à un jeune qui te montre un sous-plat bien confectionné, qu'il a fait du bon travail. Je ne vois pas non plus quel tort on lui ferait en disant que c'est mal fabriqué, si c'était réellement le cas. Je n'ai jamais cru au dorlotement des enfants. "

« J'ai essayé de lui expliquer que décrire n'est pas dorloter, que décrire, c'est simplement supprimer les jugements de valeur. Ça l'a vraiment agacée. " Quel mal y a-t-il à faire un jugement de valeur ? a-t-elle demandé froidement. Le travail d'un enseignant consiste à donner des jugements de valeur réalistes. Comment un enfant peut-il faire des progrès si on ne le critique pas ? De plus, ce qui est vraiment important, c'est que mes élèves sachent que je suis honnête. Je n'ai pas à recourir à des jeux. S'ils font une erreur, je la leur indique, sur le fait. S'ils font quelque chose de stupide, je ne lésine pas avec les mots. Je leur dis : *C'était stupide.* " J'étais sous le choc.

« Tu dis aux enfants qu'ils sont stupides ?

- Ce n'est pas *eux* que j'appelle stupides. Je dis que *le geste* qu'ils ont posé est stupide. Ça change tout.

- Mais Marcia, si on me dit que le projet que j'ai entrepris est stupide, je ne peux pas m'empêcher de *me sentir* stupide.
- Ça ne fonctionne pas comme ça. Un enfant peut faire la distinction. De toute façon, on coupe les cheveux en quatre. Selon mon expérience, si la relation est bonne, je peux appeler un enfant n'importe comment : *cervelle d'oiseau, nouille* et même *stupide*. Il va l'accepter de moi parce qu'il sait que je me soucie de lui et que je veux son bien. Ça pourrait t'intéresser d'apprendre que tous mes élèves progressent merveilleusement bien. »

L'air désespéré, Roselyne a haussé les épaules.

« Eh bien, je n'avais pas d'autre réponse à lui donner. Et le pire, c'est qu'au bout du compte, c'est *moi* qui suis devenue confuse. Elle a vraiment l'air de se préoccuper des enfants. Et si elle est aussi sûre d'elle-même et qu'elle obtient de bons résultats, elle n'est peut-être pas complètement dans l'erreur. »

L'indignation était palpable. Tout le monde avait quelque chose à dire. Ginott a attendu que le vacarme se calme, puis il a déclaré : « Roselyne, voici comment je vois la chose. Le cadeau le plus précieux qu'on puisse donner à un enfant, c'est une image positive et réaliste de lui-même. Et comment se forme cette image ? Pas d'un seul coup, mais lentement, d'expérience en expérience.

« Ce serait peut-être utile de se représenter l'image qu'un enfant se fait de lui-même comme du ciment frais. Imaginez que chacune de nos réponses laisse une marque et forme son caractère. Cela met les parents et les enseignants en face d'une obligation constante. Il serait bon de nous assurer qu'aucune des marques laissées n'entraînera de regret de notre part quand le ciment durcira.

« Ne laissez aucun adulte sous-estimer le pouvoir de ses mots. Vous souvenez-vous de ce que votre fils David vous a déjà dit, Joanne ? " Mes amis et moi, nous nous traitons tout le temps d'idiots, mais c'est seulement pour rire. Pourtant, quand ta mère, ton père ou encore, ton enseignant te traite d'idiot, alors là, tu penses que c'est vrai, parce qu'ils sont censés savoir. "

« Mais qu'arrive-t-il intérieurement à un enfant qui a accepté comme vérité qu'il est stupide ? Comment fait-il face au défi que lui pose une situation nouvelle ? C'est très simple. Il se dit : " Je suis stupide ; alors, pourquoi essayer ? Si je n'essaie pas, je n'échouerai pas. " D'un autre côté, si l'on a validé ses forces tout au long des années, il s'adresse un autre genre de message : " Je suis capable. Je vais donc essayer. Si ça ne fonctionne pas, je chercherai une autre manière de le faire. "

« Mais Roselyne, je peux comprendre votre frustration si vous essayez de transmettre ces idées. Le compliment descriptif est un concept difficile à expliquer. Je l'ai présenté à des groupes de parents, de médecins et de professeurs. La plupart sont d'accord pour dire que l'usage constant de la critique négative peut causer du tort à l'enfant. Toutefois, très peu de gens voient une différence entre une évaluation positive qui porte sur la personnalité de l'enfant, par exemple, *bon garçon*, et une appréciation qui décrit plutôt ses comportements. »

« Vous pouvez envoyer tous les sceptiques chez moi, a déclaré Catherine. Je serai heureuse de leur expliquer la différence, parce que j'ai fait l'expérience des deux façons de faire. Pendant des années, mes enfants ne m'ont jamais entendue dire autre chose que *enfant sage, vilain garnement*, selon leur comportement. C'est comme ça que ma mère nous parlait toujours. Puis un jour, après une séance d'emplettes avec Christophe, mon fils de cinq ans, j'étais sur le point de dire : " Tu as été vraiment sage, aujourd'hui ". Mais j'ai pensé : je vais essayer la nouvelle méthode ; je vais vraiment décrire ce que j'ai ressenti et ce que j'ai vu. J'ai donc dit : " Christophe, j'ai apprécié ton aide au magasin aujourd'hui. La façon dont tu as disposé les bouteilles et les boîtes dans le panier d'épicerie, en ordre de grosseur, m'a vraiment aidée dans mes achats. J'ai découvert que j'avais beaucoup d'espace libre dans mon panier. "

« Savez-vous que, depuis ce jour, non seulement il dispose les provisions dans mon panier, mais il a mis de l'ordre dans la boîte à outils de son père et dans mon garde-manger. Il est maintenant en train de réorganiser son étagère de jouets. Il ne se perçoit plus comme un enfant *sage* ou un *garnement*. Il se voit comme une personne qui peut mettre les choses en ordre s'il le veut. Pour moi, c'est tout un changement. »

« Moi aussi, j'ai une histoire pour les sceptiques, a déclaré Louise. Je pense que Michel avait à peu près huit ans à l'époque. La famille terminait le souper et j'étais montée sur un escabeau afin d'attraper un pot de conserve de pêches pour le dessert. En saisissant le pot, j'ai été soudain inondée de jus de pêche. J'ai explosé : " Quelqu'un devra me fournir des explications ! " me suis-je écriée. " C'est pas moi qui ai fait ça " a aussitôt lancé Jonathan. " Moi non plus " a rétorqué Suzanne.

« Seul Michel n'avait pas ouvert la bouche. Nous l'avons tous regardé. D'une voix hésitante, il a balbutié : " Je pense que c'est moi. Je pense que je l'ai ouvert hier et que j'ai remis le pot à sa place. J'ai pris seulement une pêche. "

« À la vue de ce petit visage inquiet, ma colère s'est évaporée. J'ai presque sauté de l'escabeau pour l'embrasser et lui dire à quel point il était un garçon *merveilleux* et *honnête*. Mais mon mari est intervenu le premier. Il était tout frais sorti de la dernière rencontre d'un groupe de pères avec Ginott. Il a tout simplement *décrit :* " Eh bien, Michel, je pense que ça n'a pas été facile de dire tout de suite la vérité, surtout après les hurlements de ta mère. " Michel avait l'air reconnaissant pour les paroles de son père et j'ai cru que c'était la fin de l'histoire.

« Mais la semaine suivante, quand mon mari et moi sommes revenus du cinéma, nous avons trouvé un papier collé au diachylon sur la porte de la cuisine. On pouvait y lire : " Verre cassé. Ne marchez pas pieds nus. De la personne qui a fait ça. Votre fils honnête, Michel. " Et rappelez-vous que son père ne l'avait pas une seule fois déclaré honnête ! »

Roselyne avait écouté, toute chagrinée. « Si j'avais raconté cette histoire à mon ancienne camarade, elle se serait moquée de moi en disant : " Qu'y a-t-il de si terrible à qualifier l'enfant d'honnête dès le départ ? Pourquoi tourner autour du pot ? " »

« Attardons-nous à cette question, a proposé Ginott. Supposons que le mari de Louise ait dit à son fils : " Michel, tu es un garçon très honnête, l'enfant le plus honnête au monde. " Qu'aurait pensé Michel ? Il se serait dit : " Si seulement mon père savait. S'il savait toutes les fois où je n'ai pas dit la vérité. "

« Soudain, Michel commence à se sentir anxieux. On lui décerne un honneur qu'il ne mérite pas. On l'élève à un niveau qu'il ne peut pas espérer maintenir. Il est coincé. Pris au piège. Comment s'en sortir ? Peut-être par une petite inconduite, juste assez pour prouver à son père qu'après tout, il n'est pas vraiment un ange.

« Aux yeux du profane, c'est toujours une surprise qu'un enfant devienne insupportable après avoir été complimenté généreusement. Pour un psychologue, ce n'est pas un mystère. Il sait que les enfants doivent se débarrasser d'un compliment qui généralise : ça les confine trop. En tant que parents éclairés, nous devrions être conscients qu'on invite les problèmes quand on utilise un compliment globalisant avec des enfants. Je pense à des phrases du genre : " Tu es toujours prêt à aider... Tu es l'enfant le plus gai que je connaisse... Tu es extrêmement intelligent. " »

« Aie ! a enchaîné Hélène. Ça sonne douloureusement familier. Le compliment globalisant a déjà été ma spécialité. Je ne laissais jamais passer une occasion de dire *directement* à mes enfants comme ils étaient merveilleux. Je pensais : " Plus l'adjectif est fort, meilleur est le compliment. " Mais mes enfants ne se comportaient pas mal pour autant : ils se contentaient de ne pas me croire, tout simplement. Si Marc me montrait un dessin, je disais : " Fantastique ! " Il

insistait : " Mais est-ce que tu l'aimes *vraiment* ? "
J'ajoutais : " Oui, je le trouve *vraiment* beau. Il me plaît. " Il
répliquait : " Tu essaies seulement de m'aider à me sentir
bien. "

« C'est seulement quand je décrivais son travail, en détail,
que je pouvais voir dans ses yeux un regard de contentement,
du genre : " Ça alors ! Est-ce que j'ai fait tout ça ? "

« Roselyne, si ton amie Marcia voyait seulement une fois
cette expression sur le visage d'un enfant, je pense qu'elle
retournerait difficilement à son ancienne méthode. »

Roselyne hésitait. « Je ne sais pas si je pourrais lui
expliquer tout ça. Elle demanderait un exemple précis, relié à
sa salle de classe. »

« Eh bien, a répliqué Hélène, je vais essayer d'être plus
précise. Tu as mentionné plus tôt que si un enfant lui
présentait un sous-plat, elle disait : " Beau travail. " Elle
pourrait plutôt dire quelque chose comme :

« Quel plaisir de regarder ces couleurs ! Le rose et
l'orange sont un vrai plaisir pour les yeux ! Ou
encore :
-   J'aime la façon dont les lignes montent et descendent
dans ton dessin. Ça me rappelle une peinture de
Mondrian. Ou bien :
-   Je connais une mère qui va être contente de recevoir
un sous-plat original, fait entièrement à la main ! Ou :
-   Le capitonnage est tellement épais que je sentirais
mes mains protégées des plats les plus chauds. Voilà
ce qui s'appelle un vrai sous-plat ! »

« Voilà ce que j'appelle des compliments spécifiques,
descriptifs, a enchaîné Ginott en souriant. Vous voyez,
Roselyne, ce n'est pas nécessairement mauvais de dire à un
enfant qu'il est *bon*. C'est tout simplement insuffisant. C'est
limité. L'appréciation descriptive d'Hélène a ajouté une
dimension toute nouvelle à la façon dont l'enfant se perçoit.
Il ne lui serait jamais venu à l'idée de se dire ce qu'on vient
de souligner. Par exemple, il sait maintenant qu'il peut
fabriquer un objet qui protège une autre personne. Il

découvre que son sens des couleurs peut procurer du plaisir. Il se perçoit capable de fabriquer un objet utile et exceptionnel. Il découvre que son style rappelle celui d'un artiste célèbre. L'enfant peut demander : " C'est qui, Mondrian ? " Et l'enseignante a maintenant devant elle un apprenant motivé. »

Roselyne a répliqué : « Je peux entendre d'ici la réponse de mon ancienne colocataire : " C'est valable en théorie. Mais quel enseignant est assez habile pour pouvoir, en tout temps, fournir ce genre de réponse ? " »

Ginott a conclu : « Ce dont on parle, ce n'est pas de la perfection, mais d'une direction. J'aime présumer qu'on recherche un taux de succès de 70 %. Mais même 10 % serait déjà une amélioration appréciable. Quand on a faim, un peu de nourriture, c'est mieux que rien. »

En suivant cet échange, mon impatience grandissait. Personne n'avait mentionné la chose précise qui me préoccupait le plus.

« Roselyne, suis-je intervenue, pendant toute cette discussion, je suis restée assise en suffoquant à la pensée d'un enfant handicapé qui apporte à son enseignante le fruit de son patient labeur, pour l'entendre simplement affirmer que *ce n'est pas bon*. Et elle le fait avec fierté, au nom de l'honnêteté. Je ne connais personne, enfant ou adulte, qui se soit amélioré parce qu'il s'est fait dire que son travail est mauvais. En fait, n'a-t-elle pas remarqué comme les enfants déprécient vite leur propre travail en disant que c'est dégueulasse ? »

Ginott avait saisi mon idée. « Vous soulevez un aspect très important, a-t-il poursuivi. Comment *aider* les enfants à faire face à leur propre insatisfaction ? Supposons qu'un jeune dise : " Mon sous-plat est dégueulasse. " La réponse pourrait être : " Oh ! Je vois que tu n'es pas satisfait de la façon dont tu as fabriqué ton sous-plat ! "

« Ouais ! Il est mal cousu.

- Oh ! il y a quelque chose dans les coutures qui ne te plaît pas !

- Bien oui, elles sont toutes de travers.
- Pour que tu sois satisfait, les coutures devraient aller en ligne droite.
- C'est ça.

« Ce genre d'échange aide un enfant à se centrer sur ce qu'il veut lui-même accomplir. Il est maintenant libre de poursuivre et de faire des changements. Quand on dit que son travail n'est pas bon, on l'arrête. On lui enlève tout désir de continuer. »

Roselyne a poussé un soupir de regret, puis elle a confié à Ginott : « J'aurais souhaité vous avoir avec moi le jour où j'ai rencontré Marcia. Vous l'auriez convaincue. Et pourtant, elle vous aurait confronté. Son esprit est orienté vers la recherche constante des défauts. Je la connais. Elle aurait répliqué : " C'est bon pour l'enfant qui pressent déjà que l'objet n'est pas bien confectionné. Mais que faire de celui qui ne voit pas ses propres erreurs ? Et l'enfant qui croit que son écriture illisible est parfaite ? Vas-tu fermer les yeux là-dessus et le laisser continuer pendant des années, alors que tu sais très bien qu'à la longue, ça pourrait lui causer du tort ? " J'aimerais savoir quelle serait votre réponse. »

Ginott s'est alors tourné vers le groupe. « Quelqu'un voudrait relever le défi ? » Je me suis portée volontaire.

« Je suis mûre pour ta question, Roselyne. La semaine dernière, David a ramené à la maison l'évaluation de l'un de ses poèmes. Sur la feuille où il avait écrit son tout premier poème, l'enseignante avait griffonné à l'encre rouge : *Écriture négligée*. Je n'en revenais pas. Pourquoi barbouiller le travail d'un enfant de cette façon-là ? Qu'est-ce qui avait bien pu la motiver à se servir d'un seul défaut pour étiqueter tous ses efforts ?

« Indignée, j'ai songé un moment à aller la confronter. J'informerais cette personne, payée pour stimuler le développement intellectuel de mon fils, que pour aider un enfant à s'améliorer, il faut mettre l'accent sur ses forces au lieu de le matraquer pour ses points faibles. Si elle veut de bons résultats, elle ferait mieux de commencer à apprécier ses *réalisations* avant de lui rebattre les oreilles de ses *déficiences* ! Au moins, ça servirait à quelque chose... En tout cas, quand David m'a montré son résultat, je lui ai dit à quel point ça me mettait en colère. " C'est *vrai*, a-t-il murmuré, je n'ai pas une belle main d'écriture. " Il la *croyait* ! " David, ai-je répliqué, je pense que si quelqu'un a besoin d'améliorer son écriture, on doit lui enseigner comment s'améliorer plutôt que de lui coller des étiquettes ! "

« Puis, je lui ai tendu un crayon et une feuille de papier et je lui ai demandé d'écrire trois mots de son choix. Il a écrit son premier prénom, son deuxième prénom, puis son nom de famille. Ça ressemblait à la signature de mon médecin sur une ordonnance : c'était pratiquement indéchiffrable. L'enseignante avait raison !

« J'ai étudié cette écriture jusqu'à ce que je trouve une lettre qui ressemblait à quelque chose de respectable. Puis, j'ai ajouté : " David, une façon d'obtenir une écriture plus propre, c'est de placer toutes les lettres en ligne droite. Ce D que tu as fait ici en est un bon exemple. "

« David s'est de nouveau penché sur la feuille et lentement, il a formé les lettres une deuxième fois. C'était un peu mieux. " Tu as réussi à mettre le V, le A et le D en ligne ! "

« Je croyais que nous étions sur le point d'arrêter pendant que ça allait bien, mais David a voulu continuer. " Quoi d'autre ? " a-t-il demandé. " Un autre truc utile, c'est de faire pencher toutes les lettres dans la même direction, mais ce n'est pas facile. "

« " Je peux faire ça aussi " a répliqué David. Et il l'a fait... plus ou moins. C'était loin de la perfection, mais le changement était tellement visible que David en devenait tout excité. " Dis-moi ce que je peux faire d'autre ! " a-t-il ajouté en me pressant vivement de continuer. " L'étape suivante est la plus difficile. Il faut laisser à peu près la même distance entre chaque lettre. " Une fois de plus, David s'est penché sur son papier. Cette fois, il a écrit très, très lentement. " Est-ce que c'est bon ? " a-t-il demandé. J'ai examiné l'écriture attentivement pendant un instant avant de répondre.

« Puis, j'ai décrit : " Je vois des espaces assez égaux entre chaque lettre. Toutes les lettres sont en ligne et la plupart d'entre elles penchent dans la même direction. C'est un vrai plaisir de regarder cette écriture ! " David a annoncé : " À vrai dire, je pourrais avoir une très belle main d'écriture si je le voulais. Peut-être que je m'y exercerai encore, un peu plus tard. "

« Je ne sais pas si cet exemple conviendrait à ton amie, Roselyne. Elle sentirait peut-être que je fais du zèle. Mais je ne sais pas s'il est possible de travailler avec un enfant autrement qu'en commençant par reconnaître où il est rendu dans le moment présent. »

Roselyne ne disait rien. Vers la moitié de mon histoire, je l'avais perdue. Je voyais qu'elle était absorbée dans ses propres pensées. De son côté, Ginott était enchanté de mon exemple.

« Vous avez donné à David la liberté et les moyens d'aller de l'avant pour qu'il améliore son écriture. Le père ou la mère peut être d'un très grand secours pour l'enfant qui vient juste d'être blessé par une critique. Comment ? En traduisant pour lui, comme vous l'avez fait, Jo. On peut traduire une évaluation négative par une phrase qui décrit ce qui peut être fait. Une *écriture négligée,* ça signifie que les lettres *devraient être alignée*s. Des *difficultés en maths,* ça veut dire *besoin de plus d'exercice.* Être *impoli,* ça signifie qu'il faut *attendre que les autres aient fini de parler,* ou qu'il faut *exprimer sa colère sans crier des injures.* Ce genre de propos peut procurer une aide instantanée.

« Mais la meilleure protection à long terme contre les critiques qui blessent, c'est une solide estime de soi. L'enfant qui a une bonne image de soi se remettra beaucoup plus rapidement d'une attaque que celui qui est déjà rempli de doute ou de haine à son propre endroit.

« Il m'est arrivé récemment de constater que les parents sont dans une bien meilleure position qu'un thérapeute pour renforcer l'estime de soi d'un enfant. Les parents peuvent non seulement montrer qu'ils apprécient un comportement au moment même où il survient, mais ils peuvent aussi se baser sur le passé pour solidifier l'estime de soi de leur enfant. C'est la maman ou le papa de Jérémie qui peut lui dire qu'il a commencé à parler très tôt pour son âge, qu'il recueillait les chats sans abri et qu'il était un grimpeur audacieux. Qui d'autre pourrait lui rappeler qu'il a réussi à réparer l'horloge de la cuisine, qu'il a organisé lui-même toute la journée de son anniversaire, ou encore qu'il a préparé un petit déjeuner pour toute la famille quand maman était malade ? Chaque enfant détient une multitude de petites expériences qui distinguent sa vie de celle d'un autre enfant. Les parents peuvent être des entrepôts vivants des moments les plus précieux de leur enfant. »

Louise a acquiescé vigoureusement de la tête. « Il en a de la chance, l'enfant qui a des parents munis d'un entrepôt bien garni ! a-t-elle déclaré. Les réalisations passées d'un enfant peuvent être pour lui d'un grand réconfort, spécialement quand il s'est fait crier des injures par la mère d'un de ses meilleurs amis. »

« Tu as un exemple en tête ? » a demandé Hélène, un peu à la blague. Le sourire de Louise exprimait une ironie désabusée. « Ouais ! Michel. Il est revenu à la maison tellement bouleversé, samedi dernier, qu'il avait peine à prononcer un mot. À partir d'une histoire confuse, mon mari Hubert et moi avons pu reconstituer ce qui avait dû se passer.

« Michel et son ami Paul jouaient à se battre avec des bâtons. Soudain, Paul a trébuché par en arrière et s'est frappé lui-même sur le nez avec son bâton. Évidemment, la mère de Paul a entendu ses pleurs et elle est accourue. Après avoir jeté un regard sur le nez ensanglanté, elle a accusé Michel d'avoir frappé Paul. Quand Michel a nié, elle s'est mise à hurler : " Sale menteur ! "

« Il semble qu'à ce moment-là, Paul ait tenté de venir à la défense de son ami. Il a dit à sa mère que c'était un accident, qu'ils poussaient seulement tous les deux sur le bâton. " Vous êtes donc irresponsables tous les deux ! " a-t-elle crié.

« Une fois toute l'histoire racontée, Hubert a fait asseoir Michel près de lui sur le canapé. " Michel, a-t-il dit, quand quelqu'un te crie des injures, ce qui est important ce n'est pas ce qu'on t'a dit, mais plutôt ce que tu te dis à toi-même. Mon fils, qu'est-ce que tu te dis ? " Michel s'est écrié : " Je ne suis *pas* un menteur ! Je ne suis *pas* irresponsable ! "

« " Eh bien, a poursuivi Hubert, il me semble qu'on peut difficilement traiter de menteur un garçon qui admet avoir ouvert un pot de pêches, alors qu'il sait que ça peut lui attirer des ennuis. "

« Michel le regardait fixement, la bouche ouverte. " Et il me semble, a ajouté Hubert, qu'on peut difficilement qualifier d'irresponsable un garçon qui a fait un gâchis sur le plancher, puis qui a fabriqué une pancarte, sans que personne ne le lui demande, afin de protéger les membres de sa famille contre la possibilité de se blesser sur des morceaux de verre cassé ! " Tout excité, Michel a répondu : " C'est vrai ! J'ai fait ça, n'est-ce pas ? Dis-lui, papa. Va chez elle ou téléphone-lui pour lui dire tout ça à propos de moi. " Hubert a conclu : " Tu veux vraiment que la mère de Paul sache ces choses, n'est-ce pas ? Michel, il y a une chose encore plus importante que tout ce que je pourrais lui dire : c'est que toi-même tu saches quel genre de personne tu es. "

« Michel a alors quitté la pièce. Vingt minutes plus tard, il était de retour avec une drôle de mine. " Je viens de composer un proverbe, a-t-il dit, mais je ne sais pas si vous allez le comprendre. "

« " Vas-y " a suggéré Hubert.

« Avec beaucoup de sérieux, Michel a récité son proverbe : " Ce n'est pas ce qu'*ils* pensent. C'est ce que *je* sais. Ça se tient ? "

« J'étais stupéfaite. En moins d'une demi-heure, cet enfant était passé des pleurs à la sagesse. " Tu me demandes si ça se tient ? a répété Hubert. C'est une observation philosophique profonde ! "

« Michel, ai-je ajouté, je veux avoir une copie de ton proverbe afin de pouvoir le regarder encore et d'y repenser. Et vous savez, j'ai fixé ce texte sur la porte du frigo. »

Ginott avait écouté avec beaucoup d'intérêt. « Il me semble, a-t-il enchaîné, qu'un enfant capable de formuler ce genre de phrase jouit clairement d'un avantage. Il possède une forme de protection contre les stupides attentats perpétrés quotidiennement contre la personnalité des enfants. Les gens auront de la difficulté à l'enfermer dans des étiquettes telles que *menteur, irresponsable, paresseux, cervelle d'oiseau*. Il a une tout autre image de lui-même sur laquelle s'appuyer. Cette image est la clé de la liberté.

« Louise, votre mari et vous avez donné cette clé à Michel. À maintes reprises, vous lui avez répété que vous appréciez ses qualités et ses habiletés. À un niveau très profond, vous l'aidez à savoir qui il est et quelles sont ses forces.

« La personne qui grandit en étant constamment évaluée par les autres détient peu de chances de développer une connaissance de soi aussi complète. La vie est plus difficile pour elle. Elle reste souvent dépendante. Elle a besoin de se voir à travers le regard des autres pour qu'on lui dise qui elle est, ce qu'elle peut faire et à quel degré de perfection elle peut le faire. »

Roselyne est soudain revenue à la vie.

« Attendez une minute ! s'est-elle écriée. Voilà ! Ça explique tout ! Je sais exactement comment répondre à Marcia, maintenant. Je vais lui dire : " Tu n'as pas le droit de poser des jugements sur d'autres êtres humains. Ton travail, c'est d'aider les enfants à croire en eux-mêmes, et ils ne peuvent pas le faire s'ils sont constamment évalués. Veux-tu qu'ils soient obligés toute leur vie de présenter leurs sous-plats à d'autres personnes ? Un jour viendra où l'enfant devra regarder son propre sous-plat et se dire : ' Je suis satisfait de ce que j'ai fait ou je ne suis pas satisfait. ' Tôt ou tard, il devra être capable de décider ce qui est bon pour lui-même. Que serait-il arrivé à Fulton, à Colomb ou encore, aux frères Wright s'ils avaient été dépendants de l'opinion des autres ? " Que pensez-vous de ça ? »

« Je pense, a répondu Ginott en souriant, que vous seriez d'accord avec ces psychologues qui croient que la source ou le centre d'évaluation d'une personne en bonne santé psychologique se situe à l'intérieur d'elle-même. »

Roselyne exultait. « Je vais citer ce que vous venez de dire. Je l'utiliserai la prochaine fois que je rencontrerai Marcia ! Vous ne pouvez pas savoir comme ça va l'impressionner ! »

Elle s'est soudain plaqué la main sur la bouche. « Qu'est-ce que je dis là ! Entendez-vous ça ? J'essaie encore de la convaincre que j'ai raison. C'est comme si j'avais besoin de son approbation pour avoir confiance en moi. Réalisez-vous ce que je suis en train de faire ? Je donne mon centre d'évaluation à Marcia. Je dépends de sa perception pour savoir ce qui est bon ou mauvais, correct ou incorrect. Je l'ai laissée me faire ce qu'elle fait à ses élèves ! »

Elle s'est retournée vers Louise. « Redis-moi le proverbe de Michel. »

« Ce n'est pas ce qu'*ils* pensent. C'est ce que *je* sais. »

« Veux-tu me faire une faveur, Louise ? Demande à Michel d'en faire une autre copie. Dis-lui que tu as rencontré une femme qui veut s'en faire un aide-mémoire. Dis-lui qu'elle compte le placer sur la porte de son frigo, elle aussi. »

VII

Les rôles qu'on leur fait jouer

1 - MONSIEUR TRISTE SORT

Quand le groupe s'est rencontré de nouveau, il était clair que notre séance sur les compliments avait procuré une manne à nos enfants. Notre progéniture réunie avait reçu plus de marques d'appréciation dans les deux dernières semaines qu'elle n'avait pu en recevoir au cours des deux dernières années.

« Le mot que tu viens d'utiliser est difficile à prononcer.
- Ta question me plaît, elle me fait réfléchir.
- Presque une heure sur le même casse-tête ? Ça demande de la persévérance ! De la concentration aussi ! »

Jamais les ego n'avaient été aussi bien nourris auparavant. Nous nous sentions de *très bonnes* mères.

Seul mouvement de recul, notre excès de zèle. Une surabondance de compliments, même si une mère les offre dans le but d'être utile, peut devenir pour les enfants une forme de harcèlement. Hélène a raconté une réplique de Laura : « Maman, ce n'est pas nécessaire de me dire que ça te fait plaisir de m'entendre jouer, chaque fois que je touche le piano ! »

Un bon point. Il fallait en tenir compte, mais un fait demeurait : l'appréciation descriptive parle directement au cœur de l'enfant. Nous avons entendu avec émerveillement les mères qui présentaient, l'une après l'autre, des témoignages sur le pouvoir des compliments habilement utilisés.

Nicole était assise au fond de la pièce, à l'écart du groupe. À la fin d'un compte rendu particulièrement éclatant, elle a secoué la tête.

Ginott l'a aperçue. « Nicole, vous avez des doutes. » Embêtée qu'on l'ait remarquée, Nicole a répondu en bredouillant : « Non, pas vraiment... Je... je suppose... je me demandais seulement quel est mon problème. Toutes les autres ont été... » Sa voix s'est estompée. Puis elle a laissé échapper : « Docteur Ginott, j'ai été incapable de trouver un seul geste digne de compliment chez mon enfant. »

« Et ça vous bouleverse ? » lui a-t-il demandé, intéressé.

« Eh bien, c'est terrible d'être incapable de dire quoi que ce soit de gentil à son enfant. S'il en est un qui pourrait bénéficier d'un peu de compliments, c'est bien Rémi. Il manque tellement de confiance en lui-même. Il se croit incapable de faire quoi que ce soit de la bonne manière. Je suppose qu'il se perçoit comme quelqu'un de nul. Vous savez, c'est un élève médiocre, un piètre athlète... »

« Comment le percevez-vous, vous-même ? » a demandé Ginott. Nicole a réfléchi un instant. « Eh bien, en vérité, on ne peut pas dire de lui qu'il est compétent. Je sais que je devrais être plus compréhensive, mais parfois, il m'irrite tellement. Je le regarde circuler dans la maison, les épaules courbées, avec des allures de chien battu. C'est comme s'il essayait délibérément d'être *Monsieur Triste Sort.* »

« Vous voulez dire que c'est un peu comme s'il avait choisi un rôle et que tous ses gestes devaient être en accord avec son personnage ? »

« C'est exact ! s'est exclamé Nicole. Même quand il lui arrive quelque chose d'heureux, il trouve moyen de ne pas l'apprécier. »

Perplexe, elle a froncé les sourcils. « Peut-être qu'il *joue* effectivement un rôle. Mais si tel est le cas, quel est le sens de tout ça ? Est-il prisonnier de ce rôle ? Va-t-il continuer à agir ainsi quand il sera grand ? »

« C'est possible, a répondu Ginott, à moins qu'un beau jour quelqu'un ne le voie différemment. » Nicole avait l'air confuse. « Je ne suis pas certaine de vous comprendre. »

« Nicole, un enfant ne peut être en désaccord avec les véritables attentes de ses parents. Si vos attentes sont minimes, vous pouvez être certaine que les aspirations de votre enfant vont s'accorder avec les vôtres. La mère ou le père qui dit : " Mon enfant n'accomplira jamais grand-chose " a de fortes possibilités de voir sa prophétie s'accomplir. »

« Mais, Docteur Ginott, s'est écriée Nicole, vous nous avez déjà dit que l'image de soi doit être aussi réaliste que possible. Ce serait irréaliste pour moi d'avoir de grandes attentes face à Rémi. C'est un fait, il *ne réussit pas* bien à l'école. C'est un fait qu'on *ne peut pas* se fier à lui. Un autre fait qu'il *est négligent.* »

« Voici la question, dans ce cas-ci, a repris Ginott. Comment peut-on aider un enfant à se transformer, à passer de quelqu'un de peu fiable à quelqu'un de fiable, d'un élève médiocre à un élève capable, de quelqu'un qui n'accomplit jamais grand-chose à quelqu'un d'important ? La réponse est à la fois simple et compliquée : *On traite l'enfant comme s'il était déjà ce qu'on voudrait qu'il devienne.* »

Nicole avait l'air complètement déroutée. « Je ne comprends toujours pas, a-t-elle répondu. Voulez-vous dire que je devrais tenter de visualiser le genre de personne que Rémi pourrait devenir, et ensuite agir comme s'il était déjà ainsi ? Mais je n'ai aucune idée de ce qu'il pourrait devenir » a-t-elle dit en haussant désespérément les épaules.

« Nicole, voici comment je vois votre fils. (Ginott parlait lentement.) Je vois Rémi comme un garçon qui s'efforce de devenir un homme. »

Nicole a cligné des yeux un instant. « Oui, mais comment pourrait-il devenir… »

Ginott l'a interrompue. « C'est un sujet difficile que nous venons d'aborder. Voulez-vous prendre le temps d'y réfléchir ? »

Quelqu'un a alors proposé un autre thème. Après une brève discussion, Ginott a consulté son agenda. Il nous a avisées qu'il partait en voyage faire une longue série de conférences et qu'il s'écoulerait un mois avant notre prochaine rencontre.

UN MOIS PLUS TARD

Après les salutations initiales, Ginott a balayé notre cercle des yeux, puis il s'est arrêté sur Nicole.

« Vous avez quelque chose à nous dire ? » a-t-il demandé.

Nicole a esquissé un sourire gêné. « Voulez-vous dire que ça se voit ? » Elle hésitait, comme si elle ne savait pas si elle voulait vraiment continuer. Puis, elle s'est mise à parler avec beaucoup de ferveur.

« Vous ne pouvez pas imaginer jusqu'à quel point la dernière rencontre m'a affectée. Vos paroles ne voulaient pas sortir de ma tête : que Rémi s'efforce de devenir un homme. Chaque fois que j'y pensais, je me mettais à pleurer. Je ne sais pas pourquoi... peut-être simplement l'image d'un jeune garçon triste qui travaille envers et contre tous en vue d'atteindre sa stature d'adulte masculin. Personne n'était de son côté... même pas sa mère. »

Nicole a avalé sa salive, dans un effort pour se calmer. Puis elle a continué. « J'ai soudain éprouvé un fort désir de l'aider. Il avait un si vaste travail devant lui. Je voulais lui fournir chaque miette de soutien possible.

« Le lendemain, j'étais envahie par cette nouvelle disposition. Tous mes échanges avec Rémi, même les remarques les plus banales ont pris un ton différent. Par exemple, un matin, il est revenu à la course chercher son goûter (cette situation n'est pas rare). "J'ai oublié mon sandwich " a-t-il dit en s'excusant. Eh bien, au lieu de le réprimander, je me suis surprise à dire avec entrain : " Il me semble, Rémi, que tu t'es *souvenu* de venir chercher ton goûter. Et juste à temps ! "

« Et après l'école, ce même après-midi, Rémi m'a demandé un chocolat chaud. Je me suis encore surprise moi-même. Je lui ai suggéré de le faire lui-même et de m'en faire une tasse par la même occasion. Je pense que ça l'a vraiment surpris. Vous voyez, je ne l'ai jamais laissé s'approcher de la cuisinière, dans le passé, à cause de sa négligence. "Comment fait-on ça ? " a-t-il demandé. "Les directives sont sur la boîte " ai-je répondu. Puis je me suis éloignée.

« Trois minutes plus tard, ça n'a pas manqué : une odeur de lait brûlé remplissait la maison. Je me suis précipitée à la cuisine. Rémi était là, son pull, son pantalon, ses souliers tout recouverts du chocolat chaud qui avait débordé. Il avait piteuse mine. "Sapristi ! que je suis stupide ! a-t-il gémi. Je ne peux rien faire de bon. "

« Docteur Ginott, à ce moment-là, j'ai pensé à votre exemple classique : "Le lait est renversé. On a besoin d'une éponge. " Et en souriant intérieurement, j'ai dit à Rémi : "Oh ! Je vois que le chocolat chaud a débordé. Tu ne voulais pas que ça arrive, n'est-ce pas ? " Puis, je lui ai tendu une vieille serviette et nous avons tout nettoyé ensemble. Pendant que Rémi essuyait le gâchis, il marmonnait : "Je ne sais pas pourquoi je fais autant d'erreurs. "

« J'ai compati. "Une erreur peut nous décourager. Ça peut vraiment nous assommer. Sais-tu ce que ton père avait l'habitude de me dire lorsque je me tapais sur la tête pour avoir fait une erreur ? Il disait : ' Prends-le de cette façon-ci, Nicole : une erreur, ça peut être un cadeau. Elle peut t'aider à découvrir quelque chose que tu ne savais pas. ' " Rémi s'est mis à réfléchir un instant. Puis, il a dit en blaguant à moitié : "Ouais ! J'ai découvert que, quand on fait bouillir du lait, c'est préférable de ne pas mettre trop de chaleur. " J'étais heureuse de voir qu'il s'efforçait d'ajouter une pointe d'humour. J'ai essayé de répondre sur le même ton : "C'est une observation fort astucieuse, cher docteur Pasteur. "

« Savez-vous que c'est la meilleure journée que nous ayons passée ensemble. »

Haim Ginott rayonnait de joie. « Le style, c'est la substance. L'humeur, c'est le message, a-t-il dit. Ce que je constate, c'est un changement de qualité dans toute la relation. Nicole, je me demande si vous êtes consciente de toute l'aide que vous avez apportée à votre fils quand il déplorait toutes ses erreurs. La réponse la plus commune aurait été de nier les sentiments de Rémi : " Tu ne fais pas tant d'erreurs que ça. Tu es vraiment capable. En fait, tu es beaucoup plus capable que tu ne le penses. " Ce genre d'encouragement aurait seulement fait surgir des doutes et de l'anxiété.

« Je note aussi que Rémi avait un peu de réticence à accepter la nouvelle image de lui-même que vous lui proposiez. C'est souvent plus facile pour un enfant de s'accrocher à ses anciennes manières défaitistes de voir les choses, parce qu'au moins elles lui sont familières. »

Nicole écoutait avec attention. « Alors, ça doit expliquer l'affaire de l'argent ! s'est-elle exclamée. Il essayait peut-être de me démontrer que ma nouvelle confiance en lui n'était pas fondée. Vous voyez, dès le lendemain, je lui ai donné de l'argent en lui demandant de m'acheter quelques aliments à l'épicerie, ce que je n'avais jamais fait auparavant. Eh bien, il a perdu l'argent avant même d'arriver au magasin.

« J'étais terriblement contrariée. Il semblait l'avoir perdu de façon tellement délibérée. J'ai pensé : je m'échafaudais des rêves ; il ne changera jamais ; il est aussi irresponsable qu'avant. Ce soir-là, j'étais même trop fâchée pour lui parler.

« Mais le lendemain matin, j'étais plus calme au réveil. Je savais que je ne devais pas perdre espoir, que sans mon espoir en lui, il était perdu. J'ai donc fait quelque chose qui peut vous sembler insensé : je lui ai redonné de l'argent, ainsi que la même liste d'épicerie que la veille. Il était stupéfait. " Tu veux dire que tu me fais *encore* confiance ? a-t-il demandé. Après ce qui est arrivé hier ? " J'ai répondu : " Hier, c'était hier. Aujourd'hui, c'est aujourd'hui. " Une heure plus tard, alors que je travaillais dans mon bureau, j'ai entendu le frottement d'un objet glissé sous ma porte. C'était une enveloppe contenant la monnaie ainsi qu'une note. » Nicole a fouillé dans son portefeuille et en a sorti un morceau de papier. Elle l'a déplié et a lu en tremblant :

Chère maman et demie,
J'ai tout rapporté, excepté les tomates.
Elles étaient trop molles.
Affectueusement,
Rémi

« Avez-vous entendu comment il m'a appelée ? Je ne suis même pas certaine de savoir ce que ça veut dire. Et sa signature ! C'est la toute première fois qu'il signe *Affectueusement.* »

J'étais émerveillée de voir Nicole, cette femme à la voix douce et aux manières polies, presque désuètes, dans sa sévère robe brune. Où avait-elle pris le courage d'accomplir ce qu'elle avait fait, et sans le soutien d'un mari ? Je me demandais quelle serait la réponse de Ginott. Il n'a rien dit. Sans la quitter du regard, il attendait.

« Il y a encore quelque chose, a-t-elle tenté de dire. Mais j'ai peut-être déjà pris trop de temps. »

« Vous avez tout le temps dont vous avez besoin, a-t-il répliqué. Continuez, je vous en prie. C'est une mère et demie qui nous apprend quelque chose à tous. »

Le visage de Nicole est devenu cramoisi. « Mais vous ne voyez donc pas ? a-t-elle dit. Rien de tout ceci ne serait arrivé si je n'étais pas venue ici. Ç'a été tout un cadeau de pouvoir me sentir plus aimante avec Rémi. Déjà là, c'est un énorme changement ! Ce sont surtout les habiletés que j'ai apprises ici qui m'ont rendue capable de l'aider, d'une manière que je n'aurais jamais crue possible. Par exemple, au cours de la dernière rencontre, vous avez dit que les parents pouvaient être *l'entrepôt des meilleurs moments de leur enfant.* Je n'y aurais moi-même jamais pensé. Eh bien, j'ai commencé à raconter à Rémi des épisodes de son enfance. Il était avide d'en entendre davantage. Un incident survenu à la garderie l'a particulièrement fasciné. »

« Racontez, a insisté Ginott, exactement comme vous l'avez raconté à Rémi. »

Nicole a pris un moment de pause. « Je crois avoir dit quelque chose comme : " Rémi, je me demande si tu te souviens de ta première visite à la garderie ? L'éducatrice me posait plein de questions à ton sujet. L'une d'entre elles, c'était : ' Est-ce que Rémi a déjà utilisé des ciseaux ? ' Avant que j'aie eu le temps de répondre, tu étais rendu à la table de bricolage, tu avais pris une paire de ciseaux et une feuille de papier de construction et tu avais découpé un cœur, proprement, en deux parties exactement égales. L'éducatrice était ébahie. ' Quelles mains ! s'est-elle exclamée. Quelle coordination motrice fine dans ces doigts-là ! ' "

« Rémi a adoré cette histoire. Mais voici où je veux en venir. Le même jour, il s'est acheté une trousse de modèle réduit d'avion et il y a travaillé pendant des heures. Après avoir terminé, il est venu me le montrer. " Comment as-tu fait pour assembler ces douzaines de pièces minuscules ? " ai-je demandé. " Tu sais, a-t-il dit avec conviction en levant les mains : la coordination motrice fine. " Qui aurait pu penser qu'une petite histoire de son passé pouvait avoir autant d'importance pour lui ?

« Mais ce n'est pas la fin de l'histoire. Environ une semaine plus tard, mon frère est venu nous rendre visite. Ses visites sont vraiment importantes pour Rémi ; il admire tellement son oncle. Nous avons eu une journée familiale superbe. Nous sommes allés à l'église le matin, nous avons fait une longue promenade en après-midi et en soirée. Puis, mon frère est resté pour le repas. Rémi avait mis de côté, pour le lui montrer, un article d'une revue scolaire de science. Il a demandé s'il pouvait le lire à table, à haute voix. Il a lu de façon hésitante, mais il était tellement excité par le contenu qu'il s'est acharné sur les mots techniques pour en déchiffrer la prononciation.

« L'article portait sur la transplantation d'un cœur humain. À la fin de sa lecture, il s'est assis très droit dans sa chaise : " Je sais ce que je vais faire quand je serai grand, a-t-il dit. Un spécialiste de la chirurgie du cœur ! "

« J'étais prise au dépourvu. Non seulement par ce qu'il disait, mais surtout à cause de l'intensité, du sérieux de son regard. Il avait une présence tellement virile et pleine de maturité, que je me suis surprise à le regarder fixement.

« Mon frère a gâché l'ambiance. Il est aimable, mais il est aussi réaliste. Il a dit : " Rémi, oublie ça. D'abord, être un spécialiste du cœur, c'est un domaine limité. Et puis, tu n'as pas la moindre chance, à moins d'avoir de bons résultats scolaires, beaucoup d'argent et de bons contacts. En plus, te rends-tu compte du genre de responsabilité que ça implique ? Pourquoi mettre la vie d'une personne entre tes mains ? "

« Rémi m'a jeté un regard. Sa vieille expression de chien battu était de retour sur son visage. J'ai vite réagi : " Je peux comprendre ce que ton oncle veut dire. Je suppose que l'argent et les contacts peuvent poser un problème. Toutefois, nous ferons face à ces difficultés le moment venu. Quant à la responsabilité de tenir entre ses mains la vie d'une personne, eh bien, (j'ai fait un geste en direction des jeunes doigts vigoureux de Rémi), quelles mains pourraient être plus habiles ? "

« De toute sa vie, je n'ai jamais vu Rémi arborer une allure aussi fière. »

La pièce s'est remplie de Ah ! Quelques personnes se sont mises à parler, mais Ginott a aussitôt fait un signe pour ramener le calme. Il savait que Nicole n'avait pas tout à fait terminé.

« Je ne prétends pas que Rémi va devenir un spécialiste de la chirurgie du cœur, a-t-elle ajouté, mais je sens que le simple fait d'y penser est important. Je veux dire que si l'on a une mauvaise estime de soi, on ne peut même pas envisager une telle chose, n'est-ce pas ? Et savez-vous, c'est curieux, mais *je* commence à penser que c'est possible !

« Docteur Ginott, voici ma question. Est-ce que je vois trop de choses dans tout ceci ? Est-ce que je surestime l'effet de ma nouvelle attitude ? Une partie de moi sent que ce n'est pas le cas, que je suis réellement responsable de ce changement, mais une autre partie se demande : " Comment est-ce possible ? " Les choses que j'ai dites, que j'ai faites, ne m'ont demandé qu'une minute de temps à autre. »

Haim Ginott a pris un ton solennel. « Nicole, il faut seulement une minute pour vacciner un enfant contre la polio, mais cette minute-là le protège pour le reste de sa vie. »

Voilà précisément les paroles que Nicole attendait. Elle s'est reculée sur son siège et a pris une profonde inspiration.

Plus personne n'avait le goût de parler. Plusieurs femmes ont fixé le vide et quelques-unes sont allées discrètement exprimer à Nicole leur admiration. Je ramassais mes effets personnels quand, sans aucune raison, je me suis soudain souvenue d'une question de ma mère à laquelle je n'avais pas répondu ce matin, au téléphone.

« Joanne chérie, ne me dis pas que tu suis encore ces cours avec ce fameux Docteur Machin ! N'as-tu pas déjà appris tout ce que tu avais à apprendre sur le sujet ? Voilà déjà deux ans que tu le fais. Comment peut-il encore y avoir quelque chose à apprendre ? »

Encore plein de choses, maman, plein de choses.

2 - LA PRINCESSE

TROIS SEMAINES PLUS TARD

Le thème des rôles était trop passionnant pour qu'on le laisse tomber. Nous avions beaucoup de questions. Où commence l'histoire de cet enfant qui joue un rôle ? À quel moment dans sa vie devient-il le *tyran*, le *pleurnicheur*, le *rêveur*, l'*érudit*, le *commandant*, l'*enfant problème* ?

Est-il né ainsi ? Sa position dans la famille (aîné, cadet, enfant unique) détermine-t-elle son identité ? Quel effet sa taille et son poids ont-ils sur son image de lui-même ? Sa santé ? Son intelligence ? Son attrait physique ou son manque d'attrait ? Qu'en est-il de ses pairs ? Et quel effet entraînent ces événements de la vie qui laissent des marques indélébiles, comme un décès dans la famille ?

De toute évidence, plusieurs facteurs échappent à notre contrôle, mais ils ont le pouvoir d'affecter un enfant. Mais de quelle façon les parents peuvent-ils modeler l'image de soi d'un enfant, pour le meilleur ou pour le pire ? Nous voulions en reparler, aller un peu plus en profondeur cette fois.

Une femme a raconté qu'elle avait vu des parents, avec la meilleure intention au monde, nuire à l'estime personnelle d'un enfant en faisant des blagues. Elle a dit que son propre père avait l'habitude de la taquiner affectueusement. Il l'appelait *Fainéante* ou mademoiselle *Pleine-de-pouces* ou encore, *Grande-bouche*. Il le faisait toujours *seulement par taquinerie*, mais pour elle, ce n'était jamais amusant. Encore maintenant, devenue adulte, elle a dit qu'elle n'arrive pas à se défaire de ces mots. Il y a toujours des moments où elle s'estime paresseuse, maladroite ou tapageuse.

Ginott a incliné gravement la tête.

« Vous avez appris de première main que, même *juste pour rire*, les étiquettes peuvent devenir un handicap. » Il y eut un silence songeur.

« Parfois, a repris une autre mère, une maman peut causer du tort, même quand elle veut sérieusement aider son enfant à s'améliorer. Elle croit honnêtement que, si elle montre du doigt ce qui n'est pas bien, l'enfant commencera à changer. »

Elle a parlé de son propre cas. Son fils avait égaré son manteau. Elle avait cru faire son devoir en lui soulignant qu'il devenait négligent avec les choses en sa possession, puis elle avait fait la liste des objets qu'il avait perdus au cours de l'année : ses clés, un carnet de note, son étui à lunette, sa plume. À la fin de ce sermon, il avait fixé le plancher en murmurant : « Je suppose que je ne suis pas fiable du tout. »

Elle avait été saisie par sa réponse. Son intention avait été de le rendre plus responsable. Au lieu de cela, elle avait provoqué exactement l'effet contraire. Il était devenu *peu fiable*.

Ginott l'a confirmé. « Vous venez de décrire avec précision comment le diagnostic devient la maladie. »

Une autre mère eut cette réflexion. « Je me demande si des parents peuvent pousser l'enfant à jouer un rôle en particulier, même s'ils ne s'en rendent pas vraiment compte. Je pense à deux de mes amies. L'une d'entre elles se plaint sans arrêt que son fils fasse tant de mauvais coups à l'école et qu'il passe la moitié de ses journées au bureau du directeur. Et pourtant, elle le prénomme affectueusement : *Mon fils, la terreur du PS 47*.

« Mon autre amie déplore toujours le fait que sa fille est trop consciencieuse, trop perfectionniste. Il paraît que cette enfant fait une crise de nerfs si les choses qu'elle entreprend ne tournent pas aussi bien que prévu. Mais j'ai noté que sa mère dira avec fierté, directement en sa présence : " Oh ! Jennifer n'est *jamais satisfaite*. Tout ce qu'elle fait doit être parfait. " »

Ginott a encore donné son assentiment. « Vous avez raison de redouter ce type de remarque. Dans les deux cas, les enfants entendent probablement le message sous-jacent des parents : " Ignore mes protestations. Continue d'être une petite terreur. Continue d'être perfectionniste. C'est ce que maman veut au fond. " Quand un enfant semble jouer un rôle en particulier, il y a lieu pour la mère ou le père de se demander : " Quel est le message que j'exprime vraiment ? " »

Louise a marmonné : « Je pense que j'aurais dû me poser cette question à la naissance de Suzanne, il y a sept ans, même si j'ai des doutes à propos de ce que ça aurait pu changer. Elle m'est apparue comme un miracle, cette première fille, après deux garçons, et avec tout ce que je n'avais jamais eu : cheveux dorés, peau claire, délicate. J'étais en admiration devant elle.

« Maintenant, grâce à ce que je comprends, il est vraiment facile de voir le message qu'elle a reçu de moi, de façon verbale autant que non verbale, au moins une centaine de fois par jour : " Tu es un bijou précieux, un ange, une petite princesse. "

« Eh bien, j'ai appris à la dure où se trouvent les princesses : dans les contes de fées. Puisque dans la vraie vie, c'est l'enfer de vivre avec elle. »

Ginott lui a adressé un large sourire. « Quand avez-vous découvert que l'enfant était d'une lignée royale ? »

« Il y a trois semaines, a répondu Louise. Après avoir écouté Nicole parler de Rémi, je suis retournée à la maison en pensant : " Dieu merci, je n'ai pas son problème. Personne ne joue de rôle dans ma famille. " Puis, Suzanne est entrée dans la pièce en disant : " Brosse-moi les cheveux, mais fais-le bien cette fois-ci ! " Je l'ai regardée en me demandant : " Parle-t-elle toujours de cette manière ? "

« Pendant les quelques jours qui ont suivi, j'ai gardé les yeux ouverts et je l'ai vue agir. J'ai vu sa manière d'opérer. Elle obtenait tout ce qu'elle voulait. C'était d'abord un ordre. Si ça ne produisait pas l'effet escompté, elle se branchait sur une méthode infaillible, la crise de larmes. Cette enfant dévalisait tout le monde, ses frères, son père, ses grands-parents, ses amies, mais elle ne donnait rien en retour. Oh ! Si nous avions de la chance, elle nous gratifiait d'un sourire éclair par-ci, par-là.

« Tout d'un coup, ça m'a frappée. *Ma petite princesse est une enfant gâtée, pourrie.* La chose la plus difficile à avaler, c'est que mon mari, Hubert, me le disait depuis des années, mais je n'avais jamais voulu l'entendre. De plus, chaque fois qu'il essayait de la discipliner, je m'interposais. Personne n'avait le droit d'être méchant avec elle !

« Je me suis mise à en avoir mal au ventre. Je tournais en rond dans la maison en murmurant les choses que j'allais lui dire, du genre : " Ma fille, tu ne le sais peut-être pas encore, mais ils sont comptés les jours de ta tyrannie. Petit visage de poupée, tu as besoin d'une couple de bonnes fessées. "

« Puis, la culpabilité s'est emparée de moi. De quoi pouvais-je blâmer Suzanne ? Ce n'était pas sa faute. J'étais celle qui avait fait d'elle une princesse. J'étais celle qui avait fortement incité tout le monde à se plier à ses ordres. » Louise a balayé l'espace d'un geste. « Eh bien, c'est de l'histoire ancienne. Le problème, maintenant, c'est de savoir comment m'y prendre pour défaire ça, comment procéder pour transformer une enfant gâtée et pourrie en une personne, une *mensch*. »

Sa question est restée en suspens. Nous nous sommes regardées sans mot dire. La plupart d'entre nous avions encore de la difficulté à absorber le fait que c'était Louise qui avait ce genre de difficulté. Louise, qui avait toujours été si forte, si inspirée, si douée avec ses deux garçons. Et voilà que la même mère était complètement démoralisée devant une petite fille. Nous aurions voulu lui fournir une solution instantanée.

Mais Louise n'attendait pas de réponse. « Ma première impulsion, a-t-elle poursuivi, aurait été de devenir plus rigide, plus exigeante avec elle, de la punir, de la priver. Puis, je me suis souvenue. Combien de fois avez-vous dit que, pour faire une *mensch,* il faut utiliser des moyens *menschés* ?

« Ça m'a réellement obligée à réfléchir. J'y pensais toute la journée, que ce soit dans la baignoire, en faisant la queue au supermarché ou dans le fauteuil du dentiste. J'en ai même rêvé la nuit. Finalement, j'en suis arrivée à un plan en deux étapes.

1. Je ne me laisserais plus manipuler.
2. Je rechercherais les occasions d'offrir à Suzanne une autre image d'elle-même. Pas Suzanne, la princesse, mais Suzanne, la personne humaine.

« Eh bien, a poursuivi Louise d'une voix forte, mon nouveau programme est déjà en vigueur et j'espère être sur la bonne voie parce que, jusqu'à maintenant, les seuls changements observables sont les miens. De la part de Suzanne, seulement de toutes petites réactions. »

« En quoi diriez-vous que vous avez changé ? » s'est informé Ginott.

Louise a agité une feuille de papier. « Je crains qu'il faille le reste de la séance pour répondre à cette question. »

Ginott l'a rassurée. « On y consacrera tout le temps qu'il faudra. »

Louise s'est calée dans sa chaise : « Au début, j'étais comme une chatte, prête à bondir sur le plus petit signe de générosité, sur le moindre soupçon de considération. Si Suzanne faisait une chose me montrant qu'elle pensait à une autre personne, je m'assurais de le noter sans faute. Mais elle ne me donnait rien sur quoi travailler. Alors, j'ai moi-même fait une mise en scène. Ça semble farfelu ?

« Un jour, après l'école, Suzanne était en train d'engloutir la dernière boîte de biscuits dans la maison. Je me suis dit : " C'est typique. Il ne lui viendrait jamais à l'idée d'en garder pour ses frères. " Comme elle se penchait pour se gratter la jambe, je me suis précipitée sur la boîte en disant : " C'est attentif de ta part, ma chérie. "

« Elle avait l'air déroutée. J'ai poursuivi. " Jonathan et Michel vont vraiment apprécier que tu leur laisses des biscuits. " Sa bouche s'est entrouverte, mais elle n'a pas dit un mot.

« Un point pour moi ! ai-je pensé. Mais combien de fois pourrais-je obtenir ce que je voulais de cette façon-là ? Il devait y avoir une meilleure façon. Puis, ça m'est venu. Si je voulais *lui* enseigner à être plus généreuse, c'était *à moi* de lui donner l'exemple, en étant plus généreuse, en faisant pour elle une chose que je ne fais pas d'habitude. Pour les enfants, le linge propre, les repas ou le service de chauffeur, ça ne compte pas. Ils s'imaginent que ça leur est dû. Ce soir-là, pendant qu'elle faisait ses mathématiques, je lui ai apporté un verre de boisson gazeuse à la cerise avec un glaçon. " Pourquoi fais-tu ça ? " m'a-t-elle demandé, surprise. " J'ai pensé que tu aurais peut-être besoin d'un petit remontant " ai-je répondu.

« Ça n'a peut-être aucun rapport, mais le lendemain après-midi, Suzanne a posé un geste qui m'a donné un peu d'espoir. J'étais tombée endormie sur le canapé quand je l'ai entendue crier aux garçons : " Fermez vos grandes gueules ! Vous ne voyez pas que maman dort ? "

« Ça m'a réveillée, mais alléluia ! Elle m'avait finalement offert une chose sur laquelle je pouvais travailler ! Quand Hubert est revenu à la maison, je lui ai raconté ce qui était arrivé, assez fort pour que Suzanne m'entende. J'ai décrit que je m'étais assoupie, que les garçons se faisaient bruyants et que Suzanne était venue à ma rescousse pour les faire tenir tranquilles et me donner du repos. " C'était plein d'égards de sa part " dit Hubert, tout aussi fort. Elle fut agréable à côtoyer pour le reste de la soirée.

« Voilà. J'ai décrit seulement les moments les plus agréables, ceux où j'ai été en mesure de rejoindre un peu Suzanne. Pour le reste, c'était difficile, avec des hauts et des bas. J'ai vite découvert que lorsque Suzanne n'obtient pas ce qu'elle veut, elle a de la gueule. Je me suis fait traiter de toutes sortes de noms à partir de *stupide* et *méchante* jusqu'à *Tu n'es pas une vraie mère*. Et parfois, pour vraiment créer un effet, elle lançait : *Je ne t'aime plus*.

« J'ai failli tout laisser tomber. Savez-vous ce qui m'a sauvée ? Une petite phrase dans mon carnet de notes : *Il y a des moments où les parents doivent agir et non se contenter de réagir*. Je me suis accrochée à cette pensée. »

« Quel en était le sens pour vous ? » a demandé Ginott.

« Pour moi, ça voulait dire : arrête de gaspiller ton énergie à te sentir blessée ou à essayer de te défendre. Commence à utiliser tes habiletés pour aider Suzanne à changer. Eh bien, ce n'était pas une mince affaire. D'abord, elle avait besoin de réapprendre complètement à parler. Elle était si habituée à obtenir ce qu'elle voulait en donnant des ordres qu'elle ne connaissait aucun autre moyen. C'était à moi de lui montrer qu'il existe d'autres possibilités.

« Je me suis donc mise à l'oeuvre. Quand, de son bain, elle a hurlé : " Maman ! Tu as encore oublié ma serviette ! " j'ai répondu : " Suzanne, voici comment j'aime qu'on me demande quelque chose : ' Maman, pourrais-tu m'apporter ma serviette, s'il te plaît ? ' " J'espère qu'un jour elle comprendra l'idée.

« Une autre fois, comme je n'acceptais pas qu'elle regarde la télé avant d'apprendre ses leçons, elle m'a traitée de méchante en ajoutant qu'elle me détestait. Je lui ai répondu sur un ton indigné : " Je n'aime pas qu'on me parle ainsi ! Si quelque chose te met en colère, dis-moi : ' Maman, je suis fâchée ! Ce soir, j'aimerais faire mes devoirs *après* mon émission de télé. ' De cette façon, je saurai comment tu te sens et on verra si on peut trouver un terrain d'entente. "

« La fois suivante où elle m'a traitée de méchante, j'étais d'humeur moins généreuse, mais je ne l'ai quand même pas insultée. Je venais tout juste de lui consacrer deux heures et de dépenser une somme d'argent pour l'achat de ses fournitures scolaires. Pour les mathématiques, elle avait besoin d'un cahier à trois anneaux ; pour l'orthographe, d'une chemise à deux anneaux ; et pour les devoirs à la maison, il lui fallait un cahier à reliure en spirale. Après tout ça, cette petite peste m'a traitée de *méchante sorcière* parce que je refusais de marcher quelques rues plus loin pour me rendre jusqu'à une machine distributrice de chewing-gum. " Jeune fille, ai-je dit, laisse-moi te dire une chose au sujet de ta mère. Quand tu dis qu'elle est méchante, ça lui donne le goût d'*être* méchante ! "

« Je l'ai dit d'un ton si féroce que n'importe quel enfant aurait reculé, mais pas Suzanne. Comme elle commençait à me donner une autre de ses réponses impertinentes, je lui ai coupé la parole. " Ce que j'aimerais t'entendre dire, c'est : ' Merci, maman, d'être allée à trois magasins différents afin de m'acheter des fournitures scolaires. Merci, maman, de m'avoir acheté, en plus, un nouvel étui à crayons. Merci, maman, d'avoir attendu patiemment jusqu'à ce que je trouve exactement la boîte à crayons que je voulais. ' " »

Quelques femmes se sont mises à applaudir.

« Ne vous en faites pas, a poursuivi Louise avec dérision. J'ai vraiment l'air chevronnée, n'est-ce pas ? Comme si je possédais toutes les réponses ? Croyez-moi, il y a plein d'autres fois où j'aurais tout laissé tomber et me serais avouée vaincue si mon mari ne m'avait pas aidée. »

« Peut-on avoir un exemple précis ? » a demandé Ginott.

Louise a réfléchi quelques instants. « Samedi dernier, a-t-elle répondu, Suzanne voulait qu'une de ses amies vienne coucher chez nous. Je lui ai dit que je savais à quel point c'était important pour elle, que je souhaiterais pouvoir dire oui, mais que nous attendions de la visite ce soir-là et que je devais dire non.

« Je pensais m'être exprimée de façon plutôt gentille. Suzanne n'était pas impressionnée. Elle a lancé une attaque de grande envergure. Elle a tapé du pied en criant : " C'est une raison stupide. Tu ne penses qu'à toi et à ta visite idiote ! "

« J'étais si lasse que j'ai presque choisi la voie de la moindre résistance. Je me disais : " Fais tout ce que tu veux. Reçois ton amie. Ne reçois pas ton amie. Peu m'importe. Fous-moi tout simplement la paix. " Mais heureusement, Hubert était dans la pièce et il a tenu bon. Il a dit : " J'ai entendu ta mère dire qu'il ne lui convenait pas de recevoir une invitée à coucher ce soir. "

« Suzanne ne l'a pas bien pris. Elle n'a pas l'habitude de faire face à une opposition venant de son père. En poussant un hurlement à casser les oreilles, elle a couru vers sa chambre, s'est jetée sur le plancher et s'est mise à marteler le sol en criant. J'ai soudain senti un désir irrésistible et urgent de la soulever par ses longues boucles blondes et de lui donner une fessée, sans ménagement. J'ai dit à Hubert : " Je ne suis plus capable d'entendre ces sons. Je monte et je la tue ! "

« Il m'a retenue. " Alors, laisse-la recevoir sa foutue amie à coucher, ai-je rugi, avant qu'elle ne démolisse la maison. " Hubert répondit calmement : " On ne la laissera pas nous intimider de cette façon. " Il a alors pris une feuille de papier et a écrit en lettres détachées :

Chère Suzanne,
Nous nous rendons compte à quel point tu es fâchée.
Hurler n'est pas une façon acceptable de dire ton désaccord.
Dès que tu seras en mesure de parler ou d'écrire,
ta mère et moi sommes intéressés à t'écouter.
Papa

« Jonathan a livré la lettre et nous n'avons plus entendu un son. Il nous a confié que Suzanne était allée lui demander le sens de certains mots, puis qu'elle s'était couchée. Je me suis alors sentie abandonnée. J'aurais souhaité qu'après une aussi belle note, ma fille soit venue nous voir pour essayer de discuter. J'avais peut-être trop d'attentes. D'un autre côté, j'ai ressenti un effet positif. Je ne suis pas certaine de pouvoir l'expliquer, mais toute la soirée, avec nos visiteurs, je me suis sentie à l'aise, même presque fière. Hubert et moi, nous nous étions comportés en parents compétents. Nous n'avions pas permis à une enfant de sept ans de nous faire descendre à son niveau. »

Ginott a commenté sobrement. « On éprouve une satisfaction profonde à pouvoir prendre une situation en main sans violer nos propres valeurs. Louise, je fais rarement des prédictions, mais je peux actuellement vous dire que vous allez bientôt voir des changements. Peu d'enfants peuvent résister très longtemps à ce genre d'approche. La conjonction de la force et de la chaleur humaine représente un grand potentiel. »

« J'espère que vous dites vrai, a repris Louise. Je sens parfois monter le découragement. Toutefois, hier, il est arrivé quelque chose qui m'a laissé croire que nous avions peut-être opéré une percée. »

Plusieurs voix ont réclamé : « Qu'est-il arrivé ? »

« Mon père était en visite, a poursuivi Louise, et il avait apporté un cadeau à Suzanne. Elle a déchiré l'emballage et son visage s'est assombri. " C'est une toute petite poupée de chiffon, a-t-elle dit d'un ton accusateur. Je voulais la plus grande ! "

« Mon père a blêmi. " Ma chérie, a-t-il dit, penses-tu que grand-papa n'a pas fait un effort ? Je suis allé partout. Finalement, il a fallu que je passe une commande spéciale. J'ai dit au monsieur que je voulais pour ma petite-fille la plus grosse poupée qu'ils étaient capables de fabriquer. Voici la grandeur qu'ils m'ont envoyée. " Suzanne a repoussé la boîte. " Je ne veux pas celle-ci. Je veux la plus grande. "

« D'habitude, j'aurais dit : " Papa, elle ne comprend pas. C'est juste une enfant. Elle s'en remettra. " Vous voyez, j'ai toujours été là, au bon moment, pour excuser ses mauvaises manières. Mais cette fois-ci, je me suis levée, j'ai pris Suzanne par la main en disant : " Excuse-nous, grand-papa. " Je l'ai conduite dans sa chambre et j'ai refermé la porte. Très calmement, j'ai affirmé :

« Suzanne, quand quelqu'un prend la peine d'acheter un cadeau, on l'accepte en disant merci.

- Mais il me l'a achetée de la mauvaise grandeur, s'est-elle plainte.

- Je sais, ai-je répondu. Tu t'attendais à une chose et tu en as eu une autre. Suzanne a secoué la tête, en larmes.

- Dans un cas comme celui-ci, ai-je ajouté, c'est une bonne idée d'attendre que le donneur soit parti chez lui. Par la suite, tu peux dire à ta famille ou à tes amis que tu es déçue... Sais-tu pourquoi ? Suzanne a hésité.

- Comme ça, tu ne blesses pas l'autre personne ?

- C'est évident, ai-je répondu. Puis, j'ai attendu.

- Penses-tu que grand-papa est blessé ? a-t-elle demandé.

- Qu'en penses-tu ? ai-je demandé à mon tour.

- Eh bien, je m'en fous, a-t-elle dit en haussant les épaules.

- Pas moi. Je pense que grand-papa a besoin d'être réconforté.

- Fais-le, toi.
- C'est bien, je vais le faire, ai-je répondu, mais pense à faire quelque chose, toi aussi.

« Je suis retournée vers mon père. Nous n'avons pas revu Suzanne avant un bon moment. Lorsqu'elle s'est présentée, elle apportait un verre de boisson gazeuse à la cerise avec un glaçon. Elle l'a tendu à son grand-père. Il le lui a rendu tout de suite : " Non, ma chérie, bois-le, toi. "

« J'aurais voulu le bâillonner. Pour la première fois de sa vie, ma fille manifestait de la sensibilité envers une autre personne et mon père en faisait encore une princesse. J'ai attendu nerveusement pour voir ce qu'elle ferait. Pour un moment, elle a eu l'air perdue. Puis, elle a tendu le verre de nouveau en disant : " Non, grand-papa. Je l'ai fait pour *toi*. J'ai pensé que tu avais peut-être besoin d'un petit remontant. " Je me suis sentie envahie d'un sentiment débordant : *Elle va y arriver. Elle sera une mensch !* »

En écoutant Louise, à ce moment-là, nous éprouvions, nous aussi, un sentiment débordant. Plusieurs d'entre nous avons commencé à la féliciter, mais elle nous a arrêtées.

« Écoutez, je ne me raconte pas d'histoires. Je sais que ce n'est que le début du commencement. Il m'a fallu sept ans pour en faire une princesse. Il me faudra peut-être sept autres années pour défaire ce que j'ai édifié. Mais il n'y aura pas de retour en arrière de ma part. »

Le regard de Louise s'est perdu dans le vague. « Vous savez, j'ai déjà eu une petite plante sur le rebord de ma fenêtre. Je n'ai jamais compris pourquoi elle avait toujours l'air de pencher sur le côté. Finalement, ça m'a frappée : un des côtés ne recevait jamais les rayons du soleil. Je l'ai donc retournée et, petit à petit, toute la plante s'est mise à se redresser. Dernièrement, c'est ainsi que je pense quand je songe aux enfants : ils sont comme des petites plantes. Si l'on persiste à les retourner vers le soleil, ils pousseront tout droit, eux aussi. »

Ginott avait l'air pensif. « Et si ça ne suffit pas de retourner la plante, a-t-il conclu, on retourne le soleil. »

3 - LE PLEURNICHEUR

POURQUOI SUIS-JE INCAPABLE
DE RETOURNER LE SOLEIL POUR LUI ?

Je suis sortie de cette rencontre malade d'envie. Une fois dans la rue, les participantes se sont dispersées en petits groupes, bavardant, discutant, riant les unes avec les autres. J'ai délibérément traîné derrière. Je ne voulais parler à personne.

Je me demandais : pourquoi ne pourrais-je pas aider André de cette façon-là ? Pourquoi serais-je incapable de le libérer de ses pleurnicheries, de ses plaintes, de son continuel apitoiement sur lui-même ? Pourquoi ne pourrais-je pas retourner le soleil pour lui ?

J'évitais habituellement de penser à André, sauf pour me dire qu'il traversait un stade. Maintenant, je lui accordais mon entière concentration. Comment un enfant ouvert et plein d'entrain devient-il triste et retiré ?

J'examinais toutes les possibilités. Ses nombreux problèmes de santé ont peut-être rendu sa première année scolaire plus pénible que je ne m'en étais rendu compte : maux de gorge, maux d'oreilles, rondes continuelles de prise de température et d'antibiotiques... Il n'était jamais assez longtemps bien portant pour parvenir à se faire un ami. Voilà autant de facteurs qui ont pu affecter sa disposition intérieure.

Je me demandais si ça pouvait être dû à quelque chose que j'avais fait ou que j'avais négligé de faire. Je l'ai peut-être trop dorloté pendant cette année-là. Mais qu'aurais-je pu faire d'autre, quand il était seul et désirait de la compagnie ? Quand il était grincheux et avait besoin de réconfort ? Aurait-il fallu le repousser ?

Son père avait pu, lui aussi, contribuer au problème. Dernièrement, il critique beaucoup trop. Je ne le blâme pas. Quel homme est capable d'entendre, jour après jour, un flot continu de lamentations de la part de son fils, sans en devenir dégoûté ? « Qui a pris mon soulier ? J'ai faim ! C'est encore brisé. Je ne peux pas faire ça. Ce n'est pas mon tour. Le sien est plus gros. Tu ne m'emmènes jamais avec toi. »

Comme je souhaiterais les voir retrouver leur ancienne camaraderie ! Un enfant ne peut pas grandir avec des critiques continuelles. Je réfléchissais à l'épisode de la veille. André avait attendu toute la journée pour montrer à son père sa toute dernière invention et Thomas avait réellement essayé de montrer son appréciation. Il avait vraiment fait preuve d'enthousiasme : « Dis donc ! C'est formidable ! » Puis, la familière expression de dégoût est revenue. « Mais regarde-toi ! Tu as mis de la colle partout sur ton nouveau pull et je n'ai même pas encore fini de le payer. Pourrais-tu t'arranger pour inventer quelque chose, juste une fois, sans faire un pareil gâchis ? » André était accablé.

David complique la situation, lui aussi. Mais que peut-on attendre de la part d'un enfant de onze ans ? Surtout qu'il a dû se rendre compte de toute l'attention que maman accorde à son petit frère, alors que lui, il est devenu un peu trop grand pour ça. Je pense qu'il n'est pas difficile de s'expliquer les agaceries qu'il adresse à André chaque fois qu'il en a l'occasion.

D'accord. Ainsi, ce n'est la faute de personne. Juste un concours de circonstances. Mais où tout cela va-t-il nous conduire ?

La voix d'Hélène est venue interrompre mes pensées désespérantes. « Joanne, tu devrais voir ton expression ! Quelque chose ne va pas ? » J'ai tenté un sourire, mais sans pouvoir le soutenir. Soudain, mes peurs ont surgi.

« Hélène, je suis inquiète à propos d'André. Je ne crois pas qu'il soit comme les autres garçons de son âge. Il est tellement immature. Je veux dire, un enfant qui a atteint l'âge de huit ans devrait avoir développé de la tolérance à la frustration, n'est-ce pas ? André s'effondre devant tout, les petites comme les grandes choses. Ce n'est pas normal. Un crayon brisé, une égratignure au doigt, la mort d'un chat, tout est pareil. Eh bien, tu le sais, tu l'as déjà vu agir. La plupart du temps, il se comporte comme un bébé impuissant et pleurnicheur. »

Hélène s'est arrêtée de marcher. « Un instant, a-t-elle dit lentement. Je comprends ce que tu veux dire. Je connais le côté sensible d'André. Il est facilement bouleversé, mais je n'observe pas que cela chez lui. Quand je pense à André, j'ai l'image d'un garçon hardi et plein d'imagination. Il ne se contente pas de copier. Il crée. Il conceptualise. »

J'ignorais de quoi elle parlait.

« Tu veux dire ses petites inventions ?

- Petites ! Hélène était indignée.
- Je pense que certaines d'entre elles sont petites en dimensions, mais aucune n'est petite en inspiration. Ce qui vient facilement à André, c'est ce que chaque artiste cherche à atteindre durant toute une vie de travail : le courage de risquer, de courir la chance, de foncer vers l'inconnu.
- Hélène, tu es gentille et je t'en suis reconnaissante, mais... »
- Je n'essaie pas d'être gentille, a répliqué Hélène. Je parle d'André de façon objective, mais du point de vue d'une artiste. Je peux te dire qu'il faut beaucoup de concentration, de persistance et de maturité pour produire du travail de ce calibre.
- Maturité ? André ? C'était une pensée ahurissante. Hélène a continué.
- Les pleurs et les lamentations sont temporaires. C'est peut-être sa façon de vous faire savoir que quelque chose le dérange... Mais Jo, c'est son *travail* qui définit ce qu'il est. »

Je l'ai embrassée, là, en plein milieu de la rue.

« Pourquoi ? » a-t-elle demandé.

« Tu sais pourquoi. »

Un mot de plus et je me serais mise à pleurer.

Ce soir-là, j'ai parlé à Thomas. J'ai fermé la porte de notre chambre et je lui ai tout raconté : Nicole, Louise, la question des rôles et du renversement des rôles, l'idée d'aider un enfant à changer en modifiant notre façon de le percevoir. Puis, je lui ai dit ce qu'Hélène m'avait raconté au sujet d'André et ce que signifiait, pour moi, l'image qu'elle se faisait de lui.

Thomas écoutait impassiblement. Je suis devenue plus intense. Je voulais qu'il partage ma nouvelle lucidité. J'ai expliqué que le gros problème d'André était peut-être la façon dont je le percevais ; qu'il ne serait jamais capable de se voir autrement si je n'arrêtais pas de le voir comme immature, comme un garçon qui a besoin de protection. Puis, j'ai parlé de ma détermination à le voir différemment.

Ce que j'avais à dire ensuite était difficile à exprimer. Je ne savais pas comment le présenter avec tact. J'ai avoué à Thomas que j'avais besoin de son aide. Je lui ai demandé de ne pas être si dur avec André parce que ça venait chercher le pire en moi. Un mot tranchant de sa part et j'accourais pour défendre mon *pauvre bébé* contre son *ogre* de père.

C'était comme si j'avais ouvert une plaie à vif. Thomas a parlé amèrement de son ressentiment à mon égard. Il a précisé que je le plaçais souvent dans le rôle de la grosse brute, du mâle insensible, et que je semais ainsi la méfiance entre son fils et lui.

J'étais renversée. J'ignorais totalement que Thomas se sentait ainsi. Je ne voulais même pas penser aux implications. J'ai vite juré que ça n'arriverait plus, que j'agirais différemment désormais. Puis, je l'ai supplié de changer lui aussi. Je lui ai rappelé l'incident de la colle sur le pull.

« André veut désespérément ton approbation, ai-je ajouté. Il ne peut pas supporter tes sarcasmes. Quand il fait quelque chose de mal, donne-lui simplement une direction. Par exemple : " Quand tu travailles avec de la colle, porte de vieux vêtements. " Tu verras, il va bien réagir. Tu saurais ce que je veux dire si tu participais au groupe du Docteur Ginott à l'intention des pères. Thomas, crois-tu qu'un jour ça t'intéressera d'y aller ?»

«Non, ça ne m'intéresse pas, a-t-il dit d'un ton sinistre, les dents serrées. J'ai compris et je vais faire un effort avec André, parce que *je le veux*. Ce doit être *mon effort* à moi et à ma façon. Ne me mets pas les mots dans la bouche. Si je dis quelque chose que tu n'approuves pas, je ne veux pas être corrigé. Et pas d'évaluation non plus !»

Un coup sonore a retenti à la porte de la chambre. La voix de Julie. «Qu'est-ce que vous faites, vous deux ? Vous avez passé toute la soirée là-dedans. J'ai besoin de l'aide de papa pour faire mes devoirs.»

Thomas est sorti. Je me suis soudain sentie exténuée. Quand je me suis réveillée, c'était le matin. J'ai constaté que je m'étais endormie tout habillée.

Des changements ont suivi cette journée tourmentée. Plusieurs changements : certains spectaculaires, d'autres à peine perceptibles. Au cours des six mois qui ont suivi, j'ai tenu, par écrit, une chronique des événements et des réflexions qui m'ont semblé significatifs. Voici ce journal.

UN NOUVEAU RÔLE POUR ANDRÉ

LE MÊME JOUR

Hâte d'attraper André, de lui présenter ses forces jusquelà non reconnues : son imagination, sa hardiesse, sa persévérance, sa maturité.

Dans le couloir, pantalon de pyjama qui glisse, nez qui coule, gémissements : «Je ne vais pas à l'école aujourd'hui.» Je lui touche le front. C'est froid. Auparavant, un nez qui coule lui garantissait automatiquement une journée à la maison.

Pas aujourd'hui. Aujourd'hui commence une ère nouvelle. Désormais, il arrête de se considérer comme maladif. «Tu ne fais pas de température, mon chéri. Veux-tu ton petit déjeuner avant de t'habiller pour aller à l'école ou seulement après ?»

André revient de l'école avec une formule d'inscription pour la ligue mineure de base-ball, accompagnée d'un avis : la sélection aura lieu dans un mois. Il guette ma réaction.

Je suis perplexe. Les mots *ligue mineure* ont toujours été, pour lui, des mots bannis. Le changement découle-t-il des événements de ce matin ? Surprenant ! Mais il n'a jamais joué à un jeu de balle jusqu'à présent. La compétition est très forte ; j'ai entendu dire que certains entraîneurs sont vraiment désagréables. Il n'a pas besoin de s'exposer à ça... Me voilà repartie. Il faut que je m'arrête tout de suite, sinon mes yeux vont me trahir.

ANDRÉ : Maman, crois-tu que je devrais jouer dans la ligue mineure cette année ?

MOI : (Je traduis vite ; il veut dire : « Crois-tu que j'en suis capable ? ») Alors, tu songes à t'inscrire à la ligue mineure cette année ?

ANDRÉ : Ouais ! Mais les entraîneurs crient après toi si tu rates la balle, et les autres enfants se moquent de toi.

MOI : J'imagine que ça peut être déplaisant. Mais tu sais, André, je pense que tu es capable d'encaisser ça.

ANDRÉ : Ouais ! Eh bien, j'irai peut-être l'an prochain. Je ne suis pas trop habile pour attraper une balle.

Ainsi, c'était seulement un ballon d'essai. Mais il y *pense*. Avec un peu d'entraînement et d'encouragement, il décidera peut-être d'y aller cette année. J'ai attrapé Thomas sur le pas de la porte à son retour.

MOI : (Tâchant de ne pas avoir trop l'air de m'emballer) André parle de la ligue mineure ! Il faut que tu lui enseignes à lancer une balle. On dispose à peine d'un mois pour le mettre en forme !

Thomas est parti au parc avec André pour une séance d'entraînement. Ils ont tous les deux un excellent moral. J'espère que leur sortie se passera bien.

Deux heures plus tard, il reviennent en silence. André va directement dans sa chambre en claquant la porte. Thomas me lance du regard : « Toi et tes idées brillantes ! » Il décrit le désastre.

« Tout ce que ton fils voulait, c'était nourrir les canards et collectionner des cailloux. Je l'ai suivi comme un imbécile, en essayant de l'intéresser à lancer la balle. Cinq minutes avant le retour, il m'a fait une grande faveur : il ma permis de lui lancer une balle. Sais-tu que cet enfant a des spaghettis à la place des doigts ? Écoute, ne me charge plus de remplir de mission. »

Maintenant, ils sont en colère l'un contre l'autre et les deux contre moi. Thomas a raison. Je ne devrais pas le pousser à faire des activités avec André. Ce qu'il veut faire avec son fils doit venir de lui. J'aimerais pouvoir me détendre davantage.

LE LENDEMAIN

Je considère ce dimanche comme raté. Mais pas du point de vue d'André. Il continue à parler du parc. Il demande où vont les canards quand il pleut, ce qu'ils mangent quand les gens ne leur donnent pas de pain et si j'ai remarqué comme les pierres changent de couleur quand elles sont mouillées. Je suis touchée par son émerveillement.

> « Tu poses beaucoup de questions au sujet du monde. Je parie que des hommes comme Galilée et Léonard de Vinci avaient, eux aussi, ce genre de curiosité scientifique quand ils étaient jeunes. André, avec des idées comme les tiennes, il te faut un calepin de notes.
> - Qu'est-ce que je mettrais dedans ? a-t-il demandé.

- Oh ! peut-être tes questions, peut-être les choses que tu te demandes. J'ai l'impression que tu sauras quoi écrire quand tu auras le carnet devant toi. »

DEUX SEMAINES PLUS TARD

Le calepin d'André est rempli d'observations : douze pages. Il lui a donné un titre : *Mon livre de pensées intimes*. Mon inscription préférée est celle où il trace le contour de sa main. En dessous, il a écrit : Une main, c'est comme une île. Chaque doigt est une péninsule.

UNE SEMAINE PLUS TARD

Je suis avec André et j'essaie de lui trouver un manteau d'hiver. Pas grand-chose à sa taille. Au troisième magasin, il s'effondre. Il pleure et se comporte si mal que les gens s'arrêtent pour regarder.

J'essaie d'être empathique : pas de réaction. Je demande sa coopération : il crie encore plus fort. J'abandonne : nous retournons à la maison.

Sur le chemin du retour, j'arrête à un casse-croûte pour renouveler l'énergie nécessaire au long parcours. André bouffe sa collation, puis se transforme complètement, là, devant mes propres yeux. L'enfant criard se change en un gosse affable de huit ans. « Essayons un autre magasin » suggère-t-il.

CONCLUSION : Si votre enfant subit les effets physiologiques de la faim et de la fatigue, aussi bien conserver votre salive. Un lait fouetté vaut des milliers de mots.

UN MOIS PLUS TARD

Le larmoiement est pire que jamais. Même lorsqu'André est satisfait, il me semble que c'est encore par une plainte qu'il parvient à l'exprimer.

Sa famille ne l'aide pas non plus. Julie et David adorent imiter ses gémissements. Tout ce qu'il entend de ma part ou de celle de Thomas, c'est : « Arrête de chialer… Tu te plains encore... Faut-il absolument que tu pleures à propos de tout et de rien ? »

Je crains que nous soyons tous en train de renforcer ce que nous essayons de faire cesser. Je pense qu'il est temps d'arrêter d'être si spontanés. Ce dont André a besoin, ce sont des réponses habiles.

LE LENDEMAIN

Je prépare fiévreusement le repas. André vient flâner. Il bêle comme un mouton à l'agonie.

« Je... meurs... de... faim... Je... meurs... de... faim...»

« André, quand tu as trop faim pour attendre le repas, dis-le moi : Maman, je me prends une tartine ; ou encore : Maman, je prends une carotte ; ou encore mieux : prends-la, tout simplement !»

Une nette amélioration par rapport à : « Tu te plains encore !»

DEUX JOURS PLUS TARD

Aujourd'hui, André m'arrive avec le long récit de ses malheurs. D'un ton accusateur, il raconte qu'il n'a plus de feuilles mobiles depuis des jours ; que je lui promets sans cesse de lui en acheter, mais que je ne le fais jamais ; qu'il a eu besoin de papier à l'école aujourd'hui, mais que personne ne lui en a prêté ; et finalement, qu'il nous faut aller au magasin tout de suite.

MOI :   André, je t'entends. Tu n'as pas de papier et je compte aller t'en chercher, mais...

ANDRÉ :   (avec belligérance) Mais quoi ?

MOI :   Je n'aime pas la façon dont tu me l'as demandé. C'est comme si j'avais entendu un clou gratter un tableau noir. Je crois que je préfère ton autre façon de parler. Tu sais, ta voix grave, plaisante, ta voix d'homme.

ANDRÉ :   (un octave plus bas) Tu veux dire, quand je parle comme ceci ?

MOI :   Ça y est ! Tu l'as !

121

ANDRÉ : (me regarde intensément, puis tire sur mon chemisier en mimant sa plainte habituelle) Maman-aaannn, quand toi décider acheter papié-é-é-é-é ? Moi veux papier.

MOI : (mains sur les oreilles, en simulant l'horreur) Arrgh !

ANDRÉ : (rires, la voix encore plus basse) Maman, je pense qu'aujourd'hui, c'est une bonne journée pour aller chercher du papier.

MOI : Tu viens de me convaincre.

Une fois au lit, ce soir-là, je l'ai entendu se parler à lui-même. Il faisait des expériences avec ses deux voix !

DEUX JOURS PLUS TARD

Mêmes lamentations. Autre scénario.

ANDRÉ : Il faut m'acheter du matériel pour couvrir mes livres. L'enseignante a dit qu'on aurait zéro de conduite si nos livres n'étaient pas recouverts. Je ne veux pas de zéro. Tu m'avais dit hier que tu m'amènerais et tu ne l'as pas fait.

(C'était tellement dégoûtant que ça m'a tout pris pour ne pas imiter sa voix. J'ai levé la main.)

MOI : S'il te plaît, André. Ton autre voix !

(Il m'a ignorée et s'est lancé dans une diatribe du fait que j'avais acheté des couvre-livres à David et à Julie, mais pas à lui.)

MOI : (fermement et lentement) André, ta mère a le cœur dur.

ANDRÉ : (air étonné)

MOI : Le problème, maintenant, c'est de trouver une façon de faire fondre son cœur. (Je quitte la pièce. Cinq minutes plus tard, André frappe à la porte de la chambre.)

MOI : Entre.

ANDRÉ : (ton direct et factuel) Maman, j'ai besoin de couvre-livres. Voudrais-tu m'en acheter ?

122

MOI : (rayonnante de plaisir) Jeune homme, mon cœur vient de fondre. Allons-y.

En auto, je me dis triomphalement : je commence à voir la lumière au bout du tunnel.

LE LENDEMAIN

J'ai tout saboté. Épuisée du solde de janvier, de retour avec six serviettes de bain, quatre draps, les pieds douloureux et un mal de tête.

ANDRÉ : (plaintivement) Où étais-tu ? Tu avais dit que tu serais de retour à 16 heures. J'ai faim et il n'y a rien à manger. M'as-tu acheté quelque chose ? Qu'est-ce que tu m'as acheté ?

Ai-je dit : « Oh ! Tu te demandais où j'étais » ?

Ai-je dit : « Tu sembles avoir de la difficulté à trouver de quoi manger » ?

Ai-je dit : « Oh ! Tu espérais que je t'achète quelque chose » ?

Non. J'ai hurlé : « Tais-toi ! Tais-toi ! Mais te tairas-tu à la fin ? Le ton de ta voix me rend folle ! »

Deux pas en avant, un pas en arrière. J'espère qu'André est aussi fort que je persiste à me le répéter.

UNE SEMAINE PLUS TARD

Encore cette voix ! Cette fois-ci, c'est au sujet de l'argent requis pour se procurer une pompe spéciale qu'on trouve seulement dans un magasin de la grande ville. C'est vraiment agréable de voir sa jeune curiosité en ébullition et je veux l'écouter avec attention, mais ce ton traînant m'affole. Je suis à la veille d'un autre *Tais-toi !* Il *doit* y avoir une solution de rechange.

Je l'arrête au beau milieu d'une tirade.

MOI : André, écris-moi ça. Je peux mieux me concentrer si je vois par écrit ce que tu désires. (Il n'aime pas ça.)

ANDRÉ :   L'écrire ! Pourquoi penses-tu que j'ai une bouche ? Contente-toi d'écouter ! Je veux une pompe à injection d'air et...

MOI :   Par écrit, s'il te plaît. Le voir par écrit me permet de penser plus clairement. J'aimerais savoir exactement ce que tu veux, tes raisons et un aperçu du coût.

André sort d'un pas lourd. Offusqué, il se dirige vers sa chambre. Mais au moment d'aller au lit, il me tend une feuille de papier. Je peux y lire :

Chère maman,
J'invente une nouvelle fusée. La partie qui me manque,
c'est une pompe à injection d'air. Ça coûte 8,50 $.
J'ai aussi besoin d'un entonnoir à carburant.
Ça coûte 1,50 $. Et je te rendrai cet argent.
Affectueusement,
André

Ce soir-là, pendant qu'André dormait, j'ai placé une note sur son bureau.

Cher constructeur de fusée,
ton relevé de dépenses était si clair qu'il m'a permis
de comprendre ce dont tu avais besoin.
Ci-inclus, dix dollars pour le matériel.
Bon décollage !
Affectueusement,
Maman

DEUX JOURS PLUS TARD

Je me rends compte que cette affaire concernant André absorbe toute mon énergie. C'est à lui que je pense en ouvrant les yeux le matin, et encore à lui avant d'aller au lit le soir.

Pas étonnant que Julie commence à dire : « Tu ne fais plus attention à moi. » Pas étonnant que David soit si insupportable ces jours-ci. Pas étonnant que Thomas se cache tous les soirs derrière son journal. Je me suis donné un rôle unidimensionnel, celui d'être la mère d'André. Ma vie est toute démantelée. Je devrais passer plus de temps avec Julie. Et j'aurais dû aller avec David voir cette nouvelle bicyclette qu'il voulait me montrer. Mais avant toute chose, il faut que je commence à prêter attention à Thomas et à moi-même. Ceux qui prétendent que les enfants rapprochent un couple ne savent pas de quoi ils parlent. Il me semble que le maternage et le paternage constituent une force majeure de dissuasion contre le projet *d'être un homme ou une femme*. Eh bien, ce soir, Thomas et moi allons dîner ensemble, seuls. Au menu : coq au vin et champignons. Je n'en ai pas fait depuis des mois parce qu'André déteste ça.

Je vais aussi accepter l'invitation de Thomas d'aller au bal des anciens cette année. Je vais faire nettoyer son smoking et m'acheter une nouvelle robe du soir. Pourquoi pas ? Après tout, ma vie ne se limite pas à m'occuper d'André !

UNE SEMAINE PLUS TARD
Encore bouleversée de ce que j'ai entendu cet après-midi. J'arrive à la cuisine et je trouve André pleurant sur un sandwich grillé au fromage.

ANDRÉ : (geignant) Je l'ai brûlé. Je l'ai brûlé.

MOI : (frémissante) André ! Encore ce ton de voix ! Ça me tape sur les nerfs. Contente-toi de dire : « Bah ! Mon sandwich est brûlé ! Il faut que je m'en fasse un autre. »

ANDRÉ : (fixe le sandwich fichu, puis d'une toute petite voix) Mais si je le dis de cette manière, tu n'auras pas pitié de moi.

Oh ! mon Dieu ! ai-je pensé. Il est en train de dire qu'il veut qu'on le prenne en *pitié* ! Je ne savais pas quoi répondre, alors je n'ai rien dit. Mais tout au long de la journée, je n'ai pu me débarrasser de ces mots qui me trottaient dans la tête.

Est-ce ainsi qu'il se perçoit, comme une personne qui n'a de valeur à mes yeux que s'il attire ma pitié ? Quel terrible fardeau à porter pour un enfant : sentir qu'il doit se rendre pitoyable pour être aimé !

Il sent peut-être que c'est une façon de me rendre heureuse, de satisfaire mes besoins. S'agit-il là de mes besoins ? Je ne crois pas. Autrefois ? Peut-être, un peu... Eh bien, plus jamais, André. Si c'est ainsi que ça se passe, Eh bien, jamais, plus jamais !

TROIS JOURS PLUS TARD

Quelque chose a changé chez moi. Je l'entends dans ma voix qui a perdu son ton de désespoir. Il me semble que j'éprouve moins le besoin d'être la plus merveilleuse mère au monde, la toute puissante dispensatrice de réconfort immédiat.

Ça n'empêche pas André d'essayer d'attiser mes anciens sentiments, mais moi, je réagis différemment. Je ne me demande même plus ce que je dois dire, ni comment le dire. Mes mots viennent d'une source plus profonde. Je sais maintenant que mon fils a besoin de sentir sa propre force, de goûter à son propre pouvoir, non au mien. Je regarde André et je m'attends à ce qu'il soit *capable*. Je m'attends à ce qu'il exerce *sa volonté*.

UN GARÇON A BESOIN D'UN AMI

UNE SEMAINE PLUS TARD

Rencontré Hélène aujourd'hui. Me mets à lui faire part de tout ce qui s'est passé avec André au cours des deux derniers mois. Quel plaisir de lui parler ! Pour un moment, je jouis de son approbation. Puis, elle me demande si André s'est fait de nouveaux amis cette année. Je lui explique que les enfants du voisinage l'ont tenu à l'écart depuis longtemps déjà et que les élèves de sa classe sont tous, selon sa définition, une bande de crétins.

« Un garçon à besoin d'un ami » a répondu Hélène.

J'explique davantage, en précisant qu'il est content chez lui, à la maison, avec ses collections et ses inventions.

« Il a besoin d'un ami, répète Hélène. Tu ne peux pas être son ami.

- (Je m'exaspère.) Ça aussi ? En plus, je dois aussi lui trouver un ami ?
- Non, mais tu peux le mettre en position de s'en faire un par lui-même.
- Comment ?
- Tu peux demander l'avis de son enseignante. Tu peux commencer par ça. »

Je suis soudain désolée d'avoir été aussi ouverte. Hélène est une personne merveilleuse, mais elle est parfois arrogante.

LE MÊME APRÈS-MIDI

D'accord. Allons voir l'enseignante. Je parie qu'André a besoin d'être en contact avec d'autres enfants. Il s'est peut-être trop accroché à maman. En fait, il n'y a aucune raison pour qu'il soit incapable de se faire des amis. Il a seulement besoin d'un peu d'aide pour démarrer.

LE LENDEMAIN

À l'insu d'André, je rencontre Mme Morais, une jeune enseignante pleine d'enthousiasme et désireuse d'être utile, qui a des idées plein la tête. Ses suggestions :

1. le placer avec un autre garçon pour fabriquer une pancarte de classe ;
2. lui confier la responsabilité du coin des sciences ;
3. le laisser se choisir des *assistants* pour nettoyer la cage du hamster et changer l'eau des tortues ;
4. diviser la classe en petits comités pour travailler à des activités en dehors de la classe.

Puis, elle fournit les noms et numéros de téléphone de quelques garçons qui, à son avis, pourraient bien s'entendre avec André. Elle suggère que je les guide dans une activité de groupe.

Sur le chemin du retour, j'ai trouvé : aller jouer aux quilles ! De tous les sports, c'est celui pour lequel André éprouve l'attitude la moins négative.

LE LENDEMAIN

André n'est guère enthousiaste à l'idée de jouer aux quilles en groupe. « Pourquoi pas seuls, toi et moi ? »

Je marmonne quelque chose au sujet d'un club. Le mot *club* l'enflamme. « On va avoir un club de quilles ! On va se rencontrer chaque semaine ! »

Ce sera un club. Je fais les appels téléphoniques. Tous les enfants sont intéressés et ils sont tous libres jeudi. André prépare une liste d'achats. Demain, nous allons acheter des boissons gazeuses et des biscuits pour la première rencontre du *Club* de quilles. Nous sommes en affaires.

JEUDI

Fiasco. Les biscuits choisis avec soin sont lancés à travers le salon, la boisson gazeuse est projetée au plafond, les garçons sont indisciplinés et très amicaux, mais seulement entre eux. Quant à André, c'est un proscrit dans sa propre maison. Par surcroît, il obtient les pires résultats aux quilles. Il ne veut plus du *Club*. J'insiste pour qu'il se donne une autre chance. Inutile.

Le *Club* est dissous.

VENDREDI

Ce n'est pas bon pour André d'être à la maison chaque après-midi. Il reste assis comme un zombie devant la télé, ou il me suit dans toutes les pièces comme un petit chien, ou encore il se dispute avec David.

Il a besoin d'être à l'extérieur avec d'autres enfants de son âge. Je commence à ressembler à l'un de ces anciens disques qui sautent parce qu'ils sont égratignés. « André, pourquoi pas inviter quelqu'un aujourd'hui ? Il y a sûrement quelqu'un dans ta classe avec qui tu aimerais jouer. Un garçon a besoin d'amis l'après-midi. »

André m'en veut et résiste. Je deviens plus subtile : « Si un autre enfant aime inventer des choses, il va trouver qu'il a de la chance le jour où il va faire ta connaissance. »

Ça ne réussit toujours pas. Je sais ce qui le retient. C'est ma passion. Il sent que je le veux tellement à sa place que ça diminue son désir personnel.

Comment faire pour le catapulter hors de la maison ?

TROIS JOURS PLUS TARD

Je sais quoi faire. C'est *moi* qui sors. Ma nouvelle machine à coudre est restée à ne rien faire pendant un an et je ne sais toujours pas comment enfiler l'aiguille. Je déniche un cours de couture qui se donne l'après-midi et je dis à André de faire d'autres arrangements pendant une heure le mardi, puisque je ne serai pas à la maison.

André a l'air pris au piège. Je m'occupe à préparer la lessive et tente de ne pas voir sa panique. Il me surveille pendant que je plie méthodiquement les chemises de Thomas. « Eh bien, mon enseignante dit que je dois rester après la classe pour faire un projet d'affiche avec ce crétin de Jules Patenaude. Alors, je vais lui dire que ce sera le mardi. »

Bénie sois-tu, Mme Morais ! Tu y es enfin arrivée !

UNE SEMAINE PLUS TARD

Christophe téléphone. C'est un des garçons du défunt *Club* de quilles. Il veut qu'André aille jouer chez lui. André refuse, alors Christophe vient chez nous.

Au début, ils sont hésitants l'un envers l'autre. « Qu'est-ce que tu veux faire ? » demande Christophe. « Sais pas. Toi, qu'est-ce que tu veux faire ? » réplique André. Un peu plus tard, je les aperçois tous les deux dehors, furetant près du garage. Finalement, ils en sortent avec le vieux râteau de Thomas et à tour de rôle, ils empilent un gros tas de feuilles.

Je les vois s'enfouir dessous comme de petits écureuils. Pour un instant, rien ne bouge. Puis soudain, un jaillissement de feuilles d'automne rouges et dorées remplit l'air et deux garçons en émergent, criant, riant, lançant les feuilles vers le ciel et l'un vers l'autre.

Plus tard, dans la maison, devant un chocolat chaud, ils se mettent aussitôt à parler. Christophe parle de ses serpents domestiqués et André raconte que sa gerboise a eu des petits.

Ce soir, après le départ de Christophe, je revois l'ancien André, joyeux, chaleureux, ouvert. Son humeur se maintient pendant la soirée. Il offre même à David de lui prêter son nouveau stylo.

LE LENDEMAIN

Christophe téléphone de nouveau. Cette fois, André accepte d'aller chez lui. C'est la première fois depuis un an qu'il rend visite à un ami ! C'est décidément la semaine des premières. André revient à la maison exubérant.

UN MOIS PLUS TARD

Avec Christophe, l'amitié grandit. Lentement, mais elle grandit. André retourne chez lui samedi. Christophe a aussi invité un autre ami. Les deux garçons se sont mis ensemble pour lancer du sable à André. Il revient à la maison en courant, affolé. Il a du sable dans les cheveux, dans les yeux, dans la bouche.

Entre deux sanglots, il raconte l'histoire. Thomas entre et l'entend gémir.

« Quand vas-tu apprendre à parler comme un être humain ? lance-t-il. Merde ! faut-il toujours que tu aies l'air d'un bébé ? »

André me regarde comme s'il avait reçu un coup. Il se cache la tête sur ma poitrine et j'entends sa voix étouffée : « Quand je serai grand, je serai une mère. »

Si j'avais un objet sous la main, je le lancerais vers Thomas. À la place, je m'occupe d'André. Je l'entraîne vers la salle de bain et je le nettoie.

Puis, je cours vers Thomas. Je ne peux plus garder ça en dedans. Je lui dis ce qui est arrivé à André aujourd'hui et je lui rappelle que je travaille laborieusement à construire l'estime de soi de cet enfant. J'ai crié : « Puis, tu arrives en fonçant comme un éléphant dans une boutique de porcelaine et tu brises, tu fracasses, tu écrases ! Tu ne vois pas les dommages que tu provoques ? Tu n'as aucun sentiment ? C'est ton fils à toi aussi, tu sais !»

Thomas me regarde froidement. « Je me le demande. Parfois, je n'en suis pas si certain. » Il se retourne et sort.

ANDRÉ ET SON PÈRE

CETTE NUIT-LÀ

Je suis étendue, bien éveillée, une douleur sourde dans la tête. Je revois toute la scène, encore et encore. Quelle chose atroce pour un garçon de dire qu'il *veut devenir une mère* ! Je suis certaine qu'il ne le pensait pas vraiment, mais pourtant... Et la remarque de Thomas, qu'André ne serait pas son fils. Qu'y a-t-il derrière tout ça ? Sent-il que je prends trop de place auprès d'André et que j'empiète sur son territoire ?

Ce n'est pas vrai ! Mes paroles me reviennent. Je cherche beaucoup à encourager leur relation. C'est moi qui les ai envoyés au parc. Ce n'était pas l'idée de Thomas, n'est-ce pas ? Mais je ne peux pas toujours compter sur lui pour prendre l'initiative. Il revient à la maison tellement épuisé à la fin de la journée qu'il ne lui reste plus d'énergie. Quand il a finalement affaire à André, c'est habituellement pour lui crier après. C'est dans l'intérêt de tous que je dirige les opérations... Je suppose que, dans un sens, je dis au fond que je suis mal à l'aise quand Thomas et André sont ensemble.

J'ai des élancements dans la tête. Cela me vient lentement, douloureusement, pendant que je reste étendue là, dans cette pièce sombre et silencieuse. Je leur ai causé une grande injustice, à tous les deux. De cent manières différentes, j'ai envoyé à André le message qu'on doit le protéger contre son père !

C'est ironique. J'avais mis toute ma confiance en Thomas, dans la relation la plus importante de ma vie, et il ne m'a jamais laissée tomber. Pourtant, je ne lui ai jamais fait vraiment confiance dans le cas de son propre fils.

Tout à coup, je n'accordais plus d'importance au fait que Thomas soit soupe au lait ou qu'il n'ait pas mon soi-disant doigté. Ce qu'André pourrait retirer de ce père charmant et vigoureux, de cet homme de principe, c'est quelque chose que je ne pourrai jamais lui donner. C'est de son père qu'André apprendra à devenir un homme.

LE LENDEMAIN MATIN, DIMANCHE

Je ne dis rien à Thomas au sujet de ma nouvelle résolution. Il me connaît si bien qu'il va voir ce qui a changé.

Nous nous attardons calmement après le petit déjeuner, au son de la musique, devant une deuxième tasse de café. André fait son entrée en frappant sur une boîte de conserve. Thomas le réprimande sèchement. André me regarde avec son regard : « *Il est encore méchant avec moi.* » Normalement, cela stimule chez moi mon regard : « *Qu'a-t-il fait de si terrible, cet enfant ?* » Mais cette fois, j'ai simplement dit : « Tu entends ton père, mon chéri. Nous essayons présentement d'écouter de la musique. Nous avons besoin de tranquillité. »

André et Thomas me jettent un regard : « *Qu'est-ce qui se passe ?* » Je leur souris, à tous les deux.

CET APRÈS-MIDI-LÀ

Thomas fait une crise à André pour avoir emprunté son marteau sans sa permission. André se sauve de lui et m'entoure de ses bras. « Papa est méchant ! » dit-il en pleurant.

D'habitude, cela aurait entraîné un moment de tendre réconfort maternel. Thomas me surveille pendant que je me

132

dégage. « Je suppose que ton papa tient vraiment à ce qu'on lui demande la permission avant d'utiliser ses choses. »

André vient me voir, préoccupé par son devoir de mathématiques. Il dit qu'il ne peut pas comprendre les fractions. Je lui suggère de consulter l'expert en mathématiques : son père.

Ils travaillent ensemble pendant dix minutes. Puis, Thomas devient impatient et André se décourage. « Je suis lent, pleurniche-t-il. Je suis toujours le dernier à comprendre. »

« André, répond Thomas, je ne veux pas que tu t'inquiètes de ta rapidité ou de ta lenteur. Une personne peut prendre une demi-heure pour apprendre les fractions ; pour une autre, ça peut prendre une semaine entière ; mais une fois apprises, toutes les deux savent la même chose. »

André se ressaisit et continue. Je me dis : dire que c'est de cet homme-là que je m'inquiétais !

J'ai vraiment cessé de m'interposer entre André et Thomas. C'est peut-être une pure coïncidence, mais je ne peux m'empêcher d'observer que Thomas s'occupe de plus en plus d'André. À l'occasion, il le borde dans son lit et lui parle de fusées et de moteurs. La semaine dernière, ils sont même allés au parc pour collectionner des pierres pendant une heure. Ils ne sont pas totalement à l'aise l'un avec l'autre, mais tout va mieux. Je sens que l'équilibre naturel est en train de se restaurer.

Ça me semble injuste. L'amour *devrait* suffire. Mais je peux maintenant me rendre compte que même en étant une personne humaine correcte, honnête et aimante, une mère ou un père peut tout de même blesser son propre enfant. J'aimerais que Thomas connaisse quelques habiletés de base.

Il peut prendre un problème mineur et l'amplifier inutilement au point d'en faire une confrontation majeure. L'autre soir, il est passé à l'attaque.

Au souper, André s'est emparé du bol de purée de pommes de terre et il en a mis la moitié dans son assiette.

THOMAS : Remets ça dans le plat.

ANDRÉ : (se cramponnant à son assiette) Non. La dernière fois, j'en ai eu seulement un petit peu.

THOMAS : J'ai dit : remets ça dans le plat.

ANDRÉ : Tu ne peux pas m'y forcer.

THOMAS : (se levant et tirant André de sa chaise) Ton repas est terminé.

André a traité Thomas de *grosse nouille*. Thomas l'a giflé. André a riposté par un coup de pied au tibia. Thomas l'a frappé de nouveau, plus fort cette fois, et il l'a poussé dans sa chambre. Julie et David sont restés assis, gobant toute la scène. Quand Thomas est revenu à table, nous avons englouti le reste du repas. Après leur dessert, les enfants ont quitté la table. Nous sommes restés seuls.

THOMAS : Je sais exactement ce que tu penses. Tout cela aurait pu être évité.

J'aurais souhaité ardemment être déjà rendue au lendemain matin et avoir oublié ce qui s'était passé, mais tout ce que je pouvais voir venir, c'était une dispute ; trop de mauvais sentiments traînaient déjà entre nous.

MOI : Eh bien, ce sont des choses qui arrivent. Il en avait trop pris.

THOMAS : Je suppose que j'aurais dû dire : « Prends-en autant que tu en veux, mon fils. Ne te soucie pas du reste de la famille. »

MOI : Tu sais que ça n'aurait servi à rien. Il fallait qu'il s'arrête.

THOMAS : Exact ! C'est précisément pour ça que je lui ai dit d'en remettre dans le bol.

MOI : (calmement) Tu lui as donné un ordre. Quand tu donnes un ordre à un enfant, ça lui donne le goût de te défier.

THOMAS :   Oh ! je vois ! Je n'ai plus la permission de dire quoi faire à mon propre fils. D'accord, professeur. Qu'est-ce que j'aurais dû faire ?

MOI :   (au supplice) Je n'ai pas toutes les réponses.

THOMAS :   (d'un ton cinglant) Pas de jeu avec moi. J'ai demandé ce que j'aurais dû faire.

MOI :   (exaspérée) D'abord, tu aurais pu décrire le problème. Par exemple : « André, il faut partager les pommes de terre entre cinq personnes », ce qui aurait donné à André la chance de se dire, à *lui-même*, d'en remettre dans le bol... Ou bien, tu aurais pu exprimer tes sentiments en affirmant : « Je n'aime pas voir une personne prendre la moitié du bol de pommes de terre ; dans cette famille, on partage. » Ou encore, tu aurais pu lui offrir un choix. Tu aurais pu dire quelque chose comme : « André, c'est une trop grosse portion. Tu peux en remettre dans le plat de service ou dans mon assiette, au choix. » Il y a probablement une demi-douzaine d'autres façons d'éviter une compétition entre deux volontés, mais je ne peux pas penser à toutes pour le moment.

THOMAS :   (lourdement sarcastique) C'est merveilleux de vivre avec une experte. Elle est toujours là, au bon endroit, pour coter ta performance et te dire comment tu aurais pu mieux faire.

MOI :   (criant) Tu m'accules à une position impossible ! Je ne veux pas être l'experte ! Mais *je vais* effectivement à un cours et *j'ai appris* quelques habiletés et je ne peux pas les arracher de mon cerveau ou prétendre que je ne les connais pas. Je suis tellement frustrée ! Tu me fais sentir comme si je détenais des droits exclusifs sur ces connaissances. Elles ne m'appartiennent pas. Elles sont disponibles pour toi aussi !

Silence lourd et prolongé. Découragée, j'ai empilé les assiettes sur un plateau et je me suis dirigée vers l'évier. Thomas a marmonné quelque chose.

MOI : Qu'est-ce que tu dis ?

THOMAS : J'ai demandé quel soir les pères se rencontrent.

MOI : (une boule dans la gorge) Jeudi... Je croyais que jamais... Merci.

JEUDI
Thomas est parti pour se rendre à la rencontre de ce soir. Je touche du bois.

PLUS TARD
Il rentre, l'air délibérément évasif.

MOI : (incapable de me contenir) Comment ç'a été ? Qu'est-ce que tu en penses ? T'es-tu présenté comme mon mari ?

THOMAS : Bien sûr. J'ai dit à Haim Ginott que j'avais hâte de rencontrer l'homme qui élève mes enfants.

MOI : C'est pas vrai !

THOMAS : Oui, et il s'est mis à rire. Tu sais, tu ne m'as jamais dit que son travail ne concerne pas seulement les enfants. En fait, il enseigne des principes de communication qui pourraient s'appliquer à toutes les relations : au travail, entre amis, avec la parenté, même entre les pays. En fait, il y a une seule exception.

MOI : Laquelle ?

THOMAS : (une lueur dans les yeux) Les épouses qui sont déjà des expertes.

MOI : (en lui donnant une tape amicale) Toi et ta langue de vipère !

THOMAS : Hé ! Fais attention ; ça crée un handicap quand on pose des étiquettes.

MOI : Hum ! Je me demande si ça va me plaire d'avoir un autre expert dans la maison !

LE LENDEMAIN MATIN

En s'approchant de son petit déjeuner, Thomas trébuche sur les chaussures d'André qui traînent au beau milieu du plancher de la cuisine. Je me prépare à entendre l'habituel : « André, es-tu obligé d'être aussi négligent ? Range tes chaussures dans ta chambre. »

Mais ça n'est pas venu. J'entends plutôt : « André, tes chaussures sont sur le plancher.» André fixe Thomas sans bouger. « Tes chaussures sont sur le plancher» répète Thomas. « D'accord, répond André. D'accord, je vais les ranger.»

Je ne sais pas si je devrais être enchantée ou irritée. Voilà deux ans que je demande à Thomas de *décrire* ce qui le dérange, au lieu de crier des bêtises, et voilà deux ans qu'il m'ignore. Une seule soirée avec Haim Ginott, et c'est comme s'il avait fait ça toute sa vie.

UN MOIS PLUS TARD

Ah ! ah ! Je savais que ce n'était pas aussi facile ! Je vois Thomas commencer, arrêter et recommencer. Aujourd'hui, par exemple, il a entendu André accuser Julie de manger toutes les cerises. Il a commencé à dire quelque chose comme : « Arrête. Tu montes une grande histoire avec quelques foutues cerises.» Mais il s'est arrêté a mi-chemin et il s'est repris.

THOMAS :   André, je peux comprendre que tu es déçu. Tu es allé jusqu'au frigo, en espérant y trouver des cerises, et tu n'y as trouvé qu'un tas de queues et de noyaux. Comment peut-on faire pour s'assurer qu'à partir de maintenant, chaque membre de la famille bénéficie d'un juste partage ?

Une autre fois, André a fait une crise de larmes parce que le magasin n'avait plus le jeu précis qu'il recherchait et qu'il n'y en aurait pas en stock avant le mercredi suivant. Thomas a dit : « Bon. Maintenant, André, n'insiste pas comme un bébé. Tu ne peux pas obtenir tout ce que tu veux à l'instant même où tu le désires. Il faut que tu apprennes à être plus patient. » André s'est mis à pleurer plus fort. Thomas m'a regardée. J'ai regardé ailleurs.

THOMAS : (après un moment de réflexion) Ce sera difficile pour toi d'attendre jusqu'à mercredi. Je gage que tu souhaiterais avoir ce jeu sous le bras dès maintenant.

André a cessé de pleurer.

DEUX SEMAINES PLUS TARD

Je ne sais pas ce qui se passe dans le groupe des pères. Thomas ne m'en parle pas, mais ils doivent discuter de l'image de soi parce que, depuis peu, il dit des choses qui aident André à se sentir bien mieux par rapport à lui-même. Et aux moments les plus inattendus ! Par exemple, hier soir, André pleurait à cause d'un jouet brisé, un sujet guère propice aux compliments. J'ai tout de même entendu Thomas dire : « André, je vois que tu as de la peine à cause de ton jouet, mais le genre de cris que tu lances actuellement devrait être gardé en réserve pour des urgences ; par exemple, un incendie. C'est une paire de poumons vraiment puissants que tu as là, mon garçon ! »

Et ce matin, Thomas a même trouvé quelque chose de positif à dire quand André a renversé son verre de jus. Pendant qu'André essuyait le plancher, Thomas a commenté : « J'aime la façon dont tu t'es occupé de ce gâchis. Pas de plainte, pas de blâme. Tu as simplement fait avec calme ce qui devait être fait. » André avait l'air de quelqu'un qui venait de recevoir une médaille.

Je suis tentée de dire à Thomas que chacun de ses échanges récents avec son fils pourrait être utilisé comme modèle pour illustrer les principes de Haim Ginott, mais je n'ose pas. Je ne crois pas qu'il apprécierait ce genre de commentaire. Alors, je me tais et je profite de cette nouvelle atmosphère dans la maison.

Ce soir, c'est un mauvais soir. Thomas est très fatigué. Il n'est pas d'humeur à entendre les miaulements d'André au sujet des fractions que ce dernier ne comprend toujours pas. Thomas envoie une série de remarques mordantes et sarcastiques. Puis, il me jette un coup d'œil de défi, attendant mon regard *Tu es un monstre* ! Je ne l'envoie pas.

Plus tard, presque en s'excusant : « Sapristi ! dit-il, comme ce ton de voix peut me tomber sur les nerfs ! Je pense que j'ai été raide avec lui ce soir. »

MOI : (désinvolte) Et puis après ? Il sait maintenant que son père peut parfois être dur avec lui. Il n'est pas une petite fleur délicate.

PÈRE ET FILS

Il m'arrive une pensée terrifiante. Je commence à soupçonner qu'une partie des taquineries et des mauvais sentiments qui se passent entre André et David sont de ma faute. Ce doit être vrai, parce que, depuis que Thomas met fin aux disputes, je m'aperçois que les garçons se réconcilient rapidement et finissent même par jouer ensemble par la suite. Je me demande pourquoi Thomas est capable de mettre en pratique les théories de Ginott sur la rivalité entre frères et sœurs, alors que moi, j'en suis incapable. Nous avons tous les deux appris les mêmes habiletés. Pourquoi elles ne me sont pas accessibles quand j'en ai besoin ? Je suppose que la rivalité entre frères et sœurs, ce n'est pas ma force. Je deviens trop bouleversée quand je vois mes propres enfants s'attaquer les uns les autres.

Oh ! Si on parle de théorie, je suis pratiquement une experte. Je sais qu'un peu de taquinerie, c'est normal et inévitable. Je sais aussi, de façon hypothétique, exactement quoi faire à ce sujet.

- Je devrais protéger la sécurité du plus jeune sans faire sentir au plus vieux qu'il est méchant.
- Je devrais encourager les enfants à trouver leurs propres solutions.
- Je devrais faire diminuer la colère en permettant à chacun des enfants d'exprimer en privé son hostilité envers l'autre : par des dessins, par une conversation ou par écrit.
- Je ne devrais jamais faire de comparaisons odieuses.
- Et le plus important, je ne devrais jamais prendre parti, dans aucune circonstance.

Pourtant, quand David commence à agacer André et que celui-ci essaie de se défendre, puis que David se montre plus dur et plus méchant, j'ai soudainement de nouveau cinq ans : c'est ma grande sœur qui me frappe dans le ventre et JE PRENDS PARTI !

Thomas ? Non. Il a appris comment prendre le parti de chacun des deux. Il a une façon de rester neutre, tout en faisant en même temps appel au sens de responsabilité personnelle de chaque enfant. Ça ne fonctionne pas à tout coup. Certaines disputes dépassent ce à quoi il peut ou même il veut faire face. Mais quand il est capable d'utiliser ses nouvelles habiletés, j'entends des sons totalement différents des miens.

Par exemple, quand les garçons sont entrés en courant dans la pièce, comme deux fous furieux, chacun essayant de hurler son côté de l'histoire, j'aurais crié : « Je ne veux pas savoir ce qui est arrivé ou qui a commencé. Je veux seulement que ça arrête ! »

En utilisant les mots exacts de Ginott, Thomas a dit : « Vous êtes vraiment furieux tous les deux, l'un contre l'autre. Je veux seulement savoir ce qui s'est passé. *Par écrit*. Racontez-moi comment ç'a commencé, comment ça s'est développé et ce qui s'est dit. À la fin, assurez-vous d'inclure vos recommandations pour l'avenir. »

David ne voulait rien faire du tout, mais André a écrit deux pages. Thomas les a lues à haute voix et a discuté sérieusement chacune des recommandations. André a vraiment senti qu'on l'avait entendu.

Une autre fois, André a dit en pleurant que David l'avait frappé très fort. David a protesté en assurant que c'était seulement une petite tape pour jouer. J'aurais explosé devant David. « Combien de fois t'ai-je dit de ne *jamais* toucher à ton frère ? Ça ne fait que déclencher la chicane ! »

Mais Thomas a répondu : « André, *toi,* tu as senti un gros coup. David, *toi,* tu sentais que tu donnais une petite tape pour jouer. Quand quelqu'un ressent quelque chose, c'est ça qui est vrai pour lui. » Les deux garçons se sont arrêtés net et se sont regardés. Ils avaient de quoi réfléchir.

Quand André a vraiment besoin de protection, son père la lui donne, mais toujours d'une façon différente de la mienne. Je me souviens de la fois où David, assis sur le dos d'André, était en train de le rouer de coups de poing. Ma réaction aurait été : « Descends de son dos, toi, espèce de grosse brute ! » Thomas a immédiatement tiré David de là, en criant : « Quand je te vois faire mal à ton frère, j'ai envie de te faire mal ! Tu fais mieux de disparaître, et vite ! » David a disparu.

Une autre différence entre nous : comme David est plus vieux et plus développé, je m'attends à ce qu'il soit davantage capable de faire preuve de compréhension et de contrôle de lui-même avec un enfant plus jeune.

Thomas ? Non. Peu importe la situation, il ne fait jamais sentir à David qu'il doit être gentil avec son petit frère. Je l'ai entendu dire à André, qui avait délibérément agacé son frère : « Mon fils, tu joues avec le feu ! David essaie de se retenir, mais n'abuse pas de sa bonne volonté. Toute personne a ses limites. »

Mais je crois que ce que j'admire le plus, c'est l'habileté dont Thomas fait preuve quand ils sont dans une impasse. Il a appris comment couper court aux menaces et aux insultes, et comment continuer à accorder de la valeur au point de vue de chaque garçon en répétant ses paroles à haute voix. Il ne réussit pas toujours, mais lundi soir, Thomas s'est montré très efficace. Les garçons ne voulaient pas aller se coucher parce que l'un voulait la lumière allumée et l'autre la voulait éteinte.

Je leur aurais proposé une solution toute faite : David pourrait lire dans le salon en attendant qu'André s'endorme. Et s'ils n'avaient pas aimé la solution, j'aurais trouvé autre chose.

Thomas les a amenés à *prendre* la responsabilité de résoudre leur problème.

THOMAS : J'entends un gros désaccord.

ANDRÉ : Je ne dors plus dans cette chambre. Il garde la lumière allumée toute la nuit. Je vais dormir dans le salon. C'est toujours lui qui gagne, juste parce qu'il est le plus vieux.

DAVID : C'est pas vrai, gros bébé. C'est toujours toi qui...

THOMAS : Minute ! On ne crie pas d'injure. Parlons seulement du problème. André, ce que je comprends, c'est que tu veux que la lumière soit éteinte au moment du coucher ?

ANDRÉ : Bien sûr que c'est ce que je veux ! Je ne peux pas m'endormir quand cet innocent garde la lumière allumée.

THOMAS : André, je le répète, pas d'injure ! David, ton frère dit qu'il a de la difficulté à s'endormir quand la lumière est allumée.

DAVID : Et moi ? J'ai cinq livres à lire pour obtenir une bonne note en anglais !

THOMAS : Je vois. André, David est inquiet parce qu'il est obligé de faire beaucoup de lecture supplémentaire cette année.

ANDRÉ : Pauvre lui.

THOMAS : C'est *vraiment* difficile pour lui, et c'est difficile pour toi aussi. Quand les choses sont difficiles, on essaie de les rendre moins difficiles pour l'un et pour l'autre.

DAVID : Comment ? Je ne vais pas rater mon examen à cause de lui.

THOMAS : C'est un vrai dilemme : deux garçons qui ont des besoins différents et qui partagent la même chambre... Écoutez, je suis en train de lire dans le salon. Prenez une demi-heure, regardez votre problème sous tous les angles, pour voir si vous pouvez en arriver à une solution qui convienne aux deux.

Dix minutes plus tard, pleins d'enthousiasme, ils ont rappelé Thomas. Ils étaient parvenus à une entente ! David n'utiliserait plus le plafonnier et s'en tiendrait à sa lampe de lecture. André allait inventer un écran pare-lumière qui pourrait être fixé à la tête de son lit.

Si ça continue, il est même possible qu'ils deviennent un jour des amis.

SAMEDI

Thomas est de bonne humeur, joyeux, en dépit d'une longue liste de courses à faire. Il pointe la tête dans l'embrasure de la chambre d'André et l'invite à l'accompagner. Cela me réjouit. Il ne l'a jamais fait. C'est toujours David qu'il emmenait avec lui. André se dérobe. Même si tout va beaucoup mieux entre son père et lui, il est encore un peu sur ses gardes à l'endroit de Thomas. Il dit qu'il doit travailler à sa collection de pierres.

Thomas semble désolé, il m'embrasse et se dirige vers la porte. Tout à coup, André apparaît avec ses chaussures à la main.

« J'ai changé d'idée, je viens avec toi. »

« Bien ! » dit Thomas.

Ils restent absents des heures.

À leur retour, il fait déjà noir. Presque euphorique, André me raconte sa journée en détail : les outils intéressants à la quincaillerie, la grosse scie à la scierie, le monsieur du magasin de peinture qui lui a donné un pinceau gratuitement, le soda glacé à la menthe avec sirop au chocolat.

Thomas me prend à part. Il veut me raconter, lui aussi.
« Nous avons passé une journée super, dit-il. Tu sais, je crois que cet enfant m'aime vraiment. »

MOI :   Qu'est-ce qui te fait croire ça ?

THOMAS :   (avec un sourire timide) Sur le chemin du retour, il a appuyé sa tête sur mon épaule en disant : « On a eu une vraie journée père et fils aujourd'hui. On remet ça bientôt, papa ? »

UNE SEMAINE PLUS TARD

J'espère ne pas me faire d'illusion, mais il me semble qu'André a changé au cours des six derniers mois. Pas de façon sensationnelle. Il se plaint encore beaucoup, mais il y a aussi des moments où il *parle* tout simplement. Il a maintenant un ami, un seul : Christophe. Mais c'est son premier véritable ami. Son frère et lui se disputent encore, mais moins souvent et pas aussi amèrement. Le plus important, c'est qu'il est moins méfiant à l'endroit de son père. De plus en plus, c'est de Thomas qu'il s'approche en tout premier lieu quand il a un problème.

Je sais qu'André a un long bout de chemin à faire, mais je crois qu'une étape a été franchie. Il n'est plus enfermé dans son ancien rôle de bébé, incapable et plaintif. Il est plus libre maintenant de découvrir d'autres facettes de lui-même.

LA SOIRÉE DANSANTE DES ANCIENS

Qui est cette dame élégante et séduisante dans le miroir ? Elle n'est la mère de personne, c'est sûr ! André s'est avancé vers moi. « Tu es belle ! Je vais t'épouser. »

« Tiens-toi loin, ai-je lancé. Tu as du thon sur les mains. » Il ne restait plus un gramme d'instinct maternel chez moi. Toute mon attention était centrée sur la postiche grecque que je voulais installer dans mes cheveux. C'était une soirée réservée aux adultes.

La réception était merveilleuse. Des plats somptueux, de la musique adorable, des personnes charmantes, tellement civilisées. Personne n'a fait de crise de colère et tout le monde a coupé sa propre viande.

Nous étions tous réticents à terminer cette soirée. Un vieil ami de Thomas a invité quelques couples à son appartement. Autour d'un café, les gens causaient de façon plaisante : des vacances, de ce qu'un tel était devenu, de la ville, de la banlieue et des enfants.

Des enfants ! Qui donc voudrait parler des enfants en habit de soirée ? J'ai essayé de ne pas écouter, de garder une humeur de festivité, mais les commentaires sont venus me chercher.

« Aucun doute, les enfants viennent au monde avec des personnalités différentes. Prends mon plus jeune : gentil, bon caractère ; il me donnerait sa chemise. Mais le plus vieux ne partagera pas un centime. C'est un grippe-sou de naissance. »

« Je sais ce que tu veux dire. J'en ai un à l'université, alors que j'aurai de la chance si l'autre parvient à compléter son secondaire. Il ne fera jamais un intellectuel, c'est certain. Je lui ai dit : " Tu n'es pas stupide, seulement paresseux. " »

« Vous devriez voir mes filles. Impossible de les prendre pour des sœurs. La petite est gracieuse, elle se déplace comme une ballerine. La grande ne peut pas traverser une pièce sans renverser quelque chose. On l'appelle tous *l'empotée.* »

Quelqu'un s'est mis à rire.

« Et tes enfants, Thomas ? Tu en as trois, n'est-ce pas ? De quoi ont-ils l'air ? »

Je suis devenue tendue. Thomas a haussé les épaules.

« Ils sont… ce qu'ils sont capables d'être : des personnes différentes selon les moments. »

« Laisse tomber la philosophie. Ce n'est pas une réponse. Allons, Jo. Dis-le, toi. »

Il m'est venu à l'esprit qu'il fut un temps où j'aurais pu aisément me joindre à eux dans une séance de distribution de rôles, mais il y avait désormais un abîme d'expérience entre nous. Ils n'avaient pas entendu parler de Rémi ou de

Suzanne. Ils ne savaient rien à propos d'André. Devrais-je leur en parler ? Non. Beaucoup trop personnel. De plus, ce n'est vraiment pas une discussion appropriée pour une réception.

Tout le monde attendait ma réponse. J'ai souri sans conviction et j'ai bafouillé qu'ils étaient tous invités à la maison pour rencontrer les enfants et constater par eux-mêmes.

Quelqu'un a souligné l'heure tardive. Il y eut soudain une cueillette de manteaux, un babillage d'au revoir et des promesses de se revoir plus souvent. Je me suis assise dans le hall d'entrée en attendant que Thomas aille chercher l'auto. La fin de la conversation m'avait laissé un arrière-goût amer. Ça m'ennuyait de n'avoir pas été honnête. Sans mettre à nu le fond de mon âme avec une histoire de cas personnelle, j'aurais au moins pu dire quelque chose. Mais quoi ?

Si j'avais été vraiment libre de m'exprimer, voici ce que j'aurais pu leur dire.

« Mes chers amis, ce qui vous fait rire n'est pas un sujet de plaisanterie. Les enfants se voient tout d'abord à travers les yeux de leurs parents. Ils s'appuient sur nous pour qu'on leur dise non pas nécessairement ce qu'ils sont, mais ce qu'ils sont capables de devenir. Ils dépendent de nous pour développer une vision plus élargie d'eux-mêmes et pour recevoir des outils en vue d'implanter cette vision.

« Les enfants *égoïstes*, ça n'existe pas, aurais-je pu leur dire : ils ont seulement besoin de faire l'expérience des joies qui découlent de la générosité. Les enfants *paresseux*, ça n'existe pas : ils manquent simplement de motivation, ils ont besoin qu'on les croie capables de travailler fort quand ils le veulent vraiment. Les enfants *patauds,* ça n'existe pas : ils ont seulement besoin qu'on accepte leurs gestes et qu'on fournisse de l'exercice à leur corps.

« Les enfants, tous les enfants, ont besoin qu'on affirme ce qu'ils ont de meilleur et qu'on ignore ou qu'on réoriente ce qu'ils ont de moins bon. Et qui va relever ce défi de taille ? Les parents.

« Qui d'autre, sinon chacun des parents, accepterait volontiers de se changer soi-même pour qu'avec le temps, son enfant puisse changer ? Qui d'autre qu'un père ou une mère possède la largeur d'esprit de dire à l'enfant qui s'est trompé : " Ça, c'était le passé. Maintenant, c'est le présent. On efface et on recommence. "

« Qui d'autre qu'une mère ou un père peut avoir assez de sollicitude envers le sale va-nu-pieds pour lui dire : " Viens, je crois en toi. Je vois *à travers* ton apparence déguenillée. Je te vêtirai de vêtements princiers et tu deviendras effectivement un prince. " »

LE LENDEMAIN
Je viens de relire ce que j'ai écrit hier soir. J'ai bien fait de retenir ma langue. Je n'aurais jamais pu dire rien de tel à ces personnes. Beaucoup trop prêchi-prêcha.

Pourtant, c'est étrange ! En le *leur disant*, c'est en quelque sorte à moi-même que je le dirais.

Je crois le savoir, maintenant.

C'était la dernière inscription dans mon journal.

VIII

N'essayez pas de les faire changer d'idée ; changez l'humeur

Quand David était encore un nouveau-né, j'allais m'asseoir au terrain de jeu et, tout en le balançant dans son landau, j'écoutais les femmes autour de moi se plaindre l'une à l'autre des difficultés qu'elles éprouvaient à rendre leurs enfants *raisonnables.*

Benjamin ne se brossait jamais les dents, même si sa mère le prévenait sans cesse des risques de carie. Josée ne rangeait pas ses jouets en dépit des sermons quotidiens portant sur le thème de l'ordre. Et il fallait rappeler à Louis d'actionner la chasse d'eau chaque fois qu'il allait à la toilette. Je me disais : comme ces mères manquent d'enthousiasme ! Je suis désolée pour leurs enfants.

Maintenant, avec trois enfants, je me sens moins critique. J'ai découvert que l'enthousiasme peut vite s'envoler devant les efforts constants requis pour faire accomplir à un enfant ce que je considère vital et que lui considère superflu. Je ne crois pas être la seule non plus. Je crois que la plupart des parents trouvent que le désordre est affligeant, que les dents jaunes sont sinistres et qu'un siège de toilette infect est dégoûtant. C'est pourquoi, chaque fois qu'une mère de notre groupe raconte de façon plaisante comment elle a réussi à faire coopérer son enfant sans recourir à la morale, aux sermons ou au rappel de terribles conséquences, je suis toujours impressionnée.

Je pense en particulier à Catherine. Elle a le don de créer le genre d'atmosphère qui neutralise les résistances. Même quand elle doit revenir à la charge, elle le fait avec une touche de douceur : « Clarence, je n'ai pas entendu la chasse d'eau... Patricia, brosser les dents avant le dodo... Les enfants, j'ai besoin d'aide pour la vaisselle.» De simples phrases descriptives.

Habituellement, elle consulte ses enfants pour connaître leurs préférences quant au moment ou à la manière de remplir les tâches : « Aimerais-tu faire la vaisselle avant ou après le dessert ? Préfères-tu utiliser une lavette ou un tampon à récurer ?» Mais quand elle demande de l'aide, sa façon de s'exprimer indique bien qu'elle s'attend à la recevoir.

J'aime aussi son approche quand un travail ne répond pas à ses critères. Elle n'attaque jamais les efforts d'un enfant : « Il n'y a donc rien que tu sois capable de bien faire ?» Elle donne plutôt une appréciation bien sentie de ce qui a été *accompli* avant d'indiquer ce qui reste à faire. Elle dira : « Eh bien, Clarence, ç'a dû te prendre beaucoup d'huile de coude pour rendre la casserole aussi propre ! Il reste seulement quelques traces de jaune d'œuf qui résistent ici, sur le rebord.»

Catherine prétend que, même si elle évite les commandements et les blâmes usuels, une seule chose la retient de devenir une enquiquineuse classique : c'est la routine. Une routine flexible. Dans sa cuisine, elle a un tableau d'affichage sur lequel les enfants épinglent et changent constamment la liste des tâches qu'ils ont eux-mêmes élaborée. Au lieu d'argumenter longuement à propos de la personne qui sera responsable de promener le chien ou de trier la lessive, Catherine dira : « Consulte la liste des tâches.» Par conséquent, la plupart des récriminations sont dirigées contre la liste affichée sur le mur plutôt que contre maman.

Récemment, les enfants ont inventé quelque chose de nouveau, dans la cuisine : une roue de fortune pour distribuer les tâches. Chaque semaine, la roue tourne pour assigner une nouvelle série de tâches.

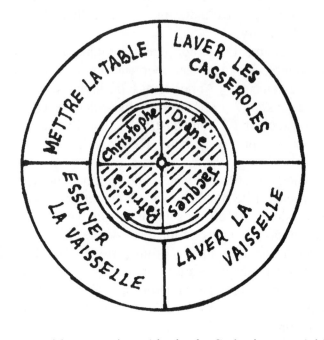

C'est évident que la méthode de Catherine, agréable et pas bête du tout, crée le genre d'atmosphère familiale qui rend invitant le travail en commun. Il existe encore une autre approche qui incite à la coopération. Enfin, presque. Mais j'hésite à la mentionner ici. Même si c'est difficile à croire, certains parents parviennent, en effet, à être drôles dans des situations qui déclenchent habituellement la chicane. L'esprit ludique plutôt que la polémique ? L'humour au lieu de la pagaille ? Pour moi, ça paraît dépasser toutes les bornes.

Hélène n'est pas de mon avis. Pour elle, le jeu est presque une nécessité, une façon d'atténuer son intensité et de neutraliser sa tendance naturelle à commander. Quand elle peut faire la comique à propos d'une tâche à accomplir, elle en retire un double bienfait. Elle devient plus détendue et les enfants lui résistent moins. Ce qu'ils aiment par dessus tout, c'est de la voir dans le rôle d'un personnage inattendu.

Par exemple, un après-midi, Laura et Marc étaient sur le point de se rendre au magasin sous une pluie torrentielle, en ne portant que des sandales et de légers tee-shirts. Avec appréhension, Hélène voyait déjà venir la prise de bec.

« Les enfants, il pleut.

- Non c'est seulement de la bruine.
- J'aimerais que vous portiez vos imperméables.
- Mais on sort seulement pour quelques instants.
- Vous allez être trempés jusqu'aux os.
- On va courir. »

Dans un moment de folle inspiration, elle a emprunté la voix de Donald le canard. « Quoi, pas d'manteau d'pluie ni d'bottes de caoutchouc ? a-t-elle caqueté. J'suis vraiment surpris ! J'pensais qu'tous les can'tons portaient des manteaux et des bottes de caoutchouc quand il pleut. »

Les enfants se sont esclaffés et se sont dirigés vers le placard en *parlant canard.*

À une autre occasion, Marc et Laura quittaient la maison avant d'avoir fait le ménage dans leur chambre. Hélène les a pris au collet, au seuil de la porte. D'une voix de gangster, style dur à cuire, elle a dit en grinçant des dents : « O.K. les mecs, personne ne bouge ! J'viens des chambres du fond. Vu un gros désordre. Personne ne quitte la ville avant que cet endroit mal famé soit remis en ordre. Vu ? Faudrait faire du bon boulot, sinon l'grand patron, y aimera pas ça du tout. Compris ? »

Un autre exemple de bouffonnerie. Hélène et Marc regardaient une émission télé portant sur la vie à la ferme. Soudain, Hélène a eu la nette impression qu'elle pouvait sentir dans l'air l'odeur des animaux qu'elle voyait à l'écran. Confuse, elle a reniflé un peu. Près d'elle, sur le canapé, Marc changeait de position. Elle a su aussitôt d'où venaient ces effluves.

Après l'émission, Hélène a dit, avec un accent de vieil acadien : « Marc, tu pues comme si t'étais allé chasser la mouffette ! Va tout d'suite faire trempette dans l'vieux bain, pis donne-toi un nettoyage en règle avec du savon brun pis une grosse brosse solide. J'veux qu'tu sentes comme une vraie personne avant qu'ton père revienne à la maison. Et pis, pas de radotage au sujet du bain qu'tu viens d'prendre l'année dernière. T'es assez grand pour prendre deux bains par année astheure ! »

Louise dit qu'elle aimerait être plus joviale avec ses trois enfants, mais elle n'y arrive pas facilement. Jonathan prend la vie très au sérieux. Avec lui, chaque pointe d'humour est habituellement accueillie par : « Ah ! ah ! Très drôle ! » Quant à Suzanne, elle la gratifie d'un regard vide d'expression, ce qui ne l'encourage guère à poursuivre dans la même voie.

C'est surtout Michel qui vient activer son sens de l'humour. Même à moitié endormi, il est prêt à jouer. Louise nous a raconté qu'un matin, alors qu'elle allait le réveiller, elle a trouvé sous les couvertures une forme indéfinissable. « Hé ! a-t-elle lancé, je vois un sous-marin là-dessous. Voudrait-il refaire surface ? Sortir son périscope des couvertures ? Ou préfère-t-il rester submergé encore cinq minutes ? » Michel a sorti un doigt en l'agitant.

Une autre fois, elle l'a trouvé assis sur son lit, visiblement dépassé par le rangement qui l'attendait. Pas surprenant, a pensé Louise qui regardait l'épaisseur des débris sur le sol ; il n'a même pas d'endroit où mettre ses choses. Elle est descendue au sous-sol. Quelques minutes plus tard, elle était de retour, un disque dans une main et les bras chargés de boîtes à chaussures vides. Elle a placé le disque dans l'appareil. « Michel, a-t-elle dit, ce n'est pas parce que c'est un dur travail de remettre une chambre en ordre qu'on va se laisser abattre. Aujourd'hui, on va tuer dans l'œuf le cafard du nettoyage. On aura de la musique pour se soutenir le moral, a-t-elle crié, plus fort que la fanfare de la marine. Et voici un lot de boîtes qui te fourniront de l'espace pour ranger tes trésors. » Michel s'est laissé glisser sur le plancher, la bouche fendue jusqu'aux oreilles. Puis, au rythme de la musique, il a commencé à ranger les billes dans une boîte et les pièces de l'échiquier dans une autre.

Roselyne dit qu'elle peut se servir du jeu pour faire face à une situation problématique, mais seulement après coup, jamais sur-le-champ. Une fois que les enfants sont hors de sa vue, profondément endormis, et que toute la maisonnée est tranquille, son sens de l'humour lui revient. Aussitôt qu'elle pose sa plume sur du papier, elle se sent plus à l'aise. Ses premiers essais sont presque toujours mesquins, sarcastiques, mais hautement satisfaisants. Puis, petit à petit, elle modifie le tout, le transforme, jusqu'à pouvoir exprimer ce qu'elle veut dire sans faire d'accusation. Voici quelques impasses qu'elle a su dénouer grâce à ses notes.

Lorsque les enfants arrivent à un point mort quant au brossage de dents, elle dessine une pancarte et la colle sur le miroir de la salle de bain.

RECONNAIS-TU TES DENTS?

Quand l'heure du coucher se transforme, soir après soir, en épuisant champ de bataille, Roselyne compose une lettre, elle l'imprime, puis en place une copie sur l'oreiller de chacun des enfants. En voici le texte.

Réflexions sur l'heure du coucher

ATTENDU QUE   se coucher tôt, avec un sourire et de bonne humeur, rend les parents joyeux et que c'est alors un vrai plaisir de les côtoyer ;

ATTENDU QUE   le contraire est également vrai : à savoir que se coucher tard, après rappels et avertissements, rend les parents grincheux et les matins pénibles ;

nous vous invitons, par la présente, à faire
des suggestions concernant une heure de coucher
qui permettrait à la famille de retrouver
paix et harmonie.
Veuillez remplir les espaces
laissés en blanc ci-dessous.

Je pense que je devrais être au lit entre _____ et _____
Je suggère que le couvre-feu soit fixé entre __ et _____

Tendrement,
Maman

Quand Roselyne s'est retrouvée en train de rouspéter sans succès pour tenter d'obtenir de l'aide à la cuisine, elle a confectionné la note suivante, qu'elle a affichée sur la porte du garde-manger.

DERNIÈRES NOUVELLES :
UNE CRISE DANS LA CUISINE

La dernière fois qu'on l'a aperçue, la cuisinière du Restaurant des Dugas était en train de piaffer dans la cuisine, en menaçant de démissionner.

Une source sûre nous a assurés qu'elle était en train de fouetter violemment les pommes de terre en grognant : « C'est trop pour une seule personne ! Je suis incapable de tenir un restaurant à moi toute seule ! »

En raison de cette situation d'urgence, nous exhortons tous les clients habituels à offrir immédiatement leurs services, à titre de bénévoles.

Besoin de main d'œuvre pour accomplir les tâches suivantes :

    _____ *Nettoyer la table et le plan de travail*
    _____ *Rincer les ustensiles et les assiettes*
    _____ *Remplir le lave-vaisselle*
    _____ *Récurer les chaudrons et les casseroles*
    _____ *Balayer le plancher*

Placez un crochet ainsi que vos initiales à gauche des deux tâches que vous préférez.

P.-S. : Expérience non requise.

Entraînement gratuit sur place.

Il semble donc y avoir des parents qui, grâce à l'humour, peuvent éviter les notes discordantes en établissant un esprit d'amicale coopération. Toute une performance !

Mais il y a encore autre chose à dire sur l'importance de la bonne humeur. Ses effets ne se limitent pas au simple avantage pratique d'obtenir la coopération. Quand la bonne humeur règne, elle entraîne souvent d'autres conséquences bénéfiques. Jeunes et moins jeunes ont tendance à devenir plus expansifs, plus affectueux, et même plus inventifs. L'improbable devient soudain possible. On libère des élans d'amour qui se répandent heureusement dans toute la maisonnée.

La mauvaise humeur peut être tout aussi contagieuse ! Ce n'est pas avant d'avoir eu une famille à moi que j'ai pu comprendre pleinement jusqu'à quel point il est facile d'attraper les sentiments négatifs des enfants. Ma propre tendance, c'est de devenir irritable quand un enfant est irritable, découragée quand il est découragé ; en fin de compte, d'être sa complice pour empirer les choses. Alors, je deviens perplexe chaque fois qu'une personne de notre groupe raconte comment elle a réussi à distinguer ses propres humeurs de celles de son enfant et à renverser cette spirale qui attire vers le bas.

Ces récits provoquent en moi le même étonnement que j'éprouvais, encore enfant, quand je regardais le lapin de la bande dessinée tomber dans un ravin. Impossible de prédire qu'au dernier moment insupportable, ses oreilles se changeraient en ailes et sa queue en hélice, et qu'il s'élancerait vers le haut en défiant la gravité.

Voici deux de mes histoires favorites, qui font partie de la catégorie *Cette fois, ils ne s'en tireront jamais*. Dans chaque histoire, contre toute espérance, l'un des parents réussit à changer l'humeur d'un enfant.

J'intitule la première comme suit :

ON EFFACE TOUT

(Dans cette histoire, Hélène tire son épingle du jeu en utilisant la formule suggérée par Haim Ginott pour les impasses : « On efface tout et on recommence. »)

LIEU DE L'ACTION : *la chambre de Laura, tôt le matin.*

LAURA :   Maman, qu'est-ce que je devrais porter aujourd'hui ?

HÉLÈNE :   Que dirais-tu de l'une de ces adorables nouvelles jupes que nous avons achetées pour l'école ? Elles sont restées dans ta garde-robe.

LAURA :   Je ne les aime pas.

HÉLÈNE :   Ma chérie, c'est *toi* qui les as choisies. Tiens, tu peux porter cet ensemble en tissu écossais. Tu vas alors ressembler à une gamine écossaise.

LAURA : Je ne veux pas ressembler à une gamine écossaise. Je veux porter un pantalon.

HÉLÈNE :   Mais tu portes toujours des pantalons. C'est le temps de faire un changement. Si tu ne veux pas

156

l'ensemble écossais, que penses-tu de la jupe bleue avec des boutons en cuivre ?

LAURA : Celle-là, elle pique.

HÉLÈNE : Eh bien, tu peux porter un petit jupon.

LAURA : (*au bord des larmes*) Je déteste les jupons !

HÉLÈNE : (*se parlant à elle-même*) Je recommence encore. J'impose mes goûts. Je ne la laisse pas faire une simple décision par elle-même... Comment m'en sortir ? (*à voix haute*) Laura, *effaçons* tout ça.

LAURA : Heu ?

HÉLÈNE : On efface et on recommence. Faisons semblant que je viens juste de monter l'escalier pour te réveiller. (*Elle sort, ferme la porte derrière elle, attend un moment, puis frappe à la porte.*)

LAURA: (*hésitante à entrer dans le jeu*) Entre.

HÉLÈNE : Bonjour ! Est-ce que j'ai entendu quelqu'un me demander ce qu'elle devrait porter aujourd'hui ?

LAURA : Ouais !

HÉLÈNE : Bien. Avant de savoir ce qu'on va porter, on peut se demander comment on se sent : « Ai-je une humeur de vieux pantalon brun aujourd'hui ou plutôt une humeur de nouvelle jupe ? Ai-je le goût d'un pull jaune crépu ou d'une chemise à fleurs ? »

LAURA : (*prenant le temps de réfléchir*) J'ai le goût de... mon pull bleu et mon vieux pantalon brun.

HÉLÈNE : Voilà une fille de huit ans qui sait vraiment ce qu'elle veut !

LAURA : (*confidence timide*) Le bleu est ma couleur préférée.

MICHEL ET LE KANGOUROU

(Dans ce récit, Louise change l'atmosphère par une touche de fantaisie.)

Un après-midi, Louise surprend Michel à grogner furieusement contre Mouffe, le nouveau chiot. Elle lui demande d'arrêter. Michel affirme que Mouffe sait que c'est juste un jeu, et il commence à bousculer le chiot.

Louise se demande : « Comment l'atteindre ? Lui interdire de s'approcher du chiot pour une semaine ? Le menacer de le dire à son père ? Lui faire un sermon sévère ? » Elle se compose déjà un discours sur la cruauté envers les animaux, quand elle se rappelle soudain les paroles de Ginott : « N'essayez pas de les faire changer d'idée ; changez leur humeur. » Elle se demande si elle en est capable.

LOUISE : Michel, je m'aperçois que tu aimes la bagarre... Sais-tu ce qu'on aurait dû faire ? Déménager en Australie et nous faire livrer un kangourou équipé de gants de boxe. (Michel cesse de grogner et lève les yeux. Le chiot bat en retraite dans un coin.)

LOUISE : (dans la même veine) On aurait pu lui construire un petit lit de camp avec un trou spécial pour la queue.

MICHEL : (rigole) Il aurait pu dormir dans ma chambre.

LOUISE : Juste à côté de ton lit ! Tu aurais pu avoir un partenaire d'entraînement, toujours prêt quand tu voudrais lui lancer quelques coups de poing. (Louise s'agenouille par terre et parle doucement au chien.)

LOUISE : Tu n'es pas un kangourou, hein, Mouffe ? Tu n'es qu'un petit chiot et tu n'as pas du tout le goût des jeux rudes. (Michel s'accroupit près d'elle et flatte le poil de Mouffe.)

LOUISE : (s'adressant toujours au chien) Tu aimes te faire flatter et caresser. Tu aimes qu'on joue gentiment avec toi, n'est-ce pas, petit cabot ?

MICHEL : (frotte prudemment son nez contre le museau du chiot) Très, très gentiment.

Je ne sais pas pourquoi ces histoires me touchent autant. Je suppose que c'est le fait de voir des parents capables de transcender le côté désagréable du moment, de l'agrémenter d'humour et d'imagination. Quelle belle façon de vivre ! Mais j'ai un côté suffisamment réaliste pour savoir que l'humour est avant tout une question de circonstance, qu'il ne s'agit pas simplement de vouloir en avoir ou d'être habile à en faire. Qu'il se présente au bon moment ou qu'il ne se présente pas, l'humour n'est sûrement pas un état d'esprit auquel on peut faire appel sur demande.

Jusqu'ici, en matière d'habileté à générer la bonne humeur, je n'ai souligné que le mérite des adultes. Mais ce serait pure négligence de ma part si je terminais ce chapitre sans mentionner les véritables prodiges de l'espièglerie, ces acrobates accomplis du rapide changement d'humeur que sont eux-mêmes les enfants. Ils sont capables, eux, de passer du cafard à l'hilarité avec une agilité que les adultes ont depuis longtemps perdue. Et souvent, ils apportent une contribution qu'aucun adulte n'aurait pu imaginer. Fort heureusement pour eux, ils ne souffrent pas de nos inhibitions.

J'offre un petit exemple qui me vient de ma famille. Un soir, nous sommes tous dans la voiture. Nous revenons d'un match de la ligue mineure de base-ball. Nous avançons dans un silence total. À quatre reprises durant le match, David s'est présenté au bâton, mais pour se faire retirer chaque fois, sous les yeux de toute sa famille. Son dépit envahit tous les recoins de l'auto. J'aurais alors tout donné pour pouvoir changer son humeur. Je réfléchissais très fort. Rien ne venait. Finalement, c'est David qui a brisé le silence.

DAVID : Je ne devrais pas faire partie de la ligue mineure. Même pas de la ligue des fermiers. Plutôt de la ligue des bébés aux couches.

PÈRE : Ma foi, David, je dois te dire que je trouve ça admirable. Ton moral est à zéro, et pourtant, tu n'as pas perdu ton sens de l'humour... Je me demande comment on compte les points dans la ligue des bébés aux couches.

DAVID : *(avec morosité)* Je suppose que si tu fais pipi, tu peux te rendre au premier but.

JULIE : *(commence à s'intéresser)* Pour te rendre au deuxième, tu dois faire caca. (Tout excité, André s'est mis à frétiller fiévreusement au fond du siège arrière de la familiale.)

ANDRÉ : Je sais ce que ça prend pour frapper un circuit ! (Nous nous sommes tous retournés vers lui.)

ANDRÉ : *(triomphalement)* La diarrhée !

Cinq éclats de rire !
Vous voyez ce que je veux dire ?

Les parents sont des personnes

IX

Leurs sentiments sont bien réels

Je feuilletais mes notes. Chaque fois que je relisais l'une des déclarations de Haim Ginott sur les sentiments des parents, je me raidissais.

- Chacun des parents devrait respecter ses propres limites.
- On peut se montrer un peu plus gentil qu'on se sent, mais pas beaucoup plus.
- Il est important d'accepter la réalité de ses sentiments du moment.
- Il est préférable d'être authentique avec ses enfants.

Pourquoi réagir si fortement à ces déclarations ? Elles paraissent tout à fait raisonnables, tout à fait logiques. Je me suis mise à les relire. Puis, ça m'a frappée. Ce qui sous-tend chacune de ces affirmations, c'est l'hypothèse qu'une personne sait habituellement ce qu'elle ressent. Plus cette pensée s'insinuait dans mon esprit, plus mon malaise grandissait. *Je ne sais peut-être pas toujours ce que je ressens !*

Cette pensée me troublait. J'essayais de me rassurer. C'est insensé ! Je sais très précisément comment je me sens par rapport à un grand nombre de sujets controversés : la libération des femmes, la légalisation de la marijuana, les lois sur le bien-être social, les tensions raciales, le transport scolaire, les dortoirs mixtes. Pas de ténèbres dans mon esprit. Je suis la clarté personnifiée !

Toutefois, je n'étais pas convaincue. Au fin fond, je sais sur quoi repose ma confusion. Ça concerne les enfants. Qu'un enfant m'arrive sans crier gare et voilà ma clarté qui s'évanouit. Le mécanisme interne, sur lequel je compte pour m'envoyer des signaux clairs à propos de mes sentiments, semble se détraquer aussitôt qu'un enfant se présente dans le décor.

C'en était presque comique : je ressemblais au dindon de la farce. Cette mère, qui se consacre à aider ses enfants à rester en contact avec *leurs* sentiments, n'est probablement pas en contact avec les siens.

Prenez, par exemple, samedi dernier. Je m'étais pelotonnée sur le canapé, le journal dans les mains, quand les enfants sont entrés en trombe dans le salon. « Maman ! Papa nous avait promis qu'on pourrait aller acheter des glaces. Il dit maintenant que ça va lui prendre le reste de l'après-midi pour finir de régler ses factures ! » Je me suis dit : Oh ! ils avaient tellement hâte d'y aller ! *Je* vais les y emmener. Mettant le journal de côté, je me suis extraite de mon siège si douillet. Voici la suite.

« Ça va. Tout le monde dans l'auto.
- Les enfants ! Moins de bruit, s'il vous plaît !
- Eh bien, décide-toi. Quel parfum veux-tu ?
- Attention ! Ça va fondre sur la banquette de l'auto !
- Ah bon ! Ils n'ont pas le parfum que tu voulais. Est-ce une raison pour te comporter comme un bébé ?
- Il n'y aura pas de prochaine fois ! En fait, il n'y aura rien pour un bon bout de temps. »

La *gâterie* s'est terminée dans une cacophonie de hurlements.

Que venait-il de se passer ? J'avais mis mon journal de côté et je m'étais persuadée d'être *gentille*, pour plaire à tout le monde, mais j'avais réussi à faire pleurer tout le monde. De toute évidence, je m'étais méprise sur mes propres sentiments. J'avais cru me sentir *gentille*. Peut-être qu'au fond j'avais du ressentiment. Je ne savais pas vraiment ce que je ressentais.

Pensez-y ! Peut-on se payer le luxe d'ignorer ses véritables sentiments quand on est engagé dans un travail exigeant ? Un chirurgien ne céderait pas à la pression d'être *gentil* en faisant quelques opérations de plus par jour. Ce ne serait pas sécuritaire pour ses patients. Un équilibriste qui marche sur la corde raide ne s'aventurerait pas sur un fil chancelant. Ce serait sa dernière performance. Aucun conducteur de camion ne continuerait à conduire s'il sentait ses paupières s'alourdir. Il n'atteindrait peut-être jamais sa destination. Et me voilà, moi qui accomplis le travail le plus exigeant de tous, celui d'élever des êtres humains, en train d'ignorer continuellement mes sentiments, comme si ça n'entraînait aucune conséquence.

Comment avais-je pu en arriver à perdre contact avec moi-même quand il s'agit de mes enfants ? Pourquoi répéter constamment la gaffe d'agir d'une façon, alors que je me sens tout autrement ? D'où venait l'obstacle ? J'ai pensé à mes parents. Ils ne m'ont jamais paru confus. Ils savaient exactement ce qu'ils ressentaient quand il s'agissait de leurs enfants. Des centaines de fois, j'avais entendu leurs paroles :

« Les enfants sont toute notre vie.

- Leur santé et leur bonheur, voilà ce qui compte le plus pour nous.

- Aucun sacrifice n'est trop grand si c'est pour eux ! »

Leur vie n'était faite que de dévouement. *Les enfants d'abord*, avant tout, toujours. Qu'est-ce que j'éprouvais à cet égard ? Je n'étais pas d'accord, bien sûr ! J'étais une mère moderne qui recherche de nouvelles façons de faire. J'avais dépassé la notion étroite et démodée du sacrifice de soi. Mais était-ce vraiment le cas ? Alors, pourquoi éprouver un tel malaise quand certaines pensées, horribles aux yeux de mes parents, surgissaient dans mon esprit ?

« Je veux une vie bien à moi, distincte de celle de mes enfants.

- C'est un noble but d'élever des personnes vraiment humaines, mais parfois, je m'en balance.

- Je suis prisonnière de la routine quotidienne. Les enfants sont encore si jeunes ; j'ai des années devant moi.

- Parfois, je n'aime même pas mes propres enfants. »

Quand je juxtaposais ces pensées à celles de mes parents, à leur philosophie *Tout pour les enfants,* j'avais l'impression d'être une espèce de monstre.

Quant aux médias, ils ne font rien pour rehausser ma propre estime de moi-même. Radio, télévision, journaux transmettent tous aux parents des messages différents, mais tout aussi énervants.

« Élever des enfants, ça devrait être une expérience naturelle, spontanée, joyeuse. Oh ! Il y a bien quelques moments difficiles, mais avec un peu d'humour, on peut calmer les tempêtes !

- Il faut apprendre à se détendre. Les parents détendus ont des enfants détendus.

- Tout ce dont les parents ont besoin, c'est d'*être* encore *plus :* plus flexibles, plus imaginatifs, plus compréhensifs, plus joueurs, plus débordants de ressources.

- Et *faire toujours plus* ! Faire des sorties avec les enfants ; leur fournir des jouets créatifs ; jouer avec eux pour le plaisir et pour rehausser leur Q.I. ; les surprendre avec des petites gâteries maison dans leur boîte à lunch. Être mère au foyer ; bonne employée sur le marché du travail ; chef de file dans la communauté ; une maman modèle que son enfant pourrait imiter. Une *supermaman,* quoi ! »

Ces paroles de sagesse devraient s'adresser à un modèle de vertu, une combinaison de Mary Poppins, Jeanne d'Arc et Florence Nightingale. Aucun mortel ordinaire n'est capable de se montrer à la hauteur de telles normes.

J'ai soudain été frappée par la ressemblance saisissante entre les mandats des générations d'hier et ceux d'aujourd'hui. Les deux semblent exiger un degré d'oubli de soi convenant aux saints ou aux martyrs. Mais du moins, dans le passé, on avait le droit de revendiquer le titre de martyr. De nos jours, on s'attend à ce que nous donnions toujours plus, que nous fassions toujours plus, avec le *sourire* en plus ! Aucune place pour les pensées négatives, dans les deux générations. Et je me sentais prise dans un étau, devant l'écart entre ce que je ressentais *vraiment* et ce qu'on me disait que je *devrais* ressentir.

Haim Ginott affirmait souvent : « Les parents posent certains gestes à cause d'une culpabilité qui n'est pas nécessaire. » Ma culpabilité n'était peut-être pas nécessaire, mais elle était certainement présente. Elle m'aiguillonnait et me poussait à agir avec plus de gentillesse que je n'en avais envie ; elle m'amenait à donner quand il ne restait plus rien à donner ; elle m'incitait à me hisser au-delà de mes limites et m'allouait rarement le luxe de vivre selon mes propres sentiments véritables.

C'est alors qu'il m'est venu une réflexion étonnante : je permets à mes enfants d'exprimer *leurs* sentiments, même ceux qui sont négatifs. En tant qu'adulte, puis-je m'accorder le même genre de permission, dans une relation aussi explosive que celle entre la mère et l'enfant ? Cette pensée m'excitait. Je sentais que je touchais là quelque chose d'important.

Quand j'ai confié mes réflexions au groupe, j'ai touché une corde sensible. On semblait partager mon excitation. Nous avons donc commencé à explorer ensemble ces réflexions. Nos discussions ont dû provoquer un impact, puisque la semaine suivante, nous avons retrouvé un élément de plus dans certains de nos récits.

Quand mon tour est arrivé, j'ai annoncé : « Je voudrais raconter une première ! Je revenais d'une longue série de courses, toutes au profit de David. Il était tard, il faisait froid et mes pensées se précipitaient, dans l'espoir d'inventer une façon de concocter un repas rapide. J'avais encore mon manteau sur le dos quand David a demandé de la soupe. Je n'avais pas prévu servir de la soupe, mais je me suis automatiquement mise à fouiller dans le garde-manger pour en trouver une boîte, tout en me disant : pourquoi pas ? Comment une mère aimante pourrait-elle refuser une soupe chaude à son fils par une soirée froide ! Puis, notre discussion de la semaine dernière m'est revenue et ça m'a frappée : je ne me sentais pas réellement aimante. Je *sentais vraiment qu'on abusait de moi !*

« À ce moment-là, c'était trop exiger de moi que de trouver une boîte, de l'ouvrir et de me retrouver avec une casserole de plus à laver. " David, pas de soupe, ai-je dit. Je me sens poussée dans le dos. J'aurais plutôt besoin d'aide. Veux-tu peler les carottes, s'il te plaît ? " »

« Savez-vous ce qui est arrivé ? Juste comme je me préparais à être frappée par la foudre, David a répondu : " D'accord. Combien en veux-tu ? " »

« Mais ce n'est pas tout. Le lendemain soir, il est venu dans la cuisine et m'a regardée bien en face. " Maman, es-tu de bonne humeur ce soir ? Penses-tu que ça te dérangerait de préparer de la soupe ? " »

« *Dérangerait ?* Mon fils s'intéressait à ma façon de me sentir ! J'étais tellement émue que je me suis entendue lui répondre : " Quelle sorte de soupe désires-tu, David ? " »

Ginott a ajouté ce commentaire : « Vous avez donné à votre fils une chose plus importante que de la soupe chaude. En partageant avec lui vos sentiments véritables, vous lui avez donné l'occasion de tenir compte des sentiments d'une autre personne. »

Le groupe s'est confondu en approbation. Tous, sauf Catherine. Elle semblait mal à l'aise. « Je ne peux pas vraiment m'identifier à cette histoire. Ça doit venir du fait que j'ai grandi dans ce genre de famille où les adultes passent en premier. Chez moi, mes parents ne m'auraient pas *suggéré* de peler les carottes ; ils s'*attendaient* à ce que je le fasse. Et aucun enfant n'aurait même songé à demander quelque chose de différent. Nous savions qu'il fallait manger ce qu'on nous servait. Cette situation n'aurait donc pas posé de problème pour moi. C'est avec facilité que j'aurais pu dire : " Pas de soupe, chéri " sans même sentir le besoin de fournir une explication. »

En écoutant Catherine, je me disais : « Comme c'est facile pour elle ! Moi, je me bats pour essayer d'intégrer tout ça. Elle, c'est dans la moelle de ses os qu'elle le sait. » En dépit de l'intensité de mes efforts, je me doutais bien que ce serait toujours une lutte pour moi ; j'aurais toujours à travailler à l'encontre de ma tendance naturelle à prendre la dernière place.

Roselyne a pris la parole. « Eh bien, l'affaire de la soupe ne m'aurait pas causé de problème à moi non plus. Je ne trouve pas ça difficile d'aller dans le sens de mes sentiments quand je pense que j'en ai le droit. Dans son cas, Joanne en avait sûrement le droit. Elle était pressée de vite préparer un repas. Elle avait toutes les raisons du monde de se sentir comme elle se sentait. »

Ginott l'a interrompue : « Roselyne, une personne n'a pas besoin d'avoir une bonne raison pour se sentir comme elle se sent. Le seul fait d'éprouver un sentiment, c'est déjà suffisamment réel. »

Roselyne a poursuivi, comme si elle n'avait rien entendu de ces paroles. « Par exemple, l'autre après-midi, je me sentais très fatiguée. Pourtant, j'avais eu une bonne nuit de sommeil ; je n'avais aucune raison d'être fatiguée. Alors, quand les enfants m'ont priée d'aller patiner après l'école, je me suis forcée à y aller. »

« Roselyne, a répliqué Ginott, on ne doit forcer aucun parent ; on n'a même pas à se forcer soi-même. Vous auriez rendu un plus grand service, tant à vous-même qu'à vos enfants, si vous aviez dit : " Les enfants, votre mère se sent fatiguée. Je me retire dans ma chambre pour une demi-heure afin de refaire mes forces. Je suis certaine que vous pourrez trouver une activité calme pendant que je me repose. " Ensuite, Roselyne, vous auriez pu suspendre une pancarte à la porte de votre chambre : *Ne pas déranger.* »

On a alors entendu un soupir général dans la pièce. J'ai, moi aussi, ressenti un grand soulagement. Si Haim Ginott donnait à Roselyne la permission de ressentir tous ses sentiments, alors je me donnerais la permission d'être sensible à tous les miens.

Pendant les quelques jours qui ont suivi, j'étais très *centrée sur mes sentiments.* Au début, certains sentiments me semblaient vagues, insaisissables : impossible de mettre le doigt dessus. Puis, peu à peu, je suis devenue plus adroite et j'ai pu définir avec précision ceux que j'avais d'abord perçus de façon confuse. Par exemple, samedi, chacun s'acharnait à tour de rôle à me demander mille et une choses. Au lieu d'accéder *automatiquement* aux désirs de tous, je me suis arrêtée en me demandant : « Qu'est-ce que tu ressens vraiment à ce moment-ci, Joanne ? Pas de justification, pas d'excuse, crache le morceau ! » Voici ce qui est monté.

« Je me sens comme un élastique tendu à l'extrême limite. Plus capable de donner.

- Je me sens incapable de tolérer un seul *conduis-moi, achète-moi* ou *donne-moi* de plus.
- Je ressens le goût de les gifler tous, pour faire taire leur bouche bruyante et exigeante. »

J'ai alors dit aux enfants : « J'entends beaucoup de demandes de toutes sortes, mais pour le moment, il y a une chose dont je dois m'occuper. À mon retour, on discutera de ce que vous avez en tête. » Puis, j'ai endossé mon manteau et je suis sortie.

Je me suis contentée de faire le tour du pâté de maison. À ma grande surprise, je me suis senti le cœur plus léger. Je pouvais même goûter la petite satisfaction mesquine de leur avoir tiré le tapis sous les pieds. C'était un véritable soulagement de pouvoir me sentir propriétaire de ce qu'il y avait de pire en moi ! Et en prenant conscience que ce pire n'est pas permanent, que je ne suis pas tenue d'agir selon ce pire, j'ai ressenti une impression de force. En fait, je n'avais pas levé la main sur eux.

J'ai décrit cette expérience au groupe. Louise était sceptique.

« C'est bien, a-t-elle dit, tu as été capable de faire quelque chose de tes sentiments négatifs. Mais à quoi bon faire la découverte de ce qu'on ressent, quand on *ne peut rien y faire* ? D'accord. Je m'admets à moi-même qu'à certains moments, je sens que j'en veux beaucoup à mes enfants. Ça me fait beaucoup de bien ! J'arrive de l'épicerie avec huit sacs pesants et je demande de l'aide. Quelqu'un crie : " Je viens, maman. " J'attends, mais personne ne se présente. Auparavant, j'avais l'habitude de les excuser. " Oh ! Ce ne sont que des enfants ! " Mais maintenant, c'est très clair pour moi : je sens que je leur en veux de m'obliger à quémander de l'aide. J'aimerais qu'ils offrent de l'aide spontanément.

« Je crie donc de nouveau : " J'attends. La crème glacée est en en train de fondre ! " Quand j'entends : " Juste une minute maman " je me dis : " Allez tous au diable ! " et je porte moi-même les sacs. Puis, je me mets à bouillir en dedans, et pour le reste de la soirée... Là où je veux en venir, c'est que j'éprouve des doutes ; le seul fait de savoir comment on se sent n'entraîne pas automatiquement une solution. »

Ginott a répondu : « Louise, vos doutes sont justifiés. Il y a des moments où on sait comment on se sent, sans pour autant savoir quoi faire à ce propos. De plus, en tant qu'adultes, on sait aussi qu'il est préférable de ne pas exprimer certains sentiments. Il y a de fortes chances pour que, au cours d'une soirée, vous n'alliez pas dire à un homme attrayant : " Je vous regarde et je me dis que vous feriez un amant merveilleux. " Il se peut fort bien que vous éprouviez exactement ce sentiment, mais vous n'iriez pas nécessairement jusqu'à exprimer votre pensée.

« Toutefois, dans la situation que vous décrivez, je pense que ce serait utile pour votre famille de savoir comment vous vous êtes sentie. Vous pourriez tout simplement dire à vos enfants ce que vous venez de me dire : " Quand je demande de l'aide sans l'obtenir, je sens que je vous en veux... J'aime qu'on m'offre de l'aide de bon cœur... Quand j'entre les sacs toute seule, je me sens bouillir à l'intérieur ! " Et si vous ne recevez toujours pas d'aide, vous pouvez annoncer à haute voix : " Je rentre les sacs toute seule. Maintenant, vous avez une mère qui vous en veut ! " Vos enfants pourront se rendre compte qu'il y a des conséquences déplaisantes à ignorer une demande d'aide. »

Rendus à ce point, les membres du groupe ont pris la décision de ne s'attarder ni sur les sentiments inexprimables, ni sur les problèmes insolubles. Il nous fallait plutôt nous concentrer sur les sentiments et les situations pour lesquels il était possible de trouver des réponses, même partielles. Pour ma part, j'étais devenue vraiment habile à dépister un sentiment très précis que j'avais jusque-là mis de côté. C'était comme une sorte de sensation de resserrement, quelque chose de viscéral. Ça m'arrivait habituellement quand je devais prendre une décision rapide au sujet d'une chose pour laquelle je ne détenais pas de réponse toute faite. Désormais, quand je ressentais ce nœud dans l'estomac, je réagissais comme devant un feu de circulation qui me signale : « Arrête-toi ! Tu te sens divisée. Quelque chose te dérange tellement que ton intérieur en souffre. Tu as besoin de temps. Du temps pour penser, du temps pour distinguer ce qui est important et ce qui ne l'est pas. » J'ai découvert que si je prenais mon temps, mes décisions reposaient sur une base beaucoup plus solide.

J'ai raconté au groupe l'expérience qu'André m'a fait vivre quand il m'a demandé d'être la *marraine* de sa classe. Depuis trois ans, il m'adressait la même demande. D'une année à l'autre, mes excuses étaient devenues de plus en plus élaborées. Cette fois, il ne me restait plus d'excuse. J'étais sur le point de dire oui lorsque le nœud dans mon ventre m'a arrêtée. « André, lui ai-je répondu, j'ai besoin de temps pour y penser. Je te donnerai ma réponse après le souper. » Pendant une heure, ça tournait dans ma tête : comment je me sens vraiment à l'idée d'être une marraine de classe ?

« Cette seule pensée me fait horreur !
- Je me sens mal à l'aise de refuser.
- Qu'est-ce qui me prend ? D'autres femmes font ce travail sans en faire tout un plat.
- Mais les appels téléphoniques, les cueillettes d'argent pour la classe, les fêtes à organiser, les pressions à mettre sur les gens pour obtenir du travail bénévole...
- JE NE VEUX VRAIMENT PAS ! »

Quand André est venu me voir après le souper, j'étais prête. « André, j'ai réfléchi très sérieusement à ta demande, parce que je sais à quel point c'est important pour toi. Mon chéri, la réponse est non. Être marraine de classe, ce n'est pas pour moi. Mais voici ce que j'aimerais faire. J'aimerais vraiment t'accompagner lors d'une sortie éducative. Si ça te va, je vais téléphoner à ton enseignante et lui demander de placer mon nom en tête de liste pour la prochaine sortie éducative. »

Ginott a ajouté un commentaire. « Les enfants sont passés maîtres dans l'art de nous faire perdre notre équilibre. Ils nous posent toutes sortes de questions, pour lesquelles ils exigent des réponses immédiates : " Maman, je peux avoir un chien ? Papa, je peux avoir une nouvelle bicyclette ? " Nous ne sommes pas des ordinateurs capables de produire des réponses instantanées. Quand on prend le temps de mettre ses sentiments au clair, on se trouve souvent moins coincé qu'on pensait l'être. La réflexion fait surgir de nouvelles possibilités.

« Observez ce qui se passe également quand on prend le temps de réfléchir avant de prendre une décision. Les réponses qu'on donne aux enfants sont d'une qualité tout à fait différente. Au lieu de dire *oui* avec colère, on le dit de bonne grâce. Même notre *non* sort simplement, sans attitude défensive, avec un intérêt véritable pour les sentiments de l'enfant.

« Toutefois, Joanne, un aspect de votre histoire me préoccupe. C'est lorsque vous vous êtes demandé : " Quel est mon problème ? Pourquoi ne suis-je pas comme les autres mères ? " Une question de ce genre ne peut mener qu'à la confusion. Elle présuppose qu'on *devrait* se sentir comme les autres personnes. Mais ce n'est pas le cas. Nous ne sommes *pas* les autres personnes. Nous sommes nous-mêmes. Vous êtes *vous*. On revient au point de départ. *On ne peut ressentir que ses propres sentiments.*

« Et nous ressentons réellement les choses de façon différente, chacun d'entre nous. Pas seulement à propos de la marraine de classe, mais à propos de tout. Telle mère aime cuisiner avec ses enfants et telle autre ne peut pas supporter de les avoir sur ses talons dans la cuisine ; l'une adore rassembler les petits autour d'elle pour leur lire des histoires, l'autre frémit rien qu'à y penser. Nous avons tous nos forces et nos limites. Et une bonne partie de notre démarche de croissance consiste à apprendre à nous familiariser avec nos limites si authentiquement humaines. »

On aurait pu entendre voler une mouche. Chacune des femmes s'était retournée vers son for intérieur pour localiser sa *limite* particulière. Puis-je vraiment me faire une amie de cette limite ? Puis-je même me l'approprier ? C'est Éveline qui a brisé le silence.

« Je vais vous dire ce qui est atroce pour moi. C'est quand mes enfants me disent que je ne suis pas une mère joueuse. Et vous savez ? Je ne le suis pas. Les dents me claquent dans la bouche chaque fois que l'un d'entre eux m'arrive avec un échiquier ou un paquet de cartes dans les mains. Je n'aime vraiment pas les jeux. »

« Mais le fais-tu quand même ? » a demandé Roselyne.

« Eh bien... oui, a répondu Éveline, quand j'ai le temps. Je veux dire... un enfant n'a-t-il pas le droit d'avoir une mère qui joue avec lui ? »

« Éveline, a répondu Ginott, où est-il écrit qu'une mère doit jouer aux cartes avec son enfant ? Dites-moi, avez-vous déjà lu tous les livres que vous auriez le goût de lire ? Avez-vous déjà écouté toute la musique que vous auriez le goût d'écouter ? »

Éveline est restée bouche bée. « Voulez-vous dire, s'est-elle exclamée, que j'ai joué à la *guerre*, à la *pêche* et à la *vieille sorcière*, toutes ces années-là, pour rien ? »

« Mais, a protesté Roselyne, j'aime jouer aux cartes avec mes enfants. C'est à peu près la seule activité que nous pouvons tous faire ensemble sans nous disputer. Êtes-vous en train de dire que je ne devrais pas le faire ? »

« Je veux dire, a enchaîné Ginott, que l'essentiel est d'agir en conformité avec ses sentiments véritables. Si ça fait claquer les dents d'Éveline de jouer aux cartes, c'est alors préférable pour elle de refuser, car pendant qu'elle joue à la *guerre* à l'extérieur, elle peut commencer une petite guerre à l'intérieur d'elle-même. Par ailleurs, si un jeu devient une expérience agréable pour l'un des parents, ce sera probablement plaisant pour tout le monde. Les enfants ont besoin de réactions qui sont authentiques. Si nos mots disent une chose et que nos gestes et le ton de notre voix en signifient une autre, on peut littéralement les rendre fous. »

Roselyne a demandé d'une voix inquiète : « Mais supposons que ma vraie réponse n'aide pas du tout mon enfant ? Par exemple, je déteste conduire, mais en banlieue, c'est une nécessité absolue. Il faut conduire Amélie chez des amies, à la bibliothèque, à ses leçons de piano, aux rencontres des guides, chez l'orthodontiste... La moitié de mes journées se passe à la prendre ici pour la conduire là. Mais je ne peux pas me voir déverser mon ressentiment sur Amélie. Elle n'y peut rien. Alors, je dis : " Et hop ! Dans l'auto, ma chérie ! " avec toute la bonne humeur que je peux rassembler. »

« J'aimerais voir la gaieté de votre accueil, a dit Ginott. J'ai dans l'idée que vos yeux se contractent pendant que votre bouche sourit. Roselyne, croyez-vous vraiment que votre fille ne se rend pas compte de votre irritation ? Je vous assure qu'elle s'en aperçoit. Je peux aussi vous assurer qu'elle peut se débrouiller avec votre émotion sincère beaucoup mieux qu'avec un simulacre de sourire. »

« Êtes-vous en train de me suggérer de lui dire qu'elle me casse royalement les pieds, puis de refuser de la conduire ? »

Ginott a répondu : « Je suggère que, dans une situation tendue, il est bon qu'une mère ou un père se pose la question suivante : " Quelle est la personne à qui appartient ce problème ? " Si c'est l'enfant qui a le problème, c'est l'enfant qui parle. Si c'est l'un des parents, c'est à lui de parler. On parle de soi et de ses propres sentiments. On ne blâme pas ; pas plus qu'on n'accuse. Le mot clé, c'est *je*.

« Dans votre cas, Roselyne, vous pourriez dire : "Amélie, j'ai un problème. Certaines personnes aiment conduire. Moi, je déteste ça. Chaque fois que je dois conduire, je me dis : ' Bon, il me faut interrompre ce que je fais, mettre mon manteau, sortir dans le froid, me battre avec la porte du garage, partir à la recherche de mes clés et essayer de démarrer. La seule pensée de conduire me retourne sens dessus dessous ! ' "

« Que se passe-t-il alors ? Amélie doit s'adapter à votre réticence devant ce genre de demande. Ses amies pourraient peut-être lui rendre visite plus souvent. Elle pourrait peut-être marcher à la bibliothèque ou pour se rendre à ses rencontres de guides. La marche est un bon exercice. Chaque fois que c'est possible, sa bicyclette pourrait devenir un moyen de transport. Roselyne, ça ne va pas supprimer tous vos déplacements en auto, mais ça va les réduire. Et en sachant comme c'est pénible pour vous de conduire, Amélie peut commencer à faire ses demandes d'une façon différente : " Maman, est-ce que ça te dérangerait si... " Cette approche pourrait peut-être à elle seule réduire votre ressentiment. Toutefois, le plus important, c'est que votre fille aura entendu les véritables sentiments de sa mère plutôt qu'un double message rempli de confusion. »

En écoutant, je me disais : J'ai dû faire beaucoup de chemin. Il n'y a pas si longtemps, j'aurais pu me dire : Ça convient peut-être dans le cas de Roselyne, mais pas dans le mien. Mon enfant n'a pas à supporter mes vrais sentiments et mes limites. C'est à moi de les surmonter. Ce serait irresponsable de procéder autrement. Bien sûr, la première obligation de tous les parents, c'est envers les enfants !

Ce n'est pas vrai. Une mère a une autre obligation, un premier devoir à l'égard de *ses propres* besoins et de *ses propres* sentiments, même à l'égard de *ses propres* limites.

Les premiers mots de Haim Ginott, que j'avais copiés à contrecœur dans mon carnet, me semblaient soudain tellement amicaux, débordants de sens et appropriés.

- Chacun des parents devrait respecter ses propres limites.
- On peut se montrer un peu plus gentil qu'on se sent, mais pas beaucoup plus.
- Il est important d'accepter la réalité de ses sentiments du moment.
- Il est préférable d'être authentique avec ses enfants.

X

Une protection pour moi, pour eux, pour chacun de nous

Six mois s'étaient écoulés. Je trouvais étrange de constater qu'auparavant, je mettais en doute l'importance de mes propres sentiments. Désormais, je les consultais presque automatiquement, et cela devenait chaque jour un peu plus facile.

Quand je retournais à mes anciennes méthodes (car je continuais à le faire), quelque chose avait changé. Une partie de moi observait avec calme ce qui était en train de se passer. Chaque fois que j'ignorais mes sentiments, un ensemble de forces, presque diaboliques, se mettaient en mouvement. En voici la séquence.

1. Les enfants font des demandes.
2. Maman ignore ses sentiments négatifs et cède.
3. Le ressentiment s'installe.
4. Le ressentiment s'exprime.
5. Ça blesse quelqu'un.
6. Toute la famille en souffre.

Chaque fois, c'est le même scénario qui recommence.

Une fois, je me suis astreinte à endurer les bruits *créatifs* de David au piano, en dépit de mon mal de tête. Une heure plus tard, je sautais à la gorge de tout le monde et j'envoyais au lit, plus tôt que d'habitude, un David confus et en larmes.

Une autre fois, j'ai laissé Julie me harceler jusqu'à ce que je lui achète une paire de chaussures dont elle n'avait vraiment pas besoin. Sur le chemin du retour, elle a eu droit à un long discours orageux sur les effets néfastes des extravagances. D'humeur maussade, hostile, Julie s'est moquée de son frère quand nous sommes rentrées.

Et c'est la même chose pour Thomas. Une fois, il a annulé sa partie de pêche pour amener les enfants à un parc d'amusement. André s'est plaint de la *méchanceté* de Thomas qui ne lui avait pas permis de retourner dans les montagnes russes. La main de Thomas a frappé André avec une force inhabituelle. André a hurlé. Moi, j'étais fâchée contre Thomas à cause de sa réaction violente. Julie nous a demandé si nous allions divorcer.

Des expériences de ce genre ont fait surgir en moi une conviction profonde : si les sentiments des parents contrôlent les principaux rouages de la vie familiale, alors on doit protéger ces sentiments. Si l'on pousse une mère ou un père au-delà de leur capacité d'endurer, jusqu'au ressentiment ou à la perte de contrôle, alors la meilleure des situations peut tourner au vinaigre et la pire peut se transformer en véritable cauchemar. Par contre, si papa ou maman se sent calme, stable, en contrôle, plein de bonne volonté, on peut supporter à peu près n'importe quelle difficulté, l'affronter, la prendre en main, passer au travers et même en rire. Les enfants sont en sécurité. Ils sont entre bonnes mains.

J'ai donc cherché à apprendre comment mieux me protéger, comment placer ma bonne volonté sous bonne garde. Pour notre bien-être à tous et à chacun, je tâcherais de me mettre soigneusement à l'écoute de ce que je ressens ; j'essaierais de ne pas trop donner, de crainte de perdre la maîtrise de moi-même ; je deviendrais presque avare par moments, afin de faire preuve, ensuite, de plus grande générosité ; je protégerais la sérénité de mon centre, source de ma force intérieure, afin de devenir une source de solidité pour chacun des membres de ma famille.

J'accordais donc un respect tout neuf à ma valeur personnelle. Je me voyais comme une pièce de machinerie délicate en train de remplir une fonction vitale, comme un instrument complexe et fragile, qu'il fallait manipuler avec soin, afin de le garder en parfait état.

Non. Plus que ça. J'étais la reine des abeilles, le centre nerveux dont dépendait toute la colonie ; la force vers laquelle convergeait la vie de la ruche. Et malheur à nous tous si les besoins de la reine étaient mis de côté !

Le seul fait d'entretenir ce genre de pensée commençait à influencer mon comportement. Auparavant, quand je me centrais sur mes propres besoins, c'était avec une attitude de défi, sur le ton de : « Je suis une personne, moi aussi. J'ai des droits, moi aussi. » Désormais, quand je me protégeais, je ressentais une certitude sereine. Ce que je faisais, c'était pour moi, pour eux, pour nous tous.

Je me suis rendu compte que ma vieille habitude de recourir à la justification commençait à s'atténuer, comme si elle m'embêtait. Auparavant, j'aurais dit : « Je suis vraiment désolée, mon chéri. Je sais, je t'avais dit que j'irais t'acheter un nouveau gant de base-ball cet après-midi, mais j'ai nettoyé des armoires toute la journée et je suis épuisée. Laisse-moi m'étendre un moment et je verrai comment je me sens, d'accord ? »

Vous vous rendez compte ! Un adulte qui dit à un enfant : « Laisse-moi ! » Une mère qui demande à son enfant la permission de se reposer avant de s'effondrer !

Vous vous rendez compte ! Un adulte qui remet son bien-être entre les mains d'un enfant ! J'avoue, toutefois, qu'il s'agissait déjà d'un progrès. En effet, il fut un temps où, fatiguée ou pas, si j'avais promis que j'irais, j'y serais allée. Une *bonne mère* avait-elle le choix ?

Je revoyais ces deux époques en rétrospective, reconnaissante de les voir désormais derrière moi. J'étais rendue à un autre niveau. Mes nouveaux mots de passe étaient devenus :

« Les justifications n'ont pas leur place.
- Les excuses ne sont pas appropriées.
- La protection de ma famille commence par ma propre protection. »

Désormais, je répondais : « Mon chéri, je t'annonce une déception pour chacun de nous. J'avais prévu acheter ton nouveau gant aujourd'hui, mais je me rends compte maintenant que je ne peux pas. J'espère être disponible vendredi ou samedi après-midi. Qu'est-ce qui te convient le mieux ? » Et en dépit des hurlements outragés, des protestation qui pouvaient surgir, je ne laissais pas le doute m'envahir. Je répétais, simplement et calmement : « vendredi ou samedi après-midi. » Un hurlement de plus, et je quittais la pièce. On ne crie pas à la tête d'une maman ou d'un papa.

J'apprenais aussi à me protéger d'une autre façon, non seulement contre leurs demandes, mais aussi contre leurs humeurs. Le fait qu'André se sente rejeté, un après-midi, parce qu'il n'avait personne avec qui jouer, ne voulait pas dire que je doive partager son désarroi. Et ce n'est pas parce que Julie tremble de peur devant un examen que je dois m'énerver avec elle.

Haim Ginott avait souvent souligné que c'est dans l'intérêt de la santé mentale des parents de ne pas se laisser infecter par les humeurs de leur enfant. Il disait : « Un médecin serait peu utile pour ses patients s'il devait attraper toutes leurs maladies. »

Mes parents n'auraient jamais pu comprendre ça. Ils auraient eu honte de sourire quand nous étions tristes. Pour eux, un tel comportement aurait été la preuve qu'ils ne se souciaient pas de nous. Des *vrais* parents souffrent avec leurs enfants.

J'étais si heureuse d'être libérée de cette attitude écrasante. Quand David s'est senti démoli de n'avoir pas été choisi pour faire partie de l'harmonie de l'école, je l'ai écouté et j'ai été doucement empathique. Puis, à un moment donné, quelque chose a commencé à monter en moi. Je me suis alors levée et j'ai dit, en partant : « Bon ! Je dois me préparer maintenant. Ton père et moi, nous avons des billets pour une pièce de théâtre ce soir. »

David avait l'air ahuri. « Comment peux-tu être aussi joyeuse quand je suis si malheureux ? »

J'ai réfléchi un instant. Puis, j'ai répliqué : « David, c'est parce que tu es une personne et que je suis une autre personne. Et nous avons tous les deux des sentiments différents. Mais je comprends que tu souffres. »

Je n'ai pas seulement dit les mots ; je crois que je les ai ressentis ! Une seule chose m'a retenue de crier victoire : le souvenir de la dernière fois où Thomas et moi avions été en possession de billets de théâtre. David avait un problème ce soir-là également, mais au lieu de laisser sagement ce problème à la maison, je l'avais traîné avec moi pour la soirée. Thomas et moi, ensemble, nous avions alors touché le fond ! Ensemble, nous avions souffert des tourments de notre enfant ! Pauvre Thomas ! Au souper, je lui avais présenté le problème ; avant la levée du rideau, je lui avais présenté deux solutions possibles ; et pendant l'entracte, je lui avais demandé sa réaction à ces deux solutions. Même si la pièce était une comédie, ni l'un ni l'autre n'avions beaucoup ri. Quand le rideau est tombé, Thomas ne pouvait plus me regarder.

Mais ce soir, les choses allaient se passer autrement. Ce soir, c'est à la maison que je laisserais à David le problème de David. Et je jouirais d'une sortie avec mon mari.

La médaille a son revers. À l'occasion, les enfants ont besoin d'être protégés contre *moi*, contre *mes* humeurs. Il y a un mois, une amie chère était dans un état critique à la suite d'un accident de voiture. Comme je ne voulais pas que les enfants se fassent du souci à ce sujet, j'ai essayé de me comporter comme d'habitude.

Cependant, ma manière d'agir n'avait rien d'habituel. Les enfants me parlaient, mais je ne les entendais pas. Même quand j'essayais de les écouter, mon esprit dérivait. Quelques minutes plus tard, je me retrouvais en train de crier soudainement parce qu'un coussin du divan n'était pas à sa place. Après un certain temps, en regardant le visage déconcerté des enfants, je me suis dit que je *devrais* peut-être les mettre au courant de quelque chose.

Je les ai appelés dans ma chambre et j'ai cherché mes mots. « Les enfants, ai-je avoué, vous avez sans doute remarqué que j'étais un peu nerveuse et absente dernièrement... Ce n'était probablement pas très facile pour vous de venir m'en parler. Je veux que vous sachiez que ça n'a rien à voir avec vous, rien à voir du tout. C'est à cause de quelque chose que j'ai dans la tête. »

Je n'ai pas osé en dire davantage parce que ma voix commençait à trembler. J'ai quitté la chambre en me demandant s'ils avaient seulement compris quelque chose. Non, ils n'ont rien compris, ai-je pu constater lorsque André est arrivé, quelques minutes plus tard, en criant de façon hystérique. Quelqu'un avait *volé* son nouveau stylo rouge.

Je me suis demandé : Quoi faire ? Je n'ai pas la force de m'occuper de ça tout de suite. Puis, David est sorti de nulle part. Il a mis son bras autour des épaules d'André en lui disant doucement : « Ne dérange pas maman pour le moment. Viens, je vais t'aider à retrouver ton stylo. »

J'ai pensé : Oh ! c'est un amour ! Il m'a *comprise*. J'aurais souhaité avoir parlé plus tôt. La prochaine fois, je serais peut-être capable de m'ouvrir plus rapidement. Je serais peut-être même capable de prévenir ma famille *à l'avance* au sujet de mes humeurs, afin que tous puissent se mettre à l'abri avant le déferlement de la tempête.

L'occasion suivante, ce fut le jour de l'action de grâces. Au réveil, ce matin-là, j'ai regardé Thomas dormir paisiblement. Il en a de la chance, ai-je pensé. Il ne se fait aucun souci, même si vingt-deux membres de la parenté vont nous tomber dessus avant que les lits soient faits, la table mise et les cernes disparus des parois de la baignoire. L'année précédente, j'avais senti le besoin de supprimer ma panique et de jouer la mère des magazines, souriante dans son tablier à fleurs, arrosant la dinde d'une main tout en aidant Julie de l'autre à préparer le plat de canneberges, car c'était important que les enfants sentent qu'ils participent.

Cette fois, mon unique pensée, c'était : « Comment faire pour garder mon calme ? » J'ai enfilé mon vieux jean, je me suis rendue à la cuisine et j'ai plongé. J'avais dans la main une poignée de farce que je dirigeais vers la dinde lorsque André et David ont fait leur entrée. André a crié : « Ne mets pas la farce, laisse-moi le faire ! » David l'a écarté en hurlant : « Tu l'as fait l'an dernier. C'est mon tour ! » Il n'y avait pas une minute à perdre. La reine était en danger. L'ennemi avait pénétré dans l'enceinte. La ruche tout entière était menacée ! J'ai appelé à la rescousse toutes les réserves défensives disponibles.

« Écoutez, vous deux, ai-je annoncé. Je suis fâchée comme une abeille. À la moindre petite chose, je vais choisir une cible et aller la piquer ! Et je ne veux pourtant blesser personne. »

« Est-ce que je peux rester, a demandé David, si je suis calme et si je fais seulement ce que tu me dis de faire ? »

« Oui, mais si tu ne te sens pas supercoopératif, alors disparais ! Parce que personne n'est en sécurité aux alentours ! »

Le défi était trop invitant pour André. Il fallait qu'il me mette à l'épreuve.

« Mais tu m'avais promis que je pourrais encore le faire cette année ! »

Les mains toujours pleines de farce, je l'ai attrapé par les épaules et lui ai fait faire une pirouette en direction de la porte.

« DEHORS ! » ai-je conclu, en escortant le petit saboteur hors de la pièce.

C'était tonifiant. Quelle puissance ! Le fait d'être en contact avec mes propres sentiments me rend capable de fournir, à moi-même *ainsi* qu'à ma famille, la protection dont nous avons tous besoin au moment opportun !

Julie revenait de l'école avec un sourire étrange sur le visage. « Hé ! lui ai-je demandé, quelque chose te chatouille ? »

« Eh bien, tu connais Renée. Elle se croit tellement exceptionnelle. Elle s'installe toujours devant moi dans la file à la cafétéria, en disant : " Oh ! Julie, tu permets que je passe devant toi, n'est-ce pas ? S'il te plaît, je serai ta meilleure amie. " Je la laisse toujours faire, même si je ne veux pas. Puis, elle ne me parle même pas par la suite ! Elle se met seulement à faire entrer ses amies devant elle, dans la file. Mais aujourd'hui, tu sais ce que j'ai dit ? " Non, Renée, j'ai décidé que je n'aimais pas ça que tu viennes t'installer devant moi. " Et tu sais ce qu'elle a fait ? Elle est allée se placer à la fin de la file. »

J'étais stupéfaite. Cette Renée *gâtée* s'était jouée de mon enfant depuis le début de l'année. Où Julie avait-elle puisé le courage et le savoir-faire pour se tenir debout par elle-même ?

Je connaissais la réponse. Elle a appris ça de moi ! Et même si l'on ne pourra jamais le démontrer scientifiquement, ma conviction reste inébranlable. Elle l'a appris de moi ! Tous ces mois à insister sur l'importance de *mes* sentiments ont servi de modèle à ma fille. Dans mes forces toutes nouvelles, Julie a appris ce qu'un millier de sermons n'auraient pas pu lui enseigner.

Au centre de ma fierté maternelle, j'éprouvais un pincement d'envie. Julie savait, à huit ans, ce que j'avais mis la moitié de ma vie à apprendre.

XI

La culpabilité et la souffrance

Pendant toutes ces rencontres où nous avons exploré les sentiments des parents et les moyens de les protéger, Catherine était demeurée silencieuse, mais on ne pouvait se tromper à propos de sa désapprobation, gravée sur ses lèvres pincées. Un jour, elle a enfin explosé.

« Docteur Ginott, on parle des sentiments des parents comme s'ils existaient dans le vide ! Nos enfants n'ont personne d'autre que nous sur qui s'appuyer ! Les parents peuvent-ils être complaisants envers eux-mêmes au point d'arrêter de faire des choses pour un enfant ? L'enfant est à notre merci. On ne peut tout simplement pas céder à chacun de nos sentiments ! Si une mère suivait ses sentiments véritables, elle resterait au lit jusqu'à midi, ne changerait jamais les couches du bébé et lui collerait une sucette dans la bouche chaque fois qu'il se mettrait à crier, simplement parce qu'elle aurait peu de tolérance pour le bruit ! Si aucun des parents ne s'occupe des besoins d'un enfant, qui d'autre le fera ? »

« Catherine, a répondu Ginott, vos craintes sont justifiées. C'est le devoir des parents de s'occuper des besoins réels d'un enfant, surtout en bas âge. Une mère peut désirer une bonne nuit de sommeil, sans pour autant pouvoir l'obtenir. C'est à 2 heures de la nuit que le bébé a besoin de boire. C'est quand il est épuisé qu'un jeune marcheur a besoin d'être porté.

« Mais en grandissant, l'enfant a moins besoin de trouver immédiatement satisfaction à ses besoins. Ce n'est même pas une bonne chose pour lui. En tant que parents, ça fait partie de notre travail de commencer à lui enseigner, petit à petit, comment remettre à plus tard la satisfaction de certains de ses besoins, ce qui l'aide à grandir. Par exemple, pendant qu'elle attend sa monnaie au supermarché, une mère peut aider son enfant de cinq ans à supporter son besoin d'aller à la toilette. Elle peut lui dire à voix basse : " C'est difficile d'attendre quand tu as tellement envie. Aussitôt que j'aurai ma monnaie, nous nous rendrons directement à la toilette la plus proche. " Sa mère lui enseigne alors à endurer un inconfort temporaire par considération pour les personnes qui l'entourent. Nous ne voulons pas que nos enfants restent infantiles sur le plan émotionnel. Nous aimerions qu'ils soient capables de tenir compte des sentiments des autres. »

Nicole paraissait désespérée. « Mais, que peut-on faire quand il existe un conflit entre les besoins d'un enfant et ceux du père ou de la mère ? Je veux dire... Eh bien, comme vous le savez, Rémi n'a pratiquement pas d'amis. On pourrait dire qu'il passe la plupart de ses journées en solitaire. Hier, une voisine s'est présentée avec un chiot qu'elle ne pouvait plus garder et elle a demandé si nous voulions le prendre. Vous auriez dû voir Rémi ! Il est tombé à genoux et, pendant qu'il tenait le chiot, son visage s'est animé d'une expression que je n'avais jamais vue auparavant. Il a frôlé sa joue contre le poil du chiot et a demandé en levant la tête : " Est-ce qu'on peut le garder ? Dis, maman, est-ce qu'on peut ? "

« J'aurais tellement souhaité le lui offrir. C'était un chiot adorable et je savais ce qu'il représentait pour Rémi. Mais je suis allergique au poil des animaux. Ça me fait tousser. Je ne sais plus du tout quoi faire en ce moment. Son besoin est tellement grand. Je crois que je vais tout simplement le laisser l'adopter. »

Très doucement, Ginott a répondu : « Nicole, *le plaisir d'un enfant ne devrait pas se prendre au prix de la souffrance d'un des parents.* Le prix à payer est trop important pour tout le monde. Les parents paient de leur santé et de leur bonne intention, et l'enfant paie d'une autre façon.

« Qu'est-ce qu'un enfant en arrive à se dire s'il obtient quelque chose aux dépens de ses parents ? " J'ai réussi à convaincre maman de me laisser avoir un chiot. Ma mère tousse et devient malade à cause de moi. Je suis une méchante personne. J'ai peur ! " Nicole, quand nos enfants nous voient souffrir à cause d'eux, ils se sentent automatiquement responsables. Notre souffrance leur apporte peur et culpabilité.

« Reprenons maintenant notre énoncé original concernant un conflit entre des besoins. Chaque fois que j'entends dire qu'un enfant a besoin de quelque chose, je me demande : *Est-ce un besoin ou un désir ?* Il n'est pas toujours facile de distinguer entre les deux. L'enfant éprouve plusieurs besoins véritables, qu'on peut satisfaire et qui devraient être comblés. Quant à ses *désirs*, il s'agit d'un puits sans fond. Par exemple, il désire dormir avec ses parents ; il a besoin de dormir dans son propre lit. À Noël, il désire tous les jouets présentés à la télé, mais il n'a besoin que d'un ou deux jouets.

« Revenons au cas de Rémi. Qu'est-ce qu'il désire ? Il désire un chien. De quoi a-t-il besoin, Nicole ? »

Cette dernière a réfléchi un instant. « Je suppose, a-t-elle dit, en hésitant, que ce dont il a vraiment besoin, c'est d'un ami. »

Ginott a aussitôt enchaîné : « Et tout ce dont il a besoin de votre part, c'est de votre appui pendant qu'il cherche à se faire un ami. »

Puis, il s'est tourné vers le groupe. « Quand on permet qu'un enfant nous voie souffrir à cause de lui, on ne lui rend pas service. Notre exemple lui enseigne comment *ne pas* se protéger. On lui montre à agir en se plaçant en position de faiblesse et non de force. »

J'écoutais avec la plus vive attention. Ginott était en train de décrire *l'amour souffrant* des parents pour leurs enfants. Ç'avait fait partie intégrante de mes jeunes années ! Et pas seulement des miennes ! Dans chacune des maisons de tous les groupes ethniques de mon voisinage, j'aurais pu entendre ceci :

> « Tu m'arraches le cœur ! Tu sais que je me rends malade d'inquiétude quand tu vas là. Ah ! vas-y donc, si c'est tellement important pour toi !
> - Tu manges le reste de ta viande, mon chéri. Tu es un garçon en croissance. Ne te préoccupe pas de moi. Je peux me contenter d'autre chose.
> - Ne t'inquiète pas de tes frais de scolarité, mon fils. Si je dois faire des heures supplémentaires, je le ferai. Toi, tu t'occupes de tes études. »

Le seul paiement que ces parents voulaient en retour, c'est l'amour et la gratitude de leurs enfants. Mais ces enfants ne se sentent pas reconnaissants. Ils ressentent de la haine. Les parents sont prêts à tout donner : leur peine, leur souffrance et leurs sacrifices, mais ça étrangle leurs enfants.

Je me suis promis intérieurement d'être sur mes gardes. Les souffrances que j'endure à cause de mes enfants, ça ne devrait pas être leur affaire. C'est à titre gracieux, sans poser de condition, que je ferai des choses pour eux, sinon je n'en ferai plus du tout. Je suis en mesure de comprendre qu'il est préférable de ne rien donner, plutôt que de donner une charge de culpabilité.

À la rencontre suivante, c'est Roselyne qui est arrivée avec un problème. « Je ne sais pas pourquoi je devrais être aussi bouleversée, mais je le suis. Ce matin, Pierre s'est levé en retard. Il se hâtait, mais il ne pouvait pas mettre la main sur une paire de chaussettes. Je suis devenue blême quand il m'a demandé où elles étaient, car je savais que toute la lessive était en train de tremper dans la machine à laver. J'ai aussitôt dit : " Pierre, j'ai une solution. Tu peux emprunter des chaussettes de ton père. "

« Il a commencé à faire des histoires, en disant que le linge n'était jamais prêt à temps et qu'il ne pouvait pas se fier à moi pour quoi que ce soit. J'ai tenté d'expliquer que j'avais été très occupée dernièrement, mais il ne voulait tout simplement pas écouter. Finalement, il a quitté la maison en furie, en retard et *sans chaussettes.* Je me sentais comme une mère indigne. »

Ginott a souri à regret. « Il suffit de bien peu de choses pour réveiller la culpabilité des parents, n'est-ce pas ? Mais on n'aide pas l'enfant en lui laissant entendre qu'il a le pouvoir de nous faire sentir coupable. L'enfant se retrouve soudain dans le rôle du *procureur*, tandis que les parents sont traînés sur le banc des *accusés*. Quand on permet à un enfant de faire ça à ses parents, comment croyez-vous qu'il se sente face à lui-même ? »

Roselyne a réfléchi un moment. Puis, elle s'est risquée.

« Coupable… effrayé… comme s'il était une personne affreuse. »

« Exact » a répliqué Ginott.

Roselyne a soupiré profondément. « Dire que je pensais vraiment l'aider ! Mais je ne vois toujours pas ce que j'aurais pu faire d'autre. »

« Nous avons déjà parlé des véritables besoins des enfants, a enchaîné Ginott. Ce dont Pierre avait besoin, ce matin, ce n'était pas d'une justification honteuse, encore moins d'une solution instantanée. Il avait besoin d'une occasion de mettre en oeuvre son autonomie, sa propre initiative. Il avait besoin de résoudre son propre problème.

« Comment l'aider avec ses besoins véritables ? a-t-il poursuivi. En tout premier lieu, s'il doit se préoccuper de trouver une personne à blâmer, il ne peut pas penser de façon constructive. Il va sans cesse buter sur des accusations et des contre-accusations. On peut l'aider à franchir l'obstacle *c'est-à-qui-la-faute* avec une phrase du genre : " Mon fils, c'est *ma* responsabilité de préparer des chaussettes propres. " Cela laisse Pierre plus libre de penser à des solutions.

« En deuxième lieu, on l'aide en reconnaissant la difficulté de son problème. On pourrait lui dire : " Quoi faire maintenant ? Il ne reste plus une seule paire de chaussettes sèches dans toute la maison. J'appelle ça un véritable dilemme ! " En décrivant son problème avec sérieux, on lui montre que, peu importe ce qui le préoccupe, c'est digne de respect.

« Finalement, Roselyne, voici la partie la plus difficile. Se dire à soi-même : " *Ne te contente pas d'agir ; reste présente.* " Vous voyez, c'est en restant volontairement sur place, en silence, pendant que l'enfant cherche lui-même à trouver sa propre solution, que les parents fournissent l'aide la plus précieuse. »

Hélène a levé la main. « J'ai fait une expérience similaire à celle de Roselyne. En fait, je suis encore en plein dedans. Aujourd'hui, c'est la journée du pique-nique de l'école. Laura m'avait rappelé de bien vouloir lui acheter un jus en boîte, du thon et un petit gâteau. Eh bien, j'ai oublié ! J'étais tellement occupée à ciseler ma nouvelle sculpture, *La mère et l'enfant*, que j'ai négligé ma propre enfant. Ce matin, en ouvrant la porte du frigo, Laura est devenue toute blême. " Maman, a-t-elle dit en pleurant, il y a seulement du pain, de la mayonnaise, du ketchup, de la moutarde et une boîte de nourriture pour le chat. Qu'est-ce que je peux faire avec ça ? "

« Vous pouvez imaginer comment je me sentais ! Mais j'étais déterminée à ne pas le laisser voir à Laura. " Ma chérie, lui ai-je dit, c'était ma responsabilité de t'acheter de la nourriture pour le pique-nique, mais j'ai tout simplement oublié. C'est très fâcheux. Même en se creusant les méninges, je ne vois pas ce qu'on pourrait faire pour ça. "

« Eh bien, elle les a creusées, ses méninges ! Et elle a finalement déniché un pot de beurre d'arachides presque vide. En vitesse, elle l'a étendu sur deux tranches de pain presque sec, tout en marmonnant entre les dents qu'il n'y avait même pas de dessert. Puis, elle a couru à l'étage. À son retour dans la cuisine, elle tenait triomphalement une sucette au citron, en disant : " Regarde ce que j'ai trouvé ! Un reste de la fête de halloween ! "

« J'ai été courageuse, n'est-ce pas ? Je l'ai vraiment *aidée*, n'est-ce pas ? Je veux dire que je ne lui ai pas transféré ma culpabilité. Je l'ai amenée à se concentrer sur la solution de son problème. Je devrais donc me sentir bien, mais je me sens terriblement mal. Je l'imagine assise devant ce goûter pitoyable, alors que les autres enfants s'empiffrent des bonnes choses que leurs mères *responsables* leur ont préparées à l'avance. J'ai probablement gâché toute sa journée. Je ne sais même pas ce que je vais lui dire à son retour cet après-midi. Je vais sans doute me limiter à lui avouer que je suis désolée, puis tenter de me reprendre d'une certaine façon. »

« Hélène, a répondu Ginott, en tant que parents, on n'est pas capable de s'empêcher d'éprouver des sentiments de culpabilité. Toutefois, on peut se dire : Je ne dois pas permettre à mon enfant de les connaître ; c'est trop dangereux... pour tout le monde. Quand on donne à l'enfant le pouvoir d'activer notre culpabilité, c'est comme si on lui donnait une bombe atomique. Comme Roselyne l'a fait remarquer, l'enfant qui réveille la culpabilité d'un de ses parents se sent coupable de ce qu'il a fait. Et savez-vous quelle émotion on ressent, en fin de compte, envers les gens qui nous font sentir coupables ? C'est de la haine. En permettant la culpabilité, on invite la haine. »

Ces paroles eurent l'air de toucher une corde sensible, chez Louise. « C'est vrai ! a-t-elle dit, le visage en larmes. On *peut* en venir à détester les personnes qui nous font sentir coupables ! J'ai toujours eu beaucoup d'affection pour ma belle-mère. C'est une grosse femme chaleureuse et indépendante. Mais dernièrement, je ne sais pas ce qui lui arrive. Elle est devenue experte dans l'art d'injecter de la culpabilité. Oh ! n'allez pas croire qu'elle m'accuse directement de quoi que ce soit. Toutefois, elle dira des choses comme : " Tu le savais que je devais aller consulter le médecin. J'espérais que tu m'en parles, ma chère. " Ou encore : " J'aimerais passer plus de temps avec toi, Louise, mais je sais que tu es très occupée et j'essaie d'être compréhensive. "

« Je suppose que ce n'est pas très gentil de ma part, mais dernièrement, je constate que je l'évite. Aussitôt qu'elle est dans les parages, sur deux mots qui sortent de ma bouche, il y a un mot d'excuse. À un point tel que je redoute même ses appels téléphoniques. Vous savez, je n'y ai jamais songé auparavant, mais la culpabilité est un poison, en quelque sorte, n'est-ce pas ? On ne peut pas le voir, on ne peut pas le sentir, mais une fois qu'il a pénétré dans une relation, tout ce qu'il y avait de chaleureux et d'amical entre deux personnes se met lentement à flétrir et à mourir. »

Hélène avait les yeux rivés sur Louise. Elle s'est penchée dans son siège. « Du poison, c'est le mot exact ! s'est-elle exclamée. Et c'est fatal, non seulement dans une relation, mais à toutes petites doses, ça peut altérer notre propre *personnalité*. On se rend compte tout à coup qu'on est en train de dire et de faire des choses qui nous font sentir étrangères à nous-mêmes. Prenez, par exemple, ce matin. Je me sentais tellement coupable, après le départ de Laura, que j'avais une seule chose en tête : de quelle façon lui présenter mes excuses à son retour ? J'étais dans un si piteux état que, si elle m'avait traitée de *désorganisée* ou *négligente*, j'aurais probablement été d'accord avec elle. Ce n'est pourtant pas comme ça que je suis ! »

Hélène s'est ensuite tournée vers Ginott. « Voyez-vous jusqu'où ça aurait pu m'entraîner ? Je lui en aurais voulu de me faire sentir coupable. Elle se serait détestée *elle-même* de m'avoir fait sentir coupable. Et nous nous serions retrouvées toutes les deux à nous en vouloir l'une l'autre. Eh bien, il n'y aura pas d'excuse, à son retour cet après-midi ! En fait, si elle ose ouvrir la bouche pour m'accuser, je la giflerai peut-être, tout simplement. »

Tout le monde a éclaté de rire. « Ce n'est pas si drôle, a ajouté Hélène. Je ne sais toujours pas quoi lui dire à son retour. »

« En premier lieu, a affirmé Ginott, ne ramenez pas *vous-même* le sujet sur le tapis. Très souvent, la crise du matin se trouve résolue avant l'après-midi. Il se peut même que la tragédie se transforme en triomphe. Elle pourrait échanger sa sucette contre une cuisse de poulet. Ou encore, un autre enfant pourrait offrir à Laura de partager son jus avec elle. Une nouvelle amitié est peut-être née !

« En second lieu, vos choix ne sont pas si compliqués, Hélène. Vous avez à votre disposition tout un éventail de façons de réagir, toutes plus efficaces que les coups ou les excuses. Vous pouvez dire, par exemple, l'une des phrases suivantes, selon votre humeur :

« Laura, quand on me crie des injures, je perds ma capacité d'aider. En fait, je ne peux même plus écouter.

- Pas d'accusation, Laura ! Si tu as des recommandations à faire, écris-les, de sorte que je puisse les considérer !

- Ma chérie, parle-moi de *ta* déception, de *ton* irritation, de *tes* sentiments. De cette façon, je le saurai et je pourrai y réagir.

« Vous voyez, Hélène, on dispose de plusieurs moyens pour désarmer nos enfants et pour leur enseigner, du même coup, comment nous présenter leurs doléances. Ce dont je parle vous semble-t-il avoir du sens ? »

Hélène a levé les yeux de son calepin. « J'écris aussi vite que vous parlez, a-t-elle répondu en souriant. Vous pouvez être certain que je vais utiliser l'une de ces phrases avant la fin de la journée. Ce qui me plaît le plus, je crois, c'est l'idée de ne pas être obligée de poser en victime consentante devant une enfant de huit ans. Toutefois... » Puis elle s'est arrêtée net.

« Quelque chose vous trouble encore ? »

« Oui, ça me bouleverse ! En fait, j'aurais *dû* préparer des choses pour elle, aujourd'hui, et ça me ronge de ne pas l'avoir fait. »

« La question devient la suivante, a enchaîné Ginott : que faire de nos sentiments de culpabilité ? Encore une fois, Hélène, on peut choisir. On peut en parler à d'autres personnes : à une amie, à un mari, au groupe qui se trouve ici, à un prêtre, à un rabbin, à un thérapeute, à toute personne qui prête son oreille sans jouer au juge.

« On peut aussi se parler à soi-même. On peut se dire : Je peux m'occuper de mes sentiments de culpabilité sans l'aide de mes enfants. Je n'ai pas besoin de leur absolution. Je n'ai pas besoin du *Je t'excuse, maman* de la part d'un jeune enfant. Il *me* suffit de décider que je ferai mieux la prochaine fois. »

Pour sa part, Éveline avait l'air hésitante. « Je ne suis pas encore certaine de tout comprendre. Il m'est arrivé une chose, il y a un certain temps, et je me pose encore des questions à ce sujet. J'aimerais connaître votre réaction. Je pense encore à la soirée où Martin, mon mari, a laissé son fauteuil de lecture pour aller se chercher à boire. Aussitôt qu'il s'est levé, mes deux fils ont bondi dans le fauteuil. Au retour de Martin, les garçons ont refusé de lui rendre son siège. Ils ne voyaient pas pourquoi ils devraient le faire. " Pourquoi un papa devrait toujours avoir le meilleur siège ? Juste parce qu'il est plus vieux ? Ce n'est pas juste ! Les enfants ont des droits eux aussi ! "

« Je me souviens d'avoir pensé : " Sapristi ! Ils ont là un bon point. C'est vraiment le seul siège confortable ! " C'est alors que j'ai entendu Martin répondre, tout en les poussant de côté : " Certains privilèges viennent avec l'âge. Et quand vous deviendrez des parents, vous les obtiendrez de vos enfants ! " Les garçons ont simplement cligné des yeux. Puis, Martin s'est installé dans son fauteuil en disant : " Et si vous ne les obtenez pas, je vais vous dire quoi faire ! " Les deux garçons se sont avancés. " Exigez-les ! dit Martin, et vous les obtiendrez ! "

« J'avais l'impression que Martin avait été un peu dur avec les gars, mais maintenant, je n'en suis plus si certaine. »

Ginott a demandé : « Comment vous sentez-vous à ce sujet maintenant ? »

« Après tout, a répondu Éveline, je pense qu'il était correct en faisant ça,. Selon ce que vous dites, si Martin avait laissé les enfants faire en sorte qu'il se sente coupable de s'asseoir dans son propre fauteuil, ça n'aurait pas été bon pour eux. »

Ginott a acquiescé de la tête. « Votre mari a donné à vos enfants une leçon valable. Il est important de comprendre, en tant que parents, que nous n'avons pas à fournir à nos enfants des explications pour justifier nos actions. Ça n'empêchera pas les enfants d'essayer de nous tendre un piège pour obtenir une réponse culpabilisante, mais c'est préférable de suivre l'exemple de Martin et de ne pas mordre à l'hameçon.

« Pourquoi vous allez seuls en vacances ? Pourquoi pas nous amener ?

- Pourquoi maman ne retourne pas travailler ? On aurait tous plus d'argent.
- Pourquoi je ne peux pas avoir un nouvel appareil photo ? Vous venez de vous acheter une nouvelle voiture.

« On ne doit pas se laisser entraîner à se justifier ou à se défendre, même dans les moments où on se sent vulnérable. En tant que parents, nous avons à prendre des décisions qui représentent notre meilleur jugement adulte du moment. Et il n'est pas nécessaire de partager le processus décisionnel avec nos enfants, ni de leur permettre de nous juger. On peut leur dire : " Je t'entends, mais ça ne te concerne pas. Ce sont des choses que maman et papa doivent décider. " Quand des parents mettent leurs droits au clair, quand ils savent que la culpabilité est une réponse inadéquate, ils apprennent à leur enfant à rassembler ses forces et à faire face à la réalité. »

J'ai réfléchi à ces échanges tout au long du chemin de retour vers la maison. Est-ce qu'on rend vraiment un enfant plus fort en ne partageant pas notre culpabilité avec lui ? Je me suis rappelé un incident qui est survenu il y a de ça quelques hivers. Il neigeait. David m'a demandé de le conduire en auto à la garderie, située à cinq rues de la maison, mais c'était trop compliqué de préparer également les deux plus jeunes juste pour le reconduire, lui. Alors, je lui ai dit qu'il devrait se débrouiller tout seul.

Aussitôt après son départ, le vent s'est mis à hurler et je me suis sentie malade de culpabilité. Ce fut pour moi un long après-midi. La première chose qu'il m'a dite au retour, c'est : « Pourquoi tu ne m'as pas reconduit, maman ? J'étais en retard. Le vent me repoussait. Je devais sans cesse m'arrêter et m'appuyer contre les arbres. »

J'ai failli mourir en entendant ça. J'avais le goût de l'enlacer et de lui dire : « Oh ! Toi, pauvre bébé ! Quelle mère horrible je suis ! »

Pourtant, je ne l'ai pas fait. J'ai plutôt dit : « Oh là là ! c'est toute une marche que tu as faite là ! Tous ces longs pâtés de maison dans ce vent cinglant. Il t'a fallu de l'endurance ! C'est le genre de chose qu'on peut attendre d'un héros, pas d'un petit garçon de six ans ! »

Sur le moment, j'étais ravie parce que David avait l'air tellement fier ! Mais maintenant, avec le recul, je comprends mieux ce qui s'est passé. Si je l'avais accablé de ma culpabilité, il se serait senti faible, il se serait apitoyé sur son propre sort et il aurait senti qu'il me contrôlait. À la place, je lui ai offert mon admiration à propos de son combat, ce qui a confirmé sa force et sa capacité de supporter des épreuves.

Tant de choses à penser… Tant d'idées peu familières à retourner dans ma tête et à adopter !

XII

La colère

1. UNE BÊTE À L'INTÉRIEUR

Haim Ginott a fait un geste vers une attrayante jeune femme assise à sa droite. « Mesdames, a-t-il dit, nous avons une invitée aujourd'hui : Mme Bernard. Elle est journaliste pour un magazine national et elle projette d'écrire un article à notre sujet. »

Je me suis dit : Comme c'est flatteur ! Mais combien présomptueux ! Regardez-la, avec son air froid et supérieur. Comment une parfaite étrangère, totalement ignorante de notre approche, peut-elle venir s'asseoir avec nous pendant une seule séance, pour ensuite écrire un article, probablement en quelques paragraphes désinvoltes, à propos d'un travail que nous avons mis des années à intérioriser ! Eh bien, cet après-midi sera pour elle toute une révélation !

Chacune des femmes était un peu plus brillante, un peu plus éveillée qu'à l'habitude. Nous nous sommes attaquées à des problèmes sur lesquels Salomon aurait trébuché. Nous avons même sorti de nos tiroirs quelques histoires spectaculaires. Nous nous sommes surpassées.

À la fin de la séance, Mme Bernard nous a remerciées poliment. « Ce fut une rencontre très agréable, a-t-elle dit, mais j'ai l'impression que votre plus grand problème, c'est de faire face à votre colère. Est-ce que je me trompe ? »

Nous étions stupéfaites. Après tout ce qu'elle avait entendu, si c'était le seul commentaire qu'elle était capable de faire, il était évident qu'elle n'avait pas compris grand-chose. Plusieurs femmes se sont alors mises à parler en même temps.

ROSELYNE : Je ne dirais pas ça ! Je veux dire que la colère est un problème, mais ce n'est certainement pas notre plus gros problème.

ÉVELINE : Je parle seulement en mon nom, bien sûr, mais je dirais que la rivalité entre frères et sœurs me donne beaucoup plus de difficultés.

Hélène s'est redressée sur sa chaise et a déclaré, dans sa diction la plus élégante : « Madame Bernard, nos préoccupations, ici, recouvrent toute une gamme d'émotions humaines. Bien sûr, c'est évident qu'il n'est jamais simple de faire face à sa propre colère ; toutefois, c'est opérer une distorsion que d'isoler cette émotion des autres et de la baptiser notre *plus gros problème*. Si vous nous rendiez visite une fois de plus, vous verriez peut-être que la colère n'est qu'une petite partie d'un ensemble beaucoup plus vaste. »

Mme Bernard a fléchi sous le verbiage.

Sur le chemin du retour, nous étions stupéfaites de son manque de perspicacité. Elle n'avait rien compris du tout. « Trop jeune, avons-nous conclu. Probablement qu'elle n'est même pas mère. » Et nous l'avons écartée de nos pensées.

La semaine suivante, alors que je saluais le départ des enfants, le téléphone a sonné. C'était Hélène. Sa voix était tendue.

« Sont-ils déjà partis ? »

« Pourquoi ? Que se passe-t-il ? » ai-je demandé.

« Tout est arrivé si vite, a-t-elle répondu. Marc était sur le point de sortir, quand j'ai remarqué qu'il portait seulement ses chaussures de tennis. Il a passé la semaine au lit, malade, et le sol est encore couvert de neige fondante. Je pouvais sentir la moutarde me monter au nez, mais je me suis contrôlée. " Marc, tes bottes " ai-je dit très calmement. Il a répliqué : " Je n'en ai pas besoin, seuls les bébés portent des bottes. "

« Je me suis soudain entendue dire d'une voix rageuse : " Ça va pas, non ? Es-tu stupide ou essaies-tu délibérément de te rendre malade de nouveau ? Juste parce qu'un idiot de quatrième année décide que les bottes ne sont plus à la mode ! Tu n'as pas eu assez d'absences de l'école, cet hiver ? "

« J'ai lancé les bottes à ses pieds. Il a hurlé de toutes ses forces : " Je te déteste ! "

« Je l'ai giflé. D'un ton perçant, il a crié : " Mon oreille, mon oreille ! "

« Puis, j'ai aperçu l'empreinte de ma main sur son visage et son oreille ! »

Oh ! Non ! me suis-je dit. Il m'est alors revenu à l'esprit un terrible incident survenu entre David et moi, la semaine dernière, J'avais follement envie de le raconter à Hélène, mais quelque chose me retenait.

« Attends, ce n'est pas fini, a-t-elle poursuivi. Il a ensuite couru vers la salle de bain. En se voyant dans le miroir, il s'est mis à pleurer : " Regarde ce que tu m'as fait ! Je vais montrer ce que tu m'as fait à tout le monde de l'école ! " »

C'en était trop. En serrant les dents, j'ai décidé de lui raconter mon histoire. « Récemment, j'ai fait à David une chose dont je ne suis pas particulièrement fière non plus. »

« Tu l'as frappé ? » m'a demandé Hélène, la voix remplie d'espoir.

« Encore pire, ai-je répondu. Je l'ai appelé le *roi des salauds.* »

« Je me sens déjà mieux, a soupiré Hélène. Au moins, je ne suis pas la seule. Qu'avait-il fait pour mériter ce titre ? »

« Le plus étrange, c'est que je ne sais même pas ce qu'il a fait, mais j'ai *cru* qu'il avait fait quelque chose. J'entendais la voix d'André. Dans sa chambre, il suppliait : " David, arrête ! " Je me suis presque précipitée, puis j'ai décidé que non, je n'allais pas m'interposer, j'allais les laisser régler ça entre eux. Puis, j'ai de nouveau entendu crier André, mais cette fois, sa voix sonnait comme si on l'étranglait. Et par-dessus le marché, ce gros taureau de David riait allègrement.

Ça m'a rendue folle furieuse. J'ai foncé dans la chambre et je l'ai attrapé par le collet. " Sais-tu ce que tu es ? ai-je hurlé. Tu es un salaud. Tu es *le roi des salauds* ! Et tu sais quoi ? Tu n'es pas mon fils. Parce que ta mère est sûrement une salope ! " Puis, je l'ai repoussé loin de moi. Il avait soudain l'air si petit, si abattu. J'en suis malade depuis ce moment-là. Je ne sais pas pourquoi j'ai dit ça. Je sais seulement que, sur le coup, je ne pouvais pas m'arrêter. C'est ça, la partie la plus effrayante. C'était comme si j'étais deux personnes dans une. L'une crachait son venin, tandis que l'autre, debout à côté, la regardait faire comme une imbécile impuissante. »

Pendant un moment, Hélène a gardé le silence. Puis, d'un ton incrédule, elle a poursuivi. « Jo, réalises-tu ce que nous sommes en train de dire ? Nous disons qu'avec tout ce que nous savons, nous sommes toujours incapables de garder la maîtrise de nous-mêmes lorsque nous éprouvons de la colère. J'ai frappé Marc au visage, ce matin, et la semaine dernière, tu as pratiquement renié David. Et pourquoi ? Parce qu'il avait refusé de porter des bottes ? Parce qu'il avait taquiné son frère ? Je ne sais plus… Je commence à croire qu'en dépit de ce que nous avons appris dans le groupe, quand on franchit un certain seuil, tout s'annule. Et *elle* s'est rendu compte de ça. »

« Qui s'en est rendu compte ? »

« Cette journaliste. Elle l'a tout de suite remarqué. Que nous sommes incapables de gérer nos sentiments de colère. Mais nous étions tellement occupées à nous pavaner que nous n'avons même pas tenu compte de son commentaire. Si je la rencontrais, aujourd'hui, je lui dirais : " Madame Bernard, vous êtes une femme très perspicace. Nous avons effectivement un problème. Nous sommes tous des parents aimants, équilibrés et pleins de ressources, jusqu'au moment où nous nous mettons en colère. Alors, boum ! Toutes nos enveloppes de civilisation sont arrachées et nous voilà aussitôt de retour au stade de l'homme de Neandertal. " »

« Pourquoi nous accorder à nous-mêmes autant de crédit ? ai-je enchaîné, lugubre, en adoptant la ligne de pensée d'Hélène. Nos réactions viennent probablement d'encore plus loin, dans le passé, sur l'échelle de l'évolution. J'ai déjà lu quelque chose à propos d'une expérience décrivant les réactions de rats et de singes chez qui on avait provoqué de la colère. Les scientifiques leur avaient donné des chocs électriques, des coups sur la tête à l'occasion, et ils avaient inventé toutes sortes de façons de les provoquer. »

« Qu'est-il arrivé ? » a demandé Hélène.

« Les pauvres créatures se sont retournées les unes contre les autres, en se mordant, en se déchirant, en se labourant de leurs griffes, parfois même jusqu'à la mort. Lorsque les animaux sont suffisamment en colère, suffisamment frustrés, il semble se produire certains changements physiologiques qui leur procurent de la satisfaction du seul fait de se blesser et de se détruire les uns les autres. »

« Es-tu en train de suggérer, a ajouté Hélène, que si nos enfants nous mettent en colère, *nous* nous comportons comme des animaux ? D'une certaine manière, nous passerions à l'attaque parce que ça nous procure une satisfaction physiologique ? Dans ce cas, il n'y a plus aucun espoir pour nous ! »

Lors de la rencontre suivante, nous avons confronté Ginott avec nos pénibles pensées. Il a semblé intéressé, mais il est demeuré imperturbable. « C'est vrai, a-t-il dit, quand on est provoqué, on veut attaquer. Cependant, nous ne sommes pas des singes ou des rats. Nous sommes des êtres humains. Et en tant qu'êtres humains, nous avons le choix. Nous pouvons choisir de prendre une façon humaine, une manière civilisée pour exprimer nos sentiments sauvages. »

« Ce n'est pas si facile que ça » a répliqué Hélène.

« Ce n'est jamais facile d'être humain, a répondu Ginott. C'est toujours un combat. Et savez-vous à quel moment on peut arrêter de se battre ? Le jour de notre mort. On pourrait en tirer avantage si on se rendait compte de la menace qu'on porte en chacun de nous. Protégez-moi de la personne qui ne reconnaît pas son propre potentiel de cruauté, de lascivité et de bestialité ! »

« Je connais *mon* potentiel, a lancé Hélène en rougissant. J'ai frappé Marc la semaine dernière. »

Catherine a répliqué en riant : « Ta façon de présenter la chose te fait passer pour une sorte de criminel. Qu'y a-t-il de si terrible à appliquer la main sur un fond de culotte au moment approprié ? J'ai découvert que ça pouvait faire des merveilles. »

« Catherine, a repris Ginott, si vous avez trouvé quelque chose qui est efficace dans votre cas, c'est très bien ! Quant à moi, je continue à chercher d'autres réponses. Je suis déjà très conscient du fait qu'on peut battre un enfant pour obtenir son obéissance. Mais ne nous méprenons pas. Je sais que chaque fois que je le bats, je lui enseigne également ceci : "Quand tu es fâché, frappe ! " Malheureusement, je n'ai jamais entendu parler d'un enfant qui soit devenu un être humain plus aimant à force d'être battu. »

« Je ne crois pas m'être bien fait comprendre, a répliqué Hélène. Ce n'est pas seulement une petite tape que j'ai donnée à Marc. Nous avons eu une dispute énorme parce qu'il ne voulait pas porter ses bottes, et ça s'est terminé quand je l'ai giflé au visage. Le plus ironique dans tout ça, c'est que, deux secondes auparavant, je venais de me dire : Je ne vais pas faire une montagne avec quelque chose d'aussi ridicule qu'une paire de bottes. Je vais me contrôler et parler calmement. »

Ginott a froncé les sourcils. « Quand avons-nous déjà dit que les parents doivent parler calmement lorsque ça bouillonne à l'intérieur ? L'idée n'est pas de retenir notre colère, mais de la laisser s'échapper par petits morceaux, *avant* qu'elle se rende jusqu'à l'explosion. Essayer d'être patient quand on est fâché, c'est comme appuyer d'un pied sur le frein et de l'autre sur l'accélérateur. On ne traiterait pas sa voiture de cette façon. Soyons au moins aussi bons pour nous-mêmes que nous le sommes pour notre voiture. »

Éveline avait un sourire forcé. « Je me demande si mon problème n'est pas de *trop* essayer d'être patiente, a-t-elle dit. Tout ce que je sais, c'est que si je me laisse finalement aller, je... Eh bien, je ne frappe pas, mais je dis des choses pas mal méchantes. Et je ne suis pas certaine que mes mots fassent moins mal qu'une fessée. »

Ginott a hoché la tête. « Les mots peuvent être coupants comme des rasoirs. Ils peuvent même laisser des cicatrices permanentes. C'est pourquoi la *colère sans insulte* reste encore notre seule alternative civilisée aux méthodes déshumanisantes. Et on ne connaît pas encore toutes les réponses. C'est le travail de toute une vie que d'explorer de nouvelles façons plus humaines d'exprimer une émotion aussi puissante et ancienne que la colère. »

« Dans ce cas, a dit Hélène, je ferais mieux de commencer tout de suite. Docteur Ginott, peut-on prendre du temps, aujourd'hui, pour demander à quelques participantes de nous parler des habiletés qu'elles utilisent quand elles sont en colère ? Je pense que ça pourrait m'aider. »

C'est Nicole qui a commencé, en parlant lentement. « Je vais vous parler d'une habileté qui a provoqué tout un changement dans ma vie. Je peux encore voir Rémi jouer à la balle dans la salle familiale, et me voir courir derrière lui en lui expliquant rageusement que les lampes, ça coûte cher, que je travaille fort pour gagner mon argent et qu'il devrait savoir que c'est important de respecter mes possessions. Comme aucune de mes paroles ne parvenait à l'atteindre, je me suis dit que je ne m'étais pas très bien expliquée. Puis, un jour, j'ai entendu le Docteur Ginott déclarer : " *L'autorité se veut brève. Seuls les faibles s'expliquent.* "

« Ces paroles ont revêtu beaucoup d'importance pour moi. La fois suivante, quand j'ai surpris Rémi dans la maison avec sa balle, j'ai affirmé vigoureusement : " Rémi, voici le règlement : les jeux de balles, ça se passe à l'extérieur de la maison ! " Il a dû être stupéfait par le changement, parce qu'il m'a juste regardée, il a fait rebondir la balle une dernière fois, puis il est sorti. »

Hélène écoutait avec un vif intérêt. « C'est génial, a-t-elle conclu. Se débarrasser de tous les discours imprécis et ramener le tout à du concret : " Voici le règlement... " »

« Sais-tu ce qui m'a aidée, Hélène ? a enchaîné Roselyne. J'avais l'habitude de menacer les enfants chaque fois qu'ils me faisaient fâcher. Puis, au cours de l'une de nos rencontres, on a mentionné l'idée d'offrir des choix au lieu de menacer. De retour à la maison, j'ai essayé ça et je dois admettre que ç'a produit tout un changement. Par exemple, si je vois mes enfants jouer à la balle dans la maison, je leur dis : " Vous avez le choix : jouer à la balle à l'extérieur, ou perdre le privilège de jouer avec la balle. C'est à vous de décider. " Ce n'est pas chaque fois efficace, mais c'est mieux que de leur dire qu'ils vont attraper toute une dégelée quand leur père sera de retour. »

Louise semblait avoir hâte que Roselyne ait fini de parler. « Si tu veux discuter de la colère, Hélène, je suis peut-être la personne qui possède le plus d'expérience dans le domaine, a-t-elle déclaré. Je suis pas mal soupe au lait. Mon mari dit que je crie d'abord et que je pense ensuite, mais je suis en train de changer. Je hurle encore, parce que je suis faite comme ça, mais maintenant, au lieu de lancer des injures à mes enfants, je crie la chose que je veux les voir garder en mémoire.

« Par exemple, juste après la dernière tempête de neige, j'ai vu mon fils aîné lancer des balles de neige à mon plus jeune, qui était sur le point de s'effondrer en larmes. Mon ancienne méthode aurait été de crier, du pas de la porte : " Arrête ça tout de suite, espèce de grande brute ! Mesure-toi à quelqu'un de ta taille ! " Mais cette fois, je me suis dit : Arrêtons tout ! Il faut que je transforme toute ma colère en quelque chose d'utile. Comme changer une chute d'eau en électricité. D'accord. Quelle est au juste la leçon que je veux leur enseigner ? Et comment le dire de façon brève, nette et précise, pour que ça s'imprègne dans leur tête ? Puis, quand la phrase s'est finalement formulée dans mon esprit, j'ai ouvert la porte en criant : " On lance des balles de neige seulement s'il y a consentement mutuel ! "

« Qu'est-ce que ça veut dire, consentement mutuel ? a demandé le plus grand.

- Un choix sur lequel deux personnes s'entendent.
- Et bien ! moi, je ne suis pas d'accord, a répliqué le plus jeune.
- Ça va, on va arrêter, a ajouté l'aîné.

« Et ça s'est terminé là. »

Ginott a conclu : « C'est une façon intéressante de penser, Louise. L'enfant vit très peu longtemps à la maison et il a beaucoup de choses à apprendre avant de partir dans le vaste monde. Ce serait merveilleux si les parents pouvaient orienter l'énergie générée par leur colère en l'utilisant, non pas pour insulter leurs enfants, mais pour leur donner des renseignements et leur proposer des valeurs. »

Nous avons passé le reste de la séance à discuter des multiples façons d'exprimer utilement notre colère. Sur le chemin du retour, je me sentais figée. J'étais contente qu'Hélène prenne le volant pour faire face à l'heure de pointe. Ça me donnait du temps pour réfléchir. Hélène avait été si franche et je n'avais pas ouvert la bouche. Pourquoi ? Peut-être parce que j'étais encore trop à vif après ma dispute avec David ? Ou parce que toutes les autres avaient l'air si sûres d'elles-mêmes ?

Qu'est-ce qui m'avait rongée tout au long de cette séance ? Était-ce la peur ? La peur qui me chuchotait : « C'est inutile. Tu es dans une catégorie tout à fait différente des autres. Aucune habileté au monde n'aurait pu te prémunir contre cet échange avec David. La furie que tu ressentais envers lui, ce matin-là, n'aurait pu céder le pas à une simple formule verbale. Rien n'aurait pu contrôler cette éruption empoisonnée. Il y a certaines situations et certaines personnes avec lesquelles rien, mais *rien*, ne fonctionne ! »

Le contrôle. J'essayais de me rappeler ce que Haim Ginott avait dit au sujet de la maîtrise de soi. Est-ce que j'avais trop essayé de me maîtriser ? Les choses se seraient-elles passées autrement si je ne m'étais pas retenue, ce matin-là ? Si je m'étais plutôt précipitée dans la chambre, dès la première protestation d'André, en criant : « Ça m'enrage » ? Mais Hélène ? Que serait-il arrivé si elle ne s'était pas rappelé de rester calme avec Marc ? Peut-on vraiment éviter cette affreuse explosion en laissant tout de suite déferler les sentiments de colère ?

Le langage de la *colère sans insulte* ne me vient pas facilement. Le langage de l'amour, oui. Je ne suis jamais prise au dépourvu quand il est question de faire des compliments et d'exprimer mon affection. Est-ce *là* la source de mon problème ? Une partie de ma colère serait-elle causée non seulement par ce qui l'a provoquée, mais aussi par mon manque d'habileté à l'exprimer ? Si j'avais accès sur commande, sur le bout de la langue, à toutes les paroles colériques non blessantes, à toutes les subtilités de langage exprimant la colère, est-ce que mon courroux grimperait encore jusqu'à cet extrême ? Est-ce que je cesserais de souffrir de la culpabilité et de l'humiliation qui succèdent aux attaques que je déclenche contre mes propres enfants ?

J'ai pris ma première respiration profonde de la journée. J'ai annoncé à Hélène que nous aurions un travail à faire le lendemain matin. Il fallait trouver un moyen d'écrire et d'apprendre, par cœur, cinquante façons différentes d'exprimer toute la gamme de nos sentiments colériques. Si nous pouvions simplement assortir le langage de la colère à l'humeur du moment, nous serions capables d'éliminer pour toujours l'horreur des explosions !

2. LE MESSAGE ASSORTI À L'HUMEUR

Le lendemain matin, nous étions tout entières à notre travail, assises à la table de la cuisine avec des crayons bien taillés et quelques blocs de papier. Notre but était clair : maîtriser le langage de la *colère sans insulte*.

Il fallait d'abord choisir une situation capable de provoquer à coup sûr la fureur parentale. Nous sommes tombées sur *le cas de l'animal de compagnie négligé*. Nombre de parents, après avoir acheté un animal pour tenir compagnie à un enfant, découvrent, après le frisson initial d'excitation (pour nourrir le chat, promener le chien ou nettoyer l'aquarium du poisson), que l'intérêt de l'enfant s'est vite évanoui, de sorte qu'en plus de toutes leurs autres tâches, les parents deviennent l'unique moyen de survie de l'animal.

La semaine précédente, en passant devant la cage de l'oiseau, j'avais encore vu Georges, le canari jaune des enfants, assis sur une pile de plumes, picorant frénétiquement un plat à nourriture vide. J'étais furieuse. Les dents serrées, j'ai dit aux enfants qu'ils étaient cruels, gâtés et irresponsables ; qu'ils ne méritaient pas d'avoir un animal de compagnie ; et que peut-être je ne *leur* ferais pas à souper, ce soir-là, afin qu'*ils* puissent voir comment on se sent quand on a faim.

Dans le calme de ma cuisine, sans être distraites par les enfants, Hélène et moi allions mettre par écrit d'autres façons de formuler ce que j'avais dit. À peu près n'importe quoi constituerait une amélioration par rapport à l'original ! Nous allions prendre note du degré d'intensité de nos sentiments colériques, de l'irritation légère jusqu'à l'extrême agitation, et nous allions les assortir à un langage de *colère sans insulte*. Afin de donner une forme à nos idées et de les mettre en ordre, nous nous sommes entendues sur le format suivant : décrire d'abord l'humeur d'un des parents ; puis, le message intérieur qui se forme dans sa tête ; trouver ensuite des exemples de langage pour exprimer à la fois l'humeur et le message. Voici ce que nous avons écrit.

HUMEUR : contrariée

LE MESSAGE INTÉRIEUR

Les enfants sont des enfants. C'est nécessaire, maintenant et pour longtemps encore, de leur rappeler souvent les mêmes choses. Une partie de mon travail de mère ou de père consiste à guider et à faire des rappels.

LE LANGAGE

I. *Le geste*

Le geste a un impact immédiat et spectaculaire. Il épargne aussi à la mère ou au père l'effort de parler.

a) J'aurais pu montrer du doigt le plat vide, avec éloquence.

b) J'aurais pu décrocher le plat vide de la cage et le tendre à l'un des enfants.

II. *La note*

Une note peut être une forme puissante de communication pour un enfant, surtout quand elle est signée : « Avec amour, Maman. »

a) AU SECOURS ! ! ! APERÇU OISEAU EN EXTRÊME DÉTRESSE. QUI VA LE SAUVER ? ? ?

b) Devinette : Qu'est-ce qui est jaune, qui chante comme un oiseau et qui a besoin d'un bon repas ? Veuillez donner la réponse et agir en conséquence.

c) (moins brillant, mais tout aussi efficace) GEORGES A BESOIN D'ÊTRE NOURRI ! TOUT DE SUITE !

III. *La simple phrase descriptive*

Fait partie de la même catégorie que *le lait renversé*. En décrivant, au lieu de donner un ordre, j'invite l'enfant à prendre ses responsabilités.

a) « Georges a l'air affamé. »

b) « Georges picore une assiette vide. »

IV. *Répétition de la simple phrase descriptive*

Après avoir constaté que la première phrase a été ignorée, la tentation est forte de passer à des paragraphes d'explications et d'accusations. Toutefois, si mon humeur tient le coup et que ma phrase est bien tournée, je vais lui faire confiance, la conserver et la répéter avec un calme délibéré.

a) « Georges a l'air affamé. »

b) « Georges picore une assiette vide. »

V. L'invitation à chercher une solution

Pour des résultats à long terme, rien ne remplace la participation des enfants au processus de résolution du problème. Peu importe la solution qu'ils finissent par trouver (certaines de leurs idées peuvent être vraiment farfelues), il y a au moins une bonne chance de succès si c'est *leur* plan qu'ils ont *eux-mêmes* élaboré. Ils ont alors pris l'engagement intérieur de voir à ce que ça marche (même si ça ne marche pas, ils peuvent toujours le réviser par la suite.)

« Les enfants, quelque chose me préoccupe. J'ai besoin de votre aide. Quand Georges est arrivé dans cette maison, il était nourri régulièrement. Maintenant, je me rends compte qu'à cause des pressions exercées par l'école et par vos activités, il est souvent forcé de sauter des repas. Croyez-vous que vous pourriez vous entendre tous pour inventer un horaire afin de le nourrir ? Vous me le montrez après le souper ? » (La clé du succès repose sur la phrase magique : *Pourriez-vous vous entendre ?)*

HUMEUR : tranchante

LE MESSAGE INTÉRIEUR

Ça commence vraiment à m'énerver. Alors je fais mieux de décharger une partie de mon irritation de façon constructive.

LE LANGAGE

I. La déclaration énergique de mes sentiments

Ici, on peut déclarer le : *Je suis fâchée* de base, ou on peut élargir et innover.

a) « Je viens de passer devant la cage de l'oiseau et je suis consternée par ce que j'ai vu. »

b) « Je suis ennuyée et déçue. Certains enfants avaient promis de prendre fidèlement soin de leur animal de compagnie ! »

c) (La prochaine phrase pourrait même agrandir leur vocabulaire.) « Je suis affligée, consternée, dégoûtée, mécontente ! » (On peut aussi ajouter *démoralisée, décontenancée*, mais on en met peut-être trop.)

II. La déclaration énergique de mes valeurs

Puisque j'élève la voix, aussi bien dire quelque chose dont il vaut la peine de se souvenir.

a) « Les animaux de compagnie ont besoin de soins ! »

b) « Quand un animal dépend de nous, on ne le laisse pas tomber ! »

III. La déclaration énergique de mes attentes

a) « Dans cette famille, on s'attend à ce que les enfants s'occupent des besoins de leur animal de compagnie. »

b) « J'ai confiance que mes enfants vont faire ce qui est nécessaire pour que leur animal de compagnie ne souffre pas. »

IV. L'exclamation en trois mots

L'exclamation en trois mots permet à un des parents en colère d'être bref, tranchant, retentissant. Par la même occasion, elle donne à l'enfant la chance de déchiffrer ce qu'il faut faire.

a) « David, l'oiseau ! »

b) « Julie, les graines ! »

c) « André, l'assiette ! »

HUMEUR : méchante !

Je veux les secouer de leur torpeur, les inquiéter un peu.

LE MESSAGE INTÉRIEUR

J'aimerais dire d'une voix rageuse : « Les enfants, si vous ne donnez pas à manger à cet oiseau avant que j'aie compté jusqu'à trois, je vais… » Mais je ne le ferai pas. Je sais qu'en fait, une menace constitue pour les enfants un défi irrésistible de faire ce qui a été défendu, pour vérifier le caractère sérieux de la mère ou du père. Je refuse de tomber dans le panneau. Il y a d'autres façons de les atteindre.

LE LANGAGE

I. Le choix

« Les enfants, vous avez le choix. Un, vous pouvez faire manger votre oiseau maintenant. Deux, vous pouvez avoir affaire à une mère en colère. Faites votre choix »

II. L'alerte

« Les enfants, vous êtes chanceux. Vous avez au moins trois minutes pour remplir le plat de nourriture de l'oiseau avant que ma méchanceté prenne le dessus. »

III. Remplacer : « Si vous ne faites pas » par : « Dès que ».

« Dès que George aura mangé, nous pourrons parler de votre désir de regarder votre émission de télé préférée. D'ici là, je ne suis pas d'humeur à accorder des faveurs. »

HUMEUR : enragée !

L'oiseau n'est toujours pas nourri, après un nombre infini de rappels. J'ai envie de punir, de me venger et de faire mal. Le plat vide est devenu un symbole du livre sur lequel j'ai trébuché hier, de la bicyclette que j'ai dû retirer de l'entrée du garage la veille ainsi que de tous les jouets, chaussures et pièces de casse-tête que j'ai ramassés et rangés parce que j'étais fatiguée de leur demander de le faire.

LE MESSAGE INTÉRIEUR
Je vais laisser ma fureur sortir, sans créer de dégât.

LE LANGAGE

La phrase : « Quand je »

Quand on est enragé, on est tenté de commencer une phrase par : *Tu es...,* suivi d'un flot d'injures. Ce qui peut me sauver, dans ce cas, c'est une technique simple : commencer ma phrase par : *Quand je...,* suivi de la description de ce que je vois et de ce que je ressens. Je le laisse sortir !

a) « Quand je demande, à plusieurs reprises, qu'on nourrisse un petit oiseau, et qu'on persiste à m'ignorer, je sens monter la révolte en moi ! Maintenant, je me charge moi-même de nourrir l'oiseau, et je suis furieuse d'avoir à remplir *votre* tâche ! »

b) « Quand je vois une créature sans défense souffrir de négligence, je me sens scandalisée ! J'aurais envie de vous gifler tous et de donner l'oiseau à quelqu'un qui saurait en prendre soin. Mieux vaut rester loin de moi pour un bon bout de temps, parce que je ne me sens plus responsable de ce que je pourrais dire ou faire ! »

Voilà où nous en étions rendues dans cet exercice, Hélène et moi. Y a-t-il autre chose au-delà de ça ? À moins d'étrangler l'enfant, nous ne pouvions pas voir d'autres possibilités.

En relisant notre production, nous nous sentions satisfaites de ce que nous avions écrit. Il ne restait qu'une seule question : qu'allait-il se passer dans une vraie situation de colère ? Pourrions-nous, en plein feu de l'action, réussir à dire une phrase honnête qui serait assortie à notre humeur, tout en ne provoquant pas de blessure ? Ça restait à voir.

3. QUAND LES MOTS NE FONT PAS D'EFFET

J'ai demandé la permission d'être la première à prendre la parole. J'ai d'abord décrit les événements et les sentiments qui nous avaient conduites, Hélène et moi, à nous astreindre à la tâche que nous nous étions imposée. Puis, j'ai fait la lecture de ce que nous avions écrit.

Après cette lecture, Ginott a fait un signe de tête affirmatif. « Joanne, si l'un de vos objectifs est la maîtrise de vous-mêmes, il me semble que vous prenez la bonne direction. Plus on dispose de façons différentes d'exprimer sa colère, plus on a de chances de conserver sa maîtrise. C'est quand on essaie de refouler ses sentiments de colère qu'on court le risque d'exploser.

« Mais vous avez accompli beaucoup plus que cela. Vous pourriez pratiquement dire que vous avez effectué un travail d'alchimiste. Vous avez pris la matière vile et blessante de la colère, que vous avez transformée en langage d'or pur, capable au mieux d'apporter de l'aide et, au pire, de ne pas entraîner de dégâts. Que de richesse et de variété j'entends dans l'expression de votre colère ! Vous avez démontré que les parents n'ont pas à restreindre leurs choix aux injures et à la fessée. »

« Je ne voudrais pas être mesquine, a dit Catherine, mais j'ai l'impression que, si une telle situation s'était maintenue longtemps dans ma maison, si j'en étais arrivée à un stade ultime de rage, si je m'étais mise à hurler mon goût de briser la cage et de donner l'oiseau, et si les enfants m'avaient toujours ignorée, je me serais sentie une imbécile. »

« Et non sans raison, a enchaîné Ginott. Il y a des situations qu'on ne doit pas laisser se perpétuer. C'est mauvais pour les parents et mauvais pour l'enfant. »

Éveline a ajouté : « Je n'y avais jamais pensé de cette manière. Mais si c'est le cas, que peut-on faire quand les mots n'ont pas d'effet ? J'ai parfois crié après mes garçons jusqu'à en avoir la gorge enrouée, tout en utilisant le bon vocabulaire. J'exprime ce que je ressens, je décris le problème et j'essaie de comprendre leurs sentiments, mais la moitié du temps, ils ne prennent même pas la peine de lever les yeux. C'est comme si je parlais aux murs. Je ne sais plus... J'ai parfois l'impression de n'être même pas aux commandes, à propos de mes propres enfants. Comme si c'était plutôt eux qui avaient l'affaire bien en main. »

« Et ils vont prendre les commandes, a répondu Ginott, sauf s'ils sentent que vous parlez sérieusement. Vous savez que vous êtes plus grande qu'eux. Vous n'avez pas besoin d'endurer un comportement inacceptable. Ce serait une bonne chose pour vos enfants de savoir que, derrière vos mots, vous êtes prête à passer à l'action. »

Éveline semblait déconcertée. « Mais, a-t-elle protesté, je croyais que vous étiez opposé à la punition. »

« C'est exact, Éveline, je le suis, a-t-il répondu. Dans une relation aimante, il n'y a pas de place pour la punition. Pourriez-vous imaginer que votre mari vous punisse parce que vous n'avez pas préparé le souper à temps ? Mais je n'ai pas dit *punition*, j'ai dit *action*. À moins que l'enfant sache que nous sommes prêts à prendre des mesures pour protéger nos valeurs et appliquer nos règlements, nos paroles n'ont aucun sens. Si je dis à un enfant : " Les jeux de balle dans la maison me dérangent. Tu peux jouer à la balle dehors ou encore, la ranger. Tu as le choix ", je ferais mieux d'être prêt à mettre moi-même la balle de côté s'il continuait. En retirant la balle, je pourrais dire : " Jérôme, je vois que tu as fait ton choix. "

« Est-ce clair ? Voyez-vous que mon intention était de mettre fin à son comportement inacceptable tout en préservant sa dignité ? Remarquez que je ne recherchais pas de vengeance ; je ne m'attaquais pas à son caractère ; je n'essayais même pas de lui faire la leçon. Et pourtant, en lui enlevant la balle, j'ai démontré de façon spectaculaire que je me prenais au sérieux et qu'on ne doit pas ignorer mes sentiments. »

Éveline semblait perdue. « Mais comment faire le lien avec le problème de Joanne ? Supposons qu'elle devienne vraiment en colère à propos de l'oiseau. Supposons qu'elle ait vraiment mis à l'essai toutes les possibilités qu'elle avait mises par écrit, mais sans résultat. Quelle mesure pourrait-elle prendre ? La seule chose qu'il lui reste à faire, c'est de donner l'oiseau, mais ce serait trop cruel. »

« Cruel pour qui ? a demandé Ginott. La cruauté que je vois ici s'exerce envers les parents, qui se laissent tourmenter chaque jour par le même problème. Encore ici, l'élément important, c'est notre attitude. On ne dit pas : " C'est bien fait pour toi, tu l'as bien cherché. Peut-être finiras-tu par apprendre ! " Non. Même en prenant cette mesure draconienne, qui consiste à enlever à l'enfant son animal de compagnie, on peut encore communiquer nos sentiments et nos valeurs. " Les enfants, je me sens trop bouleversée de voir une créature souffrir dans ma maison. Je me trouve obligée de choisir : soit garder notre animal de compagnie et être une mère en colère ; soit donner notre animal de compagnie et être une mère agréable. Vous savez ce que je vais choisir. " »

Éveline a répliqué en donnant des signes évidents de détresse : « Supposons qu'ils se mettent à pleurer et qu'ils en font toute une histoire… »

Ginott a continué. « Ai-je déjà laissé croire que les enfants acceptent facilement qu'on passe à l'action ? Tout enfant ayant un peu de caractère va protester et se plaindre. Et quand il le fait, je peux dire : " Tu souhaiterais garder le canari. Il a apporté beaucoup de joie dans notre maison, mais il lui faut un endroit où il peut recevoir les soins dont il a besoin. " »

Éveline se tourmentait toujours. « Mais supposons qu'ils réclament une autre chance… »

« Une autre chance ! a lancé Catherine. Ils ont déjà eu des milliers de chances ! »

« Les enfants devraient avoir des milliers de chances, a coupé Ginott. Et vous savez, a-t-il ajouté en souriant, quand ils les auront toutes utilisées, ils devraient en avoir encore une de plus. On peut dire gentiment aux enfants : " Pas maintenant. Ce n'est pas le moment de parler d'un autre canari. Dans un mois, ou dans six semaines, ramenez le sujet sur le tapis et on verra, à ce moment-là, comment chacun se sent à ce propos. " »

Éveline a réfléchi un instant. « Intellectuellement, je peux accepter tout ce que vous dites. Mais quand j'essaie de m'imaginer en train de le faire, je me rends compte que j'en serais incapable. Je vois d'ici toute la scène : mes enfants hystériques, le cœur brisé, et moi, la méchante, la responsable de leur malheur. Je ne pourrais pas le tolérer. »

Ginott a insisté : « Éveline, *les parents ne sont pas responsables du bonheur de leur enfant, mais plutôt de son caractère.* En mettant l'accent uniquement sur le bonheur de l'enfant, on ne lui rend aucun service. Quel genre de valeurs transmet-on aux enfants si on tolère la cruauté envers les animaux ? Savez-vous que *non* peut être une réponse aimante ? Savez-vous qu'en passant à l'action pour arrêter le comportement inacceptable d'un enfant, on lui rend service ? De plus, on lui montre aussi comment devenir le genre d'adulte qui est capable d'avoir le courage de ses opinions. »

J'ai lancé un regard autour de la pièce. Pendant qu'Éveline était à l'agonie, tout le monde écrivait à toute allure. Impossible d'écrire assez rapidement.

Je n'avais pris aucune note. Ma tête bourdonnait d'idées nouvelles et de souvenirs du passé. Il y a bien longtemps, avant d'avoir des enfants, j'avais été glacée d'horreur devant une mère et son fils, au magasin. D'une voix rageuse, les dents serrées, la mère disait :

« Tu vas prendre ce manteau, que tu l'aimes ou pas !
-    Blême, le garçon avait rétorqué sur un ton de défi : Je ne le prendrai pas. Tu ne peux pas m'y obliger.
-    Oh ! oui, je peux !
-    Je ne le porterai pas ! »

La femme avait les veines du cou sorties, les yeux réduits à une toute petite fente. « Tu veux juste une autre punition, n'est-ce pas ? Tu n'en as pas eu assez, n'est-ce pas ? D'accord, je vais t'enlever ta bicyclette. C'est bien ce que tu

216

veux ? Je suppose que ce n'était pas encore assez de couper ton allocation et tes émissions de télé ! »

Ce moment reste gravé dans ma mémoire. Le visage durci par la haine, les yeux lançant des éclairs, le garçon a répliqué : « Tu me le paieras ! » Prise dans la toile de ses propres mots, la mère bafouillait de rage. Elle devait maintenant mettre chacune de ses menaces à exécution, à moins de passer pour une menteuse.

Je m'étais juré, juste à ce moment-là, que lorsque j'aurais des enfants, il n'y aurait aucune place pour la punition, dans nos relations. Je ne me laisserais jamais entraîner dans cet horrible tourbillon de crime et de châtiment, quelle que soit la force de ma démangeaison d'être quitte. C'est peut-être pourquoi je n'avais pas été capable de donner l'oiseau ! Même sur papier. Ça aurait eu l'air d'une punition à mes yeux.

Mais Ginott nous parlait maintenant d'une méthode qui permettait aux parents de passer à l'action avec force, tout en continuant d'être du côté de leur enfant. On peut agir, non pas dans un esprit de vengeance, ni pour remettre aux enfants la monnaie de leur pièce, mais pour faire cesser un comportement qui est allé trop loin. On peut à la fois agir avec énergie et avoir de la sollicitude pour l'enfant.

Je venais de découvrir une chose très importante, mais je ne savais pas si je serais capable de la mettre en application. J'ai écrit dans mon carnet de notes : NON À LA PUNITION ! OUI À L'ACTION !

4. L'ACTION ET LES LIMITES DE L'ACTION

J'étais aux aguets. J'attendais l'occasion de mettre *l'action* à l'épreuve. Les enfants ne coopéraient pas du tout. Pendant les quelques jours suivants, ils se montraient anormalement gentils, même les uns envers les autres. Mais ils ne pouvaient pas se retenir indéfiniment, et un après-midi, l'occasion a frappé à la porte ; en fait, elle a martelé la porte.

David rendait la vie difficile à Julie et à André, en les agaçant jusqu'à les faire pleurer. À plusieurs reprises, j'ai fait appel à son bon caractère ; après des échecs répétés, je suis passée à l'action. Il me semblait aussi que c'était justement le genre d'action appropriée. Une sorte d'action plutôt ferme et contraignante, non punitive.

J'étais tellement contente de ma conduite que j'avais hâte de raconter au groupe, dans les moindres détails, ce qui en était ressorti. Mais au début de la rencontre suivante, presque tout le monde avait la main levée.

Hélène a suggéré que nous prenions des numéros, mais Éveline s'est levée de sa chaise pour demander la permission d'être la première à prendre la parole. Éveline, dont chacun des gestes était tissé d'hésitation ; Éveline, qui s'était une fois tristement décrite comme une chiffe molle ; Éveline, dont la plus grande peur était d'être trop rude ! Elle a tout de suite pris la parole. « Je l'ai fait. Je suis passée à l'action. Je suis une tigresse ! » Nous avons toutes pouffé de rire !

« Racontez » a suggéré Ginott.

« Ça s'est passé le lendemain de notre dernière rencontre. J'étais dans un magasin de chaussures avec les jumeaux et le magasin était bondé. Tout à coup, les deux garçons se sont mis à se disputer à propos de la règle à mesurer les pointures. J'ai fait cesser ce jeu. Puis ils ont commencé à se pourchasser entre les sièges d'essayage. Normalement, j'aurais murmuré : " Vous me faites honte " et j'aurais prié le vendeur de venir nous servir promptement. Cette fois-ci, non. Je les ai attrapés chacun par un bras, en disant avec fermeté : " On ne dérange pas les gens dans ce magasin ! Les garçons, vous avez maintenant le choix. Vous pouvez rester assis calmement ou on peut s'en aller. Choisissez. " Ils se sont calmés environ trente secondes, puis ils ont recommencé. Je n'ai ressenti en moi aucune hésitation. Je me suis levée et j'ai mis mon manteau en disant : " Je vois que vous avez choisi. On s'en va. "

« Et je suis sortie du magasin. Ils sont accourus derrière moi en criant et en me tirant vers l'arrière. " Mais tu avais dit que tu nous achèterais de nouvelles chaussures. "

« C'est vrai, ai-je répondu, et je vais le faire, quand vous serez prêts à attendre calmement. " On va attendre calmement maintenant " ont-ils répliqué en chœur.

« C'est alors que j'ai emprunté votre phrase, Docteur Ginott : " Je ne me sens pas accueillante en ce moment. " Puis, j'ai démarré. Que pensez-vous de ça ? »

« La question importante, a répondu Ginott, c'est ce que *vous,* vous en pensez. »

« J'ai adoré ça, a enchaîné Éveline. Je me suis sentie tellement forte, tellement... tellement maîtresse de la situation que même leurs pleurs ne m'atteignaient pas. Ça ne me faisait même rien d'avoir à me rendre de nouveau au magasin de chaussures durant la fin de semaine. »

Avant tout autre commentaire sur la métamorphose d'Éveline, Hélène a annoncé : « C'est une autre mère libérée qui va maintenant rendre son témoignage. Éveline, j'étais avec toi en esprit cette semaine. En fait, j'ai mis mon expérience par écrit. » Et elle a commencé la lecture de ses notes.

« Vendredi matin, 3 novembre. J'ouvre les yeux en me demandant nerveusement : Marc va-t-il réussir à attraper l'autobus scolaire ce matin ou serai-je encore obligée d'aller le reconduire à l'école en auto ? Même si je me réveille chaque matin avec la même question dans la tête, je connais déjà la réponse. Les chances sont que, dans une heure, je serai assise au volant de l'auto, un manteau passé sur ma chemise de nuit, la tête couverte de bigoudis, terrorisée à la pensée de manquer d'essence ou de me faire arrêter par un policier.

« Au début du semestre, je m'étais demandé si c'était la pensée de se rendre à l'école qui amenait Marc à flâner autant, mais quand nous en avions discuté, tout semblait bien aller. Il aimait ses professeurs et ses cours, et il avait beaucoup d'amis.

« Après l'avoir écouté, j'avais parlé de mes sentiments. Je lui avais dit à quel point je détestais jouer le rôle combiné de réveil et de chauffeur, et que je souhaitais le voir trouver une façon à lui d'être à temps pour prendre l'autobus.

« Pendant quelques jours, il avait fait un effort. Mais petit à petit, je me suis de nouveau retrouvée dans l'ancienne routine.

« Marc, il est 8 h 15. Tu pars à 8 h 30.

- Marc, il est 8 h 20 et tu es encore nu-pieds.
- Marc, veux-tu que je remplisse ton cartable ? Il te reste seulement cinq minutes.
- Marc, je vais grimper au plafond ! Il est 8 h 29 et tu es encore en train de jouer avec tes cartes de base-ball !
- Marc, je suis furieuse ! L'autobus vient de passer. Saute dans l'auto. »

Hélène a déposé sa feuille un instant. « Lors de notre dernière séance, vous avez dit qu'on ne devrait pas permettre à certaines situations de se prolonger parce qu'elles sont néfastes pour les parents et pour l'enfant. Quand j'ai entendu ça, je me suis dit : je vis une situation de ce genre-là. Non seulement je me rends folle tous les matins, mais Marc est privé des conséquences naturelles de ses retards. Sa ponctualité est devenue *mon* problème au lieu du *sien*.

« Mais je ne voyais toujours pas comment Marc pourrait se rendre à l'école si je ne l'y conduisais pas. Ce n'est pas nécessaire d'être une mère surprotectrice pour se rendre compte que deux kilomètres, c'est un long trajet pour un petit garçon. De plus, il y a des intersections dangereuses. J'ai discuté du problème avec mon mari. À la blague, il a dit : " Tu devrais peut-être l'envoyer en taxi la prochaine fois qu'il te mettra dans cette situation absurde. Et lui faire payer la course avec son allocation. " Jacques le disait peut-être à la blague, mais l'idée me plaisait. »

Hélène a repris sa feuille et elle a poursuivi sa lecture. « Le soir même, j'ai dit à Marc que ça me rendait tendue et irritée d'avoir à le conduire à l'école et que désormais je ne le ferais plus. S'il manquait encore une fois l'autobus, on pourrait faire venir un taxi, qu'il devrait lui-même payer, dès la première fois. Il écoutait, mais je crois qu'il ne m'a pas prise au sérieux parce qu'il a tout simplement dit, en quittant la pièce : " Ouais ! ouais ! ouais ! "

« Le lendemain matin, au réveil, je sentais qu'un poids avait glissé de mes épaules. J'ai vu défiler 8 h 15, puis 8 h 20, ensuite 8 h 29, sans même être tentée de dire à Marc que son temps s'écoulait. Vers 8 h 35, il a finalement levé la tête de son album de bandes dessinées et noté l'heure en disant : " Aïe ! Maman, j'ai manqué l'autobus. Il va falloir que tu me reconduises à l'école. "

« J'ai répondu : " Marc, je t'ai dit hier que, désormais, si tu manquais l'autobus, on ferait venir un taxi. " Je me suis rendue au téléphone ; il me tirait par la manche pendant que je composais le numéro. " Mais je ne veux pas y aller tout seul en taxi ! "

« J'ai répondu : " Hum ! je peux comprendre ça. " Il a continué à se plaindre jusqu'à l'arrivée du taxi, mais il est parti. Depuis ce jour-là, il n'a pas été en retard une seule fois ! En fait, un matin, il m'a même demandé de me presser en disant : " Tu n'as pas encore fait mon lunch, maman ? Je ne veux pas avoir à prendre encore ce fichu taxi. " »

Hélène a levé les yeux de sa feuille, un peu moins sûre d'elle-même, tout à coup. « Croyez-vous que mon action a été trop draconienne ? Même si le résultat s'est avéré *positif* ? Ma sœur pense que j'ai été méchante. »

Ginott a répondu : « En vous écoutant, Hélène, j'étais en train de me dire : " Voilà une mère qui s'est rendu compte du danger de devenir un paillasson et qui a trouvé la force de faire volte-face. Elle a trouvé une solution créatrice pour se protéger elle-même, tout en protégeant son enfant. " »

Je réfléchissais. C'est ça, n'est-ce pas ? À moins de passer à l'action, tous les discours du monde ne sont que du verbiage. On *devient* réellement un paillasson, utile à l'occasion, mais personne ne prend le temps d'écouter un paillasson. J'ai poursuivi à voix haute : « J'ai fait, moi aussi, l'expérience d'une situation qui ne menait nulle part avec des mots, où j'ai finalement été forcée de passer à l'action. Et c'est devant un public que j'ai dû faire ma performance : devant ma voisine.

« J'étais à l'entrée du jardin, en train de plaisanter avec elle, quand André a surgi, à bout de souffle : " David ne veut pas me laisser monter sur la balançoire. Il dit que c'est pour lui que papa l'a achetée. " Ma voisine me dévisageait avec intérêt. Très calmement, j'ai répondu : " Dis à David que, dans notre famille, tous les membres peuvent partager la balançoire. C'est maman qui l'a dit. "

« Je me suis retournée vers ma voisine. Elle continuait avec force détails ennuyeux à me parler de son fils qui venait d'être accepté dans une université de renom. Puis, Julie est arrivée en larmes : " David m'a poussée ! " a-t-elle dit en sanglotant. Ma voisine me regardait avec une vive attention. Je la déteste, ai-je pensé. Ses enfants vont dans de grandes universités et les miens ne peuvent même pas partager une balançoire.

« J'ai mis mon bras autour des épaules de Julie en disant : " Tu n'as pas aimé te faire pousser, n'est-ce pas ? Dis à David que le règlement, c'est : on ne pousse pas ! S'il est fâché, il peut s'exprimer avec des mots. " Julie a arrêté un instant de pleurer. Elle a réfléchi à mon commentaire, puis est repartie. Elle avait à peine disparu qu'André était de retour. Cette fois, c'est *lui* qui pleurait. " David m'a poussé " a-t-il gémi.

« J'étais révoltée. Au diable la voisine ! Je me fichais de ce qu'elle pouvait penser. Tous les mauvais traitements que j'avais pu subir, comme benjamine persécutée dans ma famille, étaient en train de remonter à la surface. J'avais le goût de me rendre là-bas et de battre le bourreau jusqu'à ce qu'il demande grâce. VENGEANCE ! ! !

« Bien sûr, j'en avais vraiment le goût. Mais quel était au juste ce nouveau truc que je voulais mettre à l'essai ? Quelque chose comme : *passer à l'action pour arrêter un comportement odieux, sans le faire par vengeance* ?

Comment y arriver, dans ce cas-ci ? Comment même être capable de réfléchir, devant cette femme qui me fixait intensément ?

« Je me suis excusée, je me suis rendue à la balançoire, puis j'ai dit : " David, viens ! " Ma main sur son épaule, je l'ai guidé vers la maison.

« Je ne l'ai pas frappé *si* fort que ça, maman.

\- Entre !

\- Mais ce n'est pas juste !

\- Qui parle d'être juste ? Je parle de mes sentiments. Je sens profondément qu'il faut te garder à l'écart de ton frère et de ta sœur, jusqu'à ce que tu puisses trouver de meilleures façons de jouer avec eux. »

« Ça alors ! s'est exclamée Éveline d'un ton approbateur. Tu n'as pas insulté David une seule fois et tu es quand même restée sur ta position. C'est peut-être ce que nous recherchons toutes. Ça semble fonctionner à tout coup, et pour chacune d'entre nous. »

« Pas si vite, a protesté Ginott. Tout en étant à l'aise face à l'action de Joanne, je conserve toujours un doute quand on considère une habileté particulière comme une panacée. Les relations humaines sont rarement simples. Dites-moi, est-ce que chacune d'entre vous a vécu une expérience aussi positive ? Qu'est-il arrivé à toutes les autres mains qui s'étaient levées tout à l'heure ? Ne vous laissez pas intimider par les histoires à succès. Nous sommes également prêts à accueillir vos doutes. »

« Je déteste être celle qui inflige aux autres une douche froide, a risqué Roselyne. Je crois toutefois qu'on doit admettre qu'il y a des situations où on a les mains liées, où il n'est tout simplement pas possible de passer à l'action et où les enfants finissent par s'en tirer à trop bon compte. »

Quelques femmes ont réclamé un exemple.

« Eh bien, samedi dernier, la famille s'apprêtait à rendre visite à ma mère. Je pressais tout le monde parce que ma mère est très contrariée quand nous arrivons en retard pour le repas. Elle prépare toujours ses repas à la minute près. Juste

223

au moment de partir, mon fils de six ans a décidé d'enlever ses chaussures. Et aucune incitation à se dépêcher ne pouvait le convaincre de les remettre. Il voulait que maman le fasse pour lui. Je n'avais pas tout à fait fini de me préparer moi-même ; les autres enfants lui ont donc offert de l'aide, mais il les frappait du pied. Et pendant tout ce temps, mon mari attendait dans la voiture en klaxonnant.

« Oh ! Oui, j'avais le goût de passer à l'action ! Je voulais laisser mon petit à la maison. Mais où trouver une gardienne à quatorze heures, un dimanche après-midi ? Je me suis donc retrouvée à quatre pattes, en train d'attacher les chaussures d'un garçon qui les attache lui-même chaque jour pour aller à l'école. »

« Vous marquez un point, Roselyne, a admis Ginott. Quand on a affaire à des enfants, on se retrouve souvent dans des situations où les options sont limitées. Cependant, si on retourne aux principes de base, on constate habituellement qu'on est sur du terrain solide. Et l'un des principes de base, c'est d'être authentique avec un enfant. Tout en lui offrant nos services, on peut lui montrer du mécontentement véritable, en disant, par exemple : " Fiston, je n'aime pas être obligée de te mettre tes chaussures, mais je le fais quand même. Et maintenant, je ne suis pas contente. " »

« Mais, n'est-ce pas céder une fois de plus ? Le laisser gagner encore une fois ? » a demandé Roselyne.

Ginott a répondu : « Un enfant se rend vite compte qu'une victoire gagnée au prix de la bonne volonté d'un de ses parents est une fausse victoire. La désapprobation de maman a beaucoup de poids pour un enfant. Ça enlève la saveur de toute chose. Sa grand-mère pourrait bien lui faire son gâteau préféré, mais il ne le trouverait pas aussi savoureux. »

Après un long silence pensif, c'est Éveline qui a pris la parole. « Peut-être bien, a-t-elle dit, mais si j'étais aux prises avec une situation semblable et que je formulais mon soi-disant mécontentement à l'un de mes fils, la première chose qui sortirait de sa bouche serait : Tu ne m'aimes pas ! »

Ginott a froncé les sourcils devant un enfant imaginaire. Puis, il a décrété sévèrement : « Ce n'est pas le moment de parler d'amour ! C'est *maintenant* le temps de mettre des chaussures. C'est maintenant le temps de s'assurer qu'on ne fasse pas attendre grand-maman ! Plus tard, dans l'auto, on pourra parler d'amour. »

« Je comprends, a acquiescé Éveline. Ne pas le laisser me distraire ou me faire sentir coupable. M'en tenir à l'idée de faire ce qui doit être fait. »

Louise a pris la parole. « Si on parle des façons d'agir dans des situations critiques, laissez-moi vous dire que je crois fermement au travail en équipe. Il y a une limite à ce que je peux faire toute seule ; pour le reste, j'ai besoin d'un coup de main. Hier soir, par exemple, Jonathan martelait sa batterie pendant que j'essayais de préparer le souper. Je lui ai demandé d'attendre après le souper pour jouer du tambour, parce que le bruit me dérangeait. Il a répliqué sans s'arrêter : " Oh ! toi, tout te dérange. Tu vieillis. Achète-toi des tampons pour te boucher les oreilles. "

« Je voulais le tuer ! Je me suis demandé : Quelle mesure prendre ? Lui enlever sa batterie ? C'est excessif. Le déplacer, lui ? Il est trop lourd. Je ne savais pas quoi faire. À ce moment, Dieu soit loué, mon mari a bondi de la pièce en furie. Puis, il a attrapé les bâtons en hurlant : " J'ai entendu et je n'ai pas aimé ! Ta mère a dit : après le souper ! " »

Ginott a approuvé de la tête. « Ça fait partie du travail d'un père d'intervenir quand un enfant manque d'égards envers sa mère. C'est une autre façon de dire à l'enfant qu'on n'est pas indifférent, qu'on ne tolère pas une attaque contre les personnes qu'on aime, que ce soit physiquement ou verbalement. »

Un autre silence. Puis Marie, une nouvelle venue dans le groupe, a levé la main. « Je dois faire quelque chose de travers, a-t-elle déclaré. Je suis passée à l'action cette semaine, mais ça n'a pas semblé donner de résultat. Joël vient d'avoir ses quatre ans. Ses grands-parents lui ont acheté une magnifique voiture de pompier pour son anniversaire. Il l'aime tellement que je le crois capable de dormir dedans si je le laisse faire. Le seul problème, c'est que sa chambre est en train de tomber en ruines, petit à petit. Des éraflures, ça ne me dérange pas, mais j'atteins mes limites quand il est question de trous dans le mur. Son plus grand plaisir, c'est d'actionner la sirène et de foncer dans le mur en criant : " Au feu ! "

« D'habitude, je lui aurais dit qu'il est un méchant garçon et je l'aurais puni en lui enlevant sa voiture de pompier. Mais cette fois, j'ai décidé de mettre à l'essai certaines des méthodes que j'ai apprises ici. Je lui ai donc dit : " Joël, je n'aime pas les trous dans le mur. Tu as un choix important à faire. Tu peux conduire ta voiture de pompiers en restant loin des murs, ou bien tu peux perdre le privilège de conduire ta voiture dans la maison. Penses-y un moment et dis-moi ce que tu as décidé de faire. "

« Joël a tout de suite répondu : " Je le sais. Je veux conduire ma voiture. Je vais faire attention. "

« Et il a fait attention, pendant à peu près une heure. Je pensais : C'est vraiment efficace ! Puis, j'ai senti les murs trembler de nouveau. J'étais tellement en colère que je me suis dit : Cet enfant va apprendre une fois pour toutes ! C'est le temps de passer à l'action. Je me suis rendue dans sa chambre et je l'ai tiré de son siège, même s'il donnait des coups de pieds en s'égosillant. Ensuite, j'ai fait rouler l'engin jusque dans ma chambre et j'ai fermé la porte à clé. Après s'être calmé, il m'a dit, un peu plus tard, sur un ton accusateur : " Tu m'as enlevé ma voiture. Elle n'est pas à toi. Elle est à moi. "

« Très calmement, j'ai répondu : " Je n'aime pas les trous dans les murs. " Bon, il n'y avait rien de punitif dans ma façon d'agir avec lui. Selon moi, j'ai seulement pris une mesure pour l'arrêter. Pourtant, le soir venu, quand je lui ai remis sa voiture, il a recommencé. Je ne sais plus quoi faire maintenant. »

Ginott a soupiré. « Marie, si on connaissait le genre d'action qui aide un enfant à apprendre *une fois pour toutes*, on pourrait en faire la liste, la publier et la faire parvenir à tous les parents du monde. Mais on n'en sait rien. Quand un des parents se dit : Je vais faire cesser ce comportement inacceptable une fois pour toutes, il est perdant dès le départ. Les enfants n'apprennent pas *une fois pour toutes*. Ils apprennent *maintenant*. Puis encore *maintenant*. Toujours *maintenant*.

« Mais n'allez pas croire que votre action n'a rien donné. Elle a été utile. On peut également essayer d'autres méthodes. On pourrait peut-être utiliser l'imaginaire pour lui procurer ce qu'on ne peut pas lui donner dans la réalité. Vous pourriez dire : " Joël, je gage que tu aimerais vivre dans une maison aux murs capitonnés, afin de pouvoir entrer dedans avec ta voiture de pompier chaque fois que tu en as envie. "

« Et si ça ne donne pas de résultat, dit Ginott en souriant, peut-être qu'une pancarte VITESSE RÉDUITE. MUR DROIT DEVANT pourrait le toucher. Ainsi, il saura cinq mots de plus que les autres enfants quand. il ira à la maternelle. Mais encore mieux, vous pouvez présenter le problème à Joël en lui demandant de vous faire part de *ses* propres idées. Et si aucune de ces suggestions ne fonctionne, il serait peut-être préférable de limiter au trottoir l'usage du camion de pompier.

« Là où je veux en venir, c'est que l'action n'est pas la solution *finale*. C'est seulement une mesure temporaire, un des nombreux outils de notre atelier. Valable, certes, mais qu'il faut utiliser avec discernement. Un charpentier ne cogne pas sur une punaise avec un marteau de forgeron quand une simple pression du doigt peut faire l'affaire.

« Remarquez bien, Marie, que l'accent n'est pas placé sur l'obéissance, mais plutôt sur le *processus* qui suscite la coopération de l'enfant. Ça ne prend pas un truc bien compliqué pour tenir Joël loin des murs. Vous pourriez le battre, l'insulter ou le punir, et il ne toucherait plus jamais à vos murs. Mais que se passerait-il dans son for intérieur ? Il se détesterait, il souhaiterait votre mort et, pour couronner le

227

tout, il se sentirait coupable d'avoir un tel désir. Voilà pourquoi ma constante préoccupation, c'est de rechercher des choix humains. »

« Je crois comprendre de quoi vous parlez, a enchaîné Catherine, d'une voix solennelle. En fait, je pourrais même être en train de commencer à le vivre. Il m'est arrivé quelque chose lors de notre dernière rencontre. Tout ce que j'ai entendu, ce jour-là, a soudain pris un sens. Ça s'est mis à résonner dans ma tête. Joanne et Hélène ont parlé de la colère ; vous avez ajouté des commentaires au sujet de la différence entre la punition et le passage à l'action. Après tout ça, je crois que j'ai peut-être opéré un changement permanent dans ma relation avec Diane.

« Je sais que je n'ai pas souvent parlé d'elle. Vous m'avez surtout entendue parler des plus jeunes. Et pour cause. Je sentais que ce que j'apprenais ici ne s'appliquait tout simplement pas à Diane. Elle est tellement provocante, rebelle. Le mot *non* ne revêt aucune signification pour elle. Elle établit ses propres règles. Une simple demande de ma part, aussi raisonnable qu'elle puisse être, est accueillie par une réponse déplaisante.

« Je suppose que c'est dû à l'approche de l'adolescence. Récemment, elle est plus difficile que jamais. Elle me pousse tellement à bout qu'en définitive, je n'ai pas d'autre choix que de la punir. Rien d'autre n'arrive à la toucher. Même la punition ne parvient à l'arrêter que de façon temporaire. Je ne me suis jamais sentie à l'aise avec ça. Punir va à l'encontre de tout ce que vous nous enseignez, mais mon mari est de l'ancienne école et il n'a aucune patience avec moi quand je mets à l'essai certaines des méthodes que j'ai apprises ici. Il dit que je la laisse s'en tirer trop facilement. Mais ce n'est pas vrai. Je l'ai punie beaucoup plus souvent que je n'aurais le goût de me le rappeler. Et c'est seulement parce que je ne vois jamais clairement d'autres options.

« Mais c'est au cours de la dernière séance que j'ai compris toute la signification de votre approche. C'est là que j'ai compris que quelque chose serait différent désormais.

« Le soir même, Diane m'avait préparé un de ses coups montés. Tout l'après-midi, elle avait patiné dans le parc, pour ne rentrer qu'à 19 h, débordante d'excuses. C'était la troisième fois en deux semaines. Heureusement que son père n'était pas à la maison. Il lui aurait sans doute flanqué une volée.

« Oh ! Comme je voulais lui régler son cas ! Lui couper tous ses appels téléphoniques ! Lui défendre de voir toutes ses amies pour un mois ! Puis, l'image du cycle infernal m'est revenue. Diane fait une chose répréhensible. Je la punis. Elle fait quelque chose de pire pour se venger de moi. Je la punis plus sévèrement. Elle me le rend au centuple. Et ça continue, encore et encore !

« J'ai dû faire un effort considérable pour ne pas retomber dans ce cercle vicieux tellement familier. " J'étais morte d'inquiétude ! ai-je crié. Sais-tu ce qui peut arriver à une jeune fille, dans un parc, le soir ? Pendant deux heures, j'ai arpenté cette pièce de long en large. Je m'apprêtais à appeler la police ! "

« Comme elle commençait à présenter des excuses, je l'ai arrêtée. " Si j'entends une seule excuse, à ce moment-ci, ça va seulement nourrir ma colère. Peut-être demain matin. De toute façon, je suis contente de te voir à la maison. Maintenant, bonsoir ! " Puis j'ai quitté la pièce. Ça ne vous semble peut-être pas important, mais c'était un grand changement, pour moi.

« Une demi-heure plus tard, elle est entrée dans ma chambre, l'air dégagé, comme si rien ne s'était passé. Toute joyeuse, elle a dit : " Maman, j'ai besoin d'un nouveau colorant pour les cheveux. La pharmacie est encore ouverte. Veux-tu m'y conduire ? " Un instant, j'ai considéré sa demande. Puis j'ai fait non de la tête.

« Oh ! Maman ! a-t-elle répliqué d'un ton dédaigneux. C'est à cause de ce soir ? C'est ridicule. Personne ne m'a attaquée, n'est-ce pas ? Ton problème, c'est que tu fais une montagne avec des riens.

- Le parc n'est pas un endroit sécuritaire, le soir, ai-je répliqué très calmement. Son expression a changé complètement.
- Alors, tu me punis, n'est-ce pas ? Je suppose qu'en plus, tu ne permettras pas à papa de me conduire au magasin ?
- Ton père fera ce qu'il veut, ai-je répondu. S'il veut t'y conduire, je ne l'en empêcherai pas. Moi, je ne peux pas. Je suis encore trop fâchée.
- (Elle a fait une autre tentative.) Je gage que tu ne permettras pas non plus à une amie de me rendre visite demain, n'est-ce pas ?
- Ça n'a aucun rapport, ai-je ajouté. Et je le pensais vraiment.

« Il y a aussi eu d'autres incidents. À chaque occasion, quelque chose semblait changer. Comme un léger dégel, une trêve dans les hostilités. Puis un jour, il est arrivé la chose la plus étrange. Elle avait emprunté mes lunettes de soleil et les avait perdues. Quand j'ai exprimé mon irritation, elle m'a dit en me défiant : "Bon, tu vas me punir ? Que vas-tu me faire ?" C'était comme si elle me suppliait de revenir à mes anciennes méthodes. Sur le moment, je ne savais pas quoi dire. Mes paroles sortaient lentement. "Diane, il me semble que la chose importante, ce n'est pas que tu sois punie, mais plutôt que tu comprennes comment je me sens. Et c'est aussi très important que je comprenne comment *toi,* tu te sens. Je me sens très ennuyée par la perte de mes lunettes de soleil et je crois que tu aimerais pouvoir me les rendre en ce moment. "

« Elle m'a lancé un regard tellement... Je crois que la meilleure façon de le décrire, c'est *amical.* Je ne sais pas ce qui va arriver à partir de maintenant, mais je sais que je ne voudrai jamais plus retourner à mon ancienne façon d'agir. »

« Catherine, a commenté Ginott, vous avez mon plus profond respect pour vos efforts. J'ai l'impression que vous êtes en train de mettre en pratique plusieurs des principes dont on a parlé ici, et avec une enfant qui n'a pas été facile.

Toute seule, vous avez fait l'expérience de la différence qui existe entre l'impasse de la punition et l'ouverture sans limite que procure une relation reposant sur le respect mutuel des sentiments. »

Il s'est ensuite tourné vers le groupe. « Vous voyez, quand on punit un enfant, on lui enlève une occasion de se regarder en face. Certaines personnes diront : " Mais si on ne le punit pas, on le laisse s'en tirer à trop bon compte. " C'est juste le contraire qui est vrai. Quand on punit un enfant, on lui rend la tâche trop facile. Il sent qu'il a subi les conséquences de son crime et qu'il a purgé sa peine. Maintenant, il est libre de recommencer.

« En fait, qu'est-ce qu'on attend d'un enfant qui a commis une faute ? On veut qu'il regarde à l'intérieur de lui-même, qu'il se sente mal à l'aise, qu'il fasse son cheminement émotionnel et qu'il commence à assumer un peu la responsabilité de sa propre vie. »

Catherine écoutait et acquiesçait de la tête avec empressement. « J'aimerais mentionner autre chose, a-t-elle dit. Je crois qu'on obtient un avantage additionnel quand on cesse de punir. Pour la première fois depuis des années, je découvre que je ne me sens pas aussi coupable envers Diane. Si j'avais pris l'habitude de lui acheter des vêtements supplémentaires ou de la conduire quelque part, alors que je n'en avais pas vraiment le goût, c'était juste pour compenser ma propre dureté à son égard. Maintenant, je me sens beaucoup plus libre de dire *non* et je trouve que je peux même le faire sans lui fournir d'explication. »

Il s'est alors installé un autre long silence. D'une voix à peine audible, Nicole est intervenue : « Je... j'hésite à prendre la parole. Tout le monde fait tellement bien les choses... Ce que j'ai à dire ajoute une note tellement discordante... Je dois avouer que j'ai fait une erreur... Je veux dire que je suis passée à l'action, je l'ai vraiment fait, mais j'ai ensuite faibli, alors que j'aurais dû tenir le coup. » Nous nous sommes toutes retournées avec respect vers

Nicole. Nous savions quel effort il lui fallait faire pour prendre la parole.

Elle a poursuivi : « L'abus de télé m'agaçait tellement que j'avais décidé de limiter Rémi à une heure par jour. Je crois que c'est encore trop, mais Rémi se sent privé. Il s'organise toujours pour glisser quinze ou vingt minutes de plus, et ça me rend furieuse. Je l'ai grondé plusieurs fois à ce propos. Mais quand j'ai découvert, l'autre jour, qu'il avait passé plus de trois heures devant le poste, j'ai décidé que le temps de la discussion était terminé. C'était rendu trop loin. La règle d'*une seule heure de télé par jour* serait désormais appliquée strictement.

« Le lendemain soir, j'étais prête. Je l'ai chronométré à la minute près. Au bout de l'heure, je suis entrée dans la pièce et j'ai éteint le poste.

« Rémi, la télé est terminée pour toi, ce soir.

\- Mais maman…

\- Je répète : la télé, c'est terminé pour ce soir.

\- Mais, maman, il y a une émission spéciale sur les baleines ce soir !

« Oh ! Non ! ai-je pensé. Ça fait exprès ! Il adore regarder les émissions sur les baleines, et moi aussi j'aimerais le faire avec lui. Mais je dois rester ferme. Je regardais son visage levé vers moi et je ne savais plus quoi faire. C'est alors que je me suis entendue dire : " Rémi, je n'ai pas oublié ce qui s'est passé hier. J'ai décidé de te permettre de regarder la télé ce soir ! "

« Et savez-vous ce qu'il a fait ? Il a pris ma main et il l'a baisée. »

« Dites-moi, Nicole, a demandé Ginott, pourquoi croyez-vous que c'est une erreur ? »

« Eh bien, je savais que j'agissais de façon inconsistante. Je suppose que Rémi s'est déjà mis dans la tête que sa mère est une mauviette ; il pense qu'il pourra encore se foutre de moi, la prochaine fois. »

« Avec les enfants, a commenté Ginott, je ne me préoccupe jamais de la prochaine fois. C'est *nous* qui déterminons comment l'enfant pourra s'en sortir la prochaine fois. À mes yeux, Nicole, vous n'avez pas commis une erreur. Vous avez senti que le désir de partager un merveilleux moment avec votre fils était plus important que le besoin d'être consistante. Vous avez fait confiance à votre voix intérieure ; quand on tient compte de cette voix au lieu de rester attaché rigidement au règlement, on ne se trompe pas trop, d'habitude. Rares sont les occasions où on peut montrer son humanité, en disant : " J'y ai réfléchi de nouveau ; j'ai repensé à ma position. Ce soir, on va faire une exception à la règle. " »

En écoutant, il me venait une réflexion. Je suis privilégiée. Je me trouve en compagnie de personnes exceptionnelles. Haim Ginott et son insistance inébranlable sur les façons de rendre les choses plus humaines. Ces femmes déterminées à ne pas retourner en arrière. Ces femmes qui, en plein conflit, refusent obstinément de frapper, de menacer ou d'insulter.

Rien de ce que j'avais entendu aujourd'hui ne me paraissait typique ou même familier. Pas une seule fois ces femmes n'avaient agi par esprit de vengeance : « Tu pleures parce que tu n'as pas tes chaussures ? Eh bien, ça me fait plaisir ! Tu as peut-être enfin appris ta leçon ! »

Jamais elles n'avaient tenté de rendre coup pour coup : « David, tu crois que c'est acceptable de frapper ton frère ? Eh bien, *tu* vas y goûter, toi aussi. »

Jamais elles n'avaient essayé de jouer des jeux : « Joël, ça me fait plus mal à moi qu'à toi de t'enlever ta voiture de pompier. »

Jamais elles n'avaient transformé la faute d'un enfant en trait de caractère : « Ainsi, tu as perdu mes lunettes de soleil ? Ça ne me surprend pas. Tu as toujours été négligente. »

Jamais leurs réponses n'avaient été excessives : « Tu l'auras voulu, Diane. À cause de ton nouveau retard, plus de patinage pendant un mois. »

Jamais leurs réponses n'avaient été hors de propos : « Marc, parce que tu as raté l'autobus, tu vas te passer de ton allocation. »

Au lieu des vieux clichés blessants, j'avais entendu des paroles inoffensives, honnêtes et habiles, un langage qui tenait compte d'un incident à la fois, replacé dans son contexte particulier.

J'avais entendu parler du genre d'action qui met fin au comportement inacceptable tout en offrant à l'enfant la possibilité de se regarder par l'intérieur, de changer, de grandir.

Je ressentais soudain le vif désir de retourner à la maison, auprès de ma famille.

5. ET ON EXPLOSE UNE FOIS DE PLUS

J'avais appris beaucoup de choses et j'éprouvais de la reconnaissance pour toutes ces nouvelles connaissances. Presque chaque jour, j'aurais pu me noyer dans les rapides émotionnels de la vie familiale si je n'avais pas eu mes habiletés pour m'y accrocher.

Prenons une matinée typique. Je me réveille au son familier du rasoir électrique de Thomas, auquel se mêlent les voix des enfants qui bavardent entre eux. Je me trouve drôlement chanceuse : un mari aimant, des beaux enfants.

Encore toute endormie, je mets le pied dans la cuisine sans même broncher au son des flocons de maïs qui craquent sous mes pantoufles. Pourquoi en faire un problème ? D'un ton plaisant, je dis : « Bonjour ! » je tends le balai à David et, à Julie, la pelle à poussière, puis je verse un verre de jus pour Thomas. Même la vue des empreintes digitales à la confiture sur la table ne parvient pas à me mettre en rogne. « Vite, Watson, enlève les indices avant l'arrivée de papa ! » dis-je, tout en tendant une éponge à André. Les plaisanteries se succèdent, rapides et drues, pendant qu'ils nettoient. Quelle mère ! Quels enfants ! Quelle merveilleuse famille nous faisons ! Dommage que personne ne nous voie faire !

Puis, c'est la première étincelle, la première poussée du coude ou la première injure lancée. Tout à coup, les enfants semblent un peu moins adorables. Une seconde plus tard, c'est une lutte à n'en plus finir autour de la dernière banane, puis, la vue horrible de sa pulpe suintant par les plis de la pelure. Pour couronner le tout, c'est le jus de Thomas qui se répand sur la table quand le coude du vainqueur renverse le verre.

Me voilà soudain projetée au milieu d'une autre scène, avec un groupe de personnages totalement différents. En moins de quinze secondes, j'endosse le rôle de la mère assiégée, avec un mari irritable dans les coulisses, prêt à faire son entrée, en maugréant à propos d'un petit déjeuner sans jus. Et les enfants ! Ces enfants dégoûtants ne sont plus qu'une bande de sauvages ! Complètement évanouie, cette atmosphère qui rendait l'instant précédent si vivant et si aimant. Je ne m'en souviens même plus. À sa place, monte le désir primitif d'ATTAQUER ! J'ai spontanément envie d'entrechoquer leurs têtes les unes contre les autres, mais je sais où cette spontanéité va me conduire.

C'est maintenant le moment de vérité. La bonne volonté partie, il ne me reste plus que mes habiletés. J'ai l'embarras du choix : je peux décrire le problème, aider les enfants à trouver leur propre solution, énoncer un règlement, déclarer mes attentes, affirmer mes valeurs, crier mon indignation, écrire une note, donner des choix, passer à l'action, etc. Je suis riche de possibilités.

Et je suis efficace !

C'est presque trop beau pour être vrai.

Un doute s'insère en moi. Si seulement je pouvais me montrer à la hauteur, je ne serais peut-être plus jamais à la merci de cette émotion tyrannique, plus jamais réduite à hurler comme une hystérique et à attaquer comme une folle une fois de plus. J'aurais écrabouillé la colère. Je serais enfin libre !

Avec prudence, je regardais les jours se succéder sans incident grave. Tout ce qui survenait, je pouvais y faire face.

Lors de notre rencontre suivante, les autres femmes aussi ont attesté que leurs nouvelles habiletés avaient réduit de façon spectaculaire les hostilités dans leur foyer. Nous avons la réponse, me suis-je dit triomphalement. Pasteur a découvert le vaccin contre la rage, Salk a éliminé la polio et nous avons trouvé la formule pour enrayer les explosions familiales.

Je me suis permis un moment de rêve. Je me voyais en Suède, montant sur le podium afin de recevoir, au nom du groupe, le premier prix Nobel de la paix pour avoir enrayé la violence dans la famille. Avec le zèle d'une missionnaire, j'annonçais à un auditoire distingué que la formule était difficile, un peu compliquée, mais pas impossible à appliquer. Elle pourrait être apprise et utilisée par des parents partout dans le monde. Sans parler des implications possibles pour la paix mondiale. Acclamations et applaudissements à tout rompre.

La réalité m'a ensuite frappée en plein visage. J'ai vu avec désarroi chacune d'entre nous sortir de son état de grâce, une par une, chacune à un moment différent, chacune pour une raison différente. Par moments, certains événements semblent nous submerger ; certaines situations nous poussent au-delà des limites de nos habiletés, à deux doigts du seuil de notre endurance, au-delà de la frontière de notre santé mentale. Nous aboutissons au genre de comportement qui profane tout ce en quoi nous avons foi et vers lequel nous voulons toutes nous diriger.

Dans l'auto, en route vers la ville, Hélène m'a parlé de son propre supplice. D'un air mécontent, elle a marmonné qu'elle ne savait même pas pourquoi elle se donnait la peine d'aller à ces rencontres puisque, de toute façon, elle était totalement incapable d'appliquer ce qu'elle y apprenait. Puis, avec réticence, elle a parlé de l'événement pénible de sa matinée. Depuis un bon moment déjà, elle était de plus en plus inquiète des heures supplémentaires que faisait son mari, ainsi que de sa constante fatigue. Ce matin, il avait l'air tellement fatigué qu'elle s'était mise à l'inciter à changer d'emploi. Jacques n'avait pas accueilli ses conseils de très bon cœur. En se retournant brusquement, il avait heurté et renversé sa tasse de café. Puis, il avait hurlé : « Bon sang ! Tu es toujours après moi ! Arrête d'essayer de contrôler ma vie ! » Il était ensuite parti en laissant sur la table son petit déjeuner à peine entamé.

Elle était encore chancelante sous le coup de cette explosion soudaine, quand Marc est entré dans la cuisine et qu'il a ouvert le sandwich qu'elle venait de lui faire. « Pouah ! a-t-il lancé, dégoûté. Encore du vieux saucisson puant. Tu ne fais jamais rien de bon. Toutes les autres mères préparent des bonnes choses pour leurs enfants. »

C'est à ce moment que quelque chose s'est soudain déclenché en elle : « Ne me parle pas des autres mères, a-t-elle sifflé. Si tu n'es pas satisfait de moi, trouve-toi une autre mère. Mais je ne suis pas certaine que quelqu'un veuille de toi. Je m'en fous, que tu manges ou pas. Ça pourrait te faire du bien d'avoir un peu faim ! »

Marc avait lancé son sandwich par terre et ouvert la porte d'un coup de pied, puis il s'était enfui vers l'école en pleurant.

Hélène était restée seule dans la cuisine, à fixer le pain et le saucisson sur le plancher, à entendre sa propre voix répéter : « Je ne suis pas certaine que quelqu'un veuille de toi. Je m'en fous, que tu manges ou pas. » Et la voix de Jacques qui hurlait : « Arrête d'essayer de contrôler ma vie ! » Elle avait l'impression d'être une épouse harcelante, une mère pourrie, totalement inadéquate.

Puis, il y a eu Catherine. Elle était pourtant très heureuse, depuis un certain temps, de la façon dont allaient les choses entre Diane et elle, mais elle paraissait être sous le choc quand elle nous a raconté ce qui venait de lui arriver. Au cours des dernières semaines, Diane s'était plainte amèrement de ses *méchants* professeurs d'anglais et de mathématiques parce qu'ils la *détestaient*. Catherine avait écouté avec sympathie pendant un moment, puis elle s'était aventurée à dire que c'était probablement juste son imagination. Pourquoi la détesterait-on ? Cependant, à l'intérieur, elle sentait pointer son vieux signal d'anxiété. Diane recommençait-elle à être difficile ? Était-ce le début d'un nouveau problème ? Peut-être que le travail demandé était réellement trop difficile pour elle.

Puis, des notes d'avertissement étaient venues de l'école. Diane arrivait *non préparée pour ses cours,* elle était *inattentive* et *refusait de s'appliquer.*

Catherine avait promptement téléphoné à l'école afin de rencontrer les deux enseignants. Ils lui avaient assuré que sa fille était brillante et tout à fait capable d'accomplir le travail demandé. Catherine s'était sentie un peu soulagée. À son retour, elle avait dit à Diane qu'elle s'était trompée du tout au tout. En fait, ses enseignants la tenaient en haute estime. Pourrait-elle, maintenant, faire un peu plus d'efforts ?

Un mois plus tard, le bulletin scolaire était arrivé. Non seulement Diane avait-elle raté ses cours d'anglais et de mathématiques, mais on y trouvait aussi une plainte additionnelle : *elle dérange continuellement la classe.*

Catherine était furieuse. « Au diable la nouvelle approche ! s'était-elle dit. Je m'en suis tenue trop longtemps aux mots qu'il fallait dire. Maintenant, elle va le savoir, directement. » Elle avait alors traité Diane de *gamine ingrate* qui se moquait des deux enseignants dévoués qui cherchaient à l'aider. Elle avait ajouté qu'elle avait eu honte d'aller à l'école pour dire de qui elle était la mère. Elle avait terminé en disant qu'elle en avait fini avec elle ; sa fille devrait désormais se débrouiller toute seule. Diane l'avait froidement fixée du regard, puis elle avait quitté la pièce.

Exaspérée, Catherine l'avait suivie en criant derrière elle : « Et ne pense pas que tu peux tout simplement me tourner le dos ! Tu vas regretter que tout ceci soit arrivé. Ne crois pas un instant que je n'en dirai rien à ton père. Et ne t'attends pas non plus à recevoir des amis ici au cours du prochain mois ! »

Sur le moment, Catherine s'était sentie justifiée dans son attaque. Diane se l'était elle-même attirée, n'est-ce pas ? Eh bien, peut-être que cette petite discussion sans artifice allait lui donner un peu de bon sens.

Puis, d'accablants remords avaient surgi. « Qu'ai-je fait là ? J'ai ouvert la bouche trente secondes et j'ai défait des mois d'efforts assidus destinés à rebâtir une relation. »

Quant à moi, j'avais écouté ces deux femmes avec un mélange de compassion et d'intérêt clinique. J'étais triste de leur souffrance, mais c'était facile de voir ce qui l'avait provoquée. Des facteurs précis semblaient avoir contribué au déclenchement de chacune des explosions.

Pour la première, c'était l'anxiété. Un incident ou une série d'incidents surviennent, et la mère se trouve soudain sous l'emprise de la peur. Il est difficile de se montrer habile lorsqu'on a peur à en perdre l'esprit. C'est l'anxiété qui avait fait dévier Catherine de sa trajectoire. C'est la peur de voir sa fille développer une habitude d'échecs scolaires répétés qui avait mené Catherine à laisser tomber ses habiletés. L'éclatement final était devenu presque inévitable. À aucun moment, dans ce parcours, n'avait-elle reconnu les sentiments de Diane. Puis, elle avait compliqué le problème en suggérant à Diane de travailler plus fort, une pauvre marque de confiance, si toutefois confiance il y avait. Avec ce genre d'approche, les chances de changement étaient minimes.

Le second facteur susceptible d'entraîner une explosion n'a souvent aucun lien avec l'enfant, sauf de façon mineure. Une pression extérieure peut déclencher une réaction disproportionnée. C'est la prise de bec entre Jacques et Hélène qui avait amené cette dernière à s'en prendre à son fils. Dans des circonstances ordinaires, elle aurait pu facilement faire face à la plainte de Marc. Je peux très bien m'imaginer l'entendre dire : « Hé ! Je n'aime pas qu'on me compare aux autres mères. Si tu as une plainte à faire au sujet des sandwichs, alors continue à parler des sandwichs ! »

Pour une raison ou pour une autre, je me sentais étrangement invincible. Même soumise à des tensions comme celles-là, une anxiété ou une pression extérieure, il me semblait que j'aurais su quoi faire. Mais je n'avais pas tenu compte d'une troisième catégorie de difficulté. Il s'agit de cet affolement qui nous envahit lorsqu'un problème persiste, qu'il s'incruste et n'est jamais résolu. Pour Louise, c'était : « Il a *encore* perdu son appareil dentaire. » Pour Marie : « Il a *encore* couru dans la rue. » Dans mon cas : « Il a *encore* fait mal à son frère. »

En voyant David lancer une paire de ciseaux en direction d'André et manquer son œil de justesse, je me suis affolée sur le coup. Je me suis jetée sur David et j'ai frappé là où ma main pouvait l'atteindre. Je l'ai ensuite projeté sur le lit en hurlant : « Qu'est-ce que tu essaies de faire ? Tuer ton frère ? Lui crever un œil ? Personne n'est en sécurité quand tu es aux alentours. Tu es un monstre ! » J'ai soudain senti une vive douleur au pouce : il était bleu et enflé. En frappant David, j'avais dû me briser un vaisseau sanguin.

En sortant de la chambre, je suis restée glacée d'horreur. Qu'est-ce qui m'avait pris ? Comment avais-je pu agir de la sorte ? Je suis inhumaine ! David va peut-être me pardonner, mais comment me pardonner à moi-même ? Quelle hypocrite je fais ! Je suis prête à changer le monde, mais je suis incapable de me changer moi-même. »

Nous en étions donc rendues là, toutes et chacune d'entre nous, de retour dans ce vieux gouffre : l'attaque, le remords et la culpabilité. Complètement désespérée, je me suis dit : Tout ça pour rien. Juste un énorme gaspillage. Un gaspillage de temps et d'énergie. J'avais couru sans arrêt, en me faisant croire que je progressais. Tout ça pour finalement découvrir que j'avais tourné en rond, que j'étais de retour au point de départ, avec les singes et les rats fous de rage.

Et après tous mes efforts pour m'en éloigner ! Écrire des rapports sur les animaux de compagnie négligés ; surveiller les mots qui sortent de ma bouche ; analyser mes sentiments ; passer mes actions à la loupe ; étudier les réactions de tout le monde. Toute cette affaire me donnait la chair de poule.

Mais, plus grave encore que toutes ces pensées, il y avait surtout ma peur. J'avais peur d'avoir causé un mal irréparable à l'estime de soi de mon enfant ; j'avais peur que David ne puisse plus jamais me faire confiance ; malgré mon très fort désir de retrouver notre relation intacte, j'avais peur de ne pas savoir comment faire.

Une partie de moi voulait se précipiter dans la chambre de David pour implorer son pardon ; une autre partie voulait faire claironner dans sa tête que c'est dangereux de lancer des objets pointus. Je savais que chacune de ces deux options ne ferait qu'empirer les choses. Alors je ne suis pas passée à l'action. Je suis plutôt partie faire une longue promenade jusqu'à la boîte aux lettres. Mais je n'avais même pas de lettre à mettre à la poste.

6. LE CHEMIN DU RETOUR

Tout au long de ma promenade il se tenait en moi un dialogue intérieur.

« Pourquoi est-ce arrivé ?
- Parce que deux frères se sont disputés.
- Mais pourquoi David est-il toujours l'agresseur ?
- Il est jaloux. Il semblait éprouver beaucoup de ressentiment hier, quand il est entré dans la chambre et m'a trouvée en train d'enlacer André. Serait-ce pour ça qu'il s'en est pris à lui avec des ciseaux ?
- C'est peut-être plus simple que ça. André l'a peut-être provoqué. André peut être agaçant à l'occasion.
- Mais David devrait être capable de faire face à cette situation.
- Pourquoi ?
- Parce qu'il est plus grand et plus âgé.
- Bon ! te voilà encore en train de t'identifier au bébé de la famille ! Réfléchis un peu. Mets-toi à sa place. Comment se sent-on quand on est l'aîné ? Comment te sentirais-tu si tu étais continuellement importunée

241

par un petit frère et que ta mère s'attendait toujours à ce que tu sois douce avec lui ?

- Pleine de regrets pour moi-même, fâchée contre ma mère, et amère envers mon frère : je voudrais lui faire mal.
- Supposons que tu finisses par lui faire mal et que ta mère t'attrape… Supposons qu'elle te dise que tu es un monstre et qu'elle te frappe.
- D'accord, je comprends. Mais que faire maintenant ? Que *puis-je* faire ?
- Que peux-*tu* faire ? Et David, lui ? Quelle est *sa* part de responsabilité ? C'est *lui* qui a lancé les ciseaux. C'est *lui* qui doit faire face aux conséquences de ce geste. Et c'est à *toi* de voir à ce qu'il le fasse. »

Je sentais ma force revenir. Je pouvais retourner vers mon fils, maintenant. Je ne savais pas exactement ce que j'allais dire, mais ça n'avait pas d'importance. La marche à suivre était claire : j'écouterais David attentivement. Puis, je parlerais de mes valeurs à moi, fermement, farouchement si nécessaire. Mais il n'y aurait pas d'insulte, pas d'excuse à genoux.

À mon retour, j'ai frappé à la porte de David. Pas de réponse. En ouvrant, je l'ai aperçu étendu sur son lit, le visage dans son oreiller. Je me suis assise près de lui.

« Es-tu disposé à m'écouter en ce moment, David ? (il a émis un son.)

- Je pense que ce qui est arrivé aujourd'hui t'a fait très mal, au dedans comme au dehors.
- Ce n'était pas nécessaire de me frapper, a-t-il murmuré dans son oreiller. Tu aurais pu simplement me parler.
- Ça aurait été un meilleur moyen.
- Alors, pourquoi l'as-tu fait ?
- Je pense que tu le sais, David. Je crois que tu sais que ton geste m'a poussée hors de moi.
- Eh bien, André me pousse hors de *moi,* lui aussi !

- Tu sens qu'il va trop loin. Parfois, il t'importune et te casse les pieds. Il réussit vraiment à te faire sortir de tes gonds.
- C'est ça ! Oui ! Alors, qu'est-ce que je serais censé faire ? Rester là comme un poteau pendant que ce gamin fouinard fouille partout dans mes tiroirs ?
- Ça doit être pas mal exaspérant d'avoir un petit frère qui fouille partout dans tes tiroirs.
- Tu te paies ma tête ! Tu me demandes toujours d'utiliser des mots pour lui dire à quel point je suis fâché. Mais ça ne fonctionne pas toujours. La seule chose qui peut arrêter ce saligaud, c'est un coup de poing dans la figure.
- David, c'est là-dessus que nous sommes en désaccord. Je peux comprendre que tu arrêtes André, même avec tes mains si nécessaire. Mais la violence ? Un coup de poing dans la figure ? Lancer des ciseaux ? Oh ! non !
- (Je me suis levée du lit. En me tenant debout, devant lui, j'ai poursuivi :) Dans notre maison, il est hors de question de blesser. Strictement interdit : AUCUN ENFANT NE PEUT BLESSER UN AUTRE ENFANT !
- (David s'est de nouveau caché la tête dans son oreiller.) Tu ne m'aimes pas, a-t-il murmuré.
- (*J'étais implacable.*) Tu as du prix à mes yeux. Je me sens attachée à la personne que tu es ! Je m'attends à ce que tu règles sans violence les différends que tu as avec ton frère. Et si tu es à court d'idées pour trouver des solutions pacifiques, viens nous voir, ton père ou moi, et nous verrons à te fournir de l'aide.
- (David s'est retourné sur le dos et m'a regardée intensément.) À quoi bon ? Tu prends toujours le parti d'André. Tu l'aimes plus que moi.
- C'est ainsi que tu vois ça ?
- Ce n'est pas ainsi que je vois ça. C'est comme ça.
- (J'ai réfléchi pendant un long moment. Puis, j'ai dit lentement :) Je vais te dire comment je vois ça. Pour moi, chacun de mes enfants est unique et absolument

243

irremplaçable. Je crois que c'est pour cette raison que j'aime chacun, non pas également mais différemment. Par exemple, qui dans le monde ressemble à mon fils David ? Qui donc a son sourire, ses pensées, ses sentiments... ou ses taches de rousseur ?

- (Ça semblait faire plaisir à David, mais il essayait de ne pas le montrer. D'un ton dédaigneux il a dit :) Qui donc peut aimer les taches de rousseur ?

- Moi, je les aime. C'est parce qu'elles font partie de toi. »

C'était tout. C'était terminé. Et ça faisait du bien de sentir de nouveau un peu de santé mentale chez la mère de David.

La tentative d'Hélène de revenir à une meilleure relation avec son fils ressemblait à peu près à la mienne. Après les remords du début, sa grande préoccupation était de savoir si elle serait capable de repartir du bon pied.

Apparemment, c'était très important pour elle d'avoir pu se décharger, ce jour-là, dans l'auto, sans que je l'évalue ou que je lui dise quoi faire.

À son retour à la maison, cet après-midi-là, elle avait aussitôt eu envie de téléphoner à Jacques et d'adoucir les choses, mais elle avait décidé de ne pas le faire. Il y avait déjà eu assez de paroles. Ce dont Jacques avait besoin, c'était de subir moins de pression. Ce soir, *elle* aiderait les enfants avec leurs devoirs. Ce soir, *elle* mettrait les enfants au lit.

Après avoir réfléchi à tout ça, elle a demandé à Marc de la rejoindre dans sa chambre. Il est entré, l'air renfrogné.

« Marc, j'ai beaucoup réfléchi à ce qui s'est passé ce matin. Nous étions fâchés l'un envers l'autre, n'est-ce pas ?

- Tu m'as crié après.

- Oui, je sais, mais je crois que nous avons peut-être tous les deux appris quelque chose. J'ai découvert que mon fils n'aime pas les sandwichs au saucisson. Tu t'es rendu compte que ta mère pique une crise de rage quand on lui parle d'une certaine façon.

- Qu'est-ce que j'ai dit de si terrible ?
- Marc, quand tu veux obtenir quelque chose de quelqu'un, mieux vaut ne pas l'attaquer ; c'est préférable de le demander d'une façon qui permet à l'autre de t'écouter.
- (Marc n'était pas convaincu.) Alors, qu'est-ce que je suis censé te dire ? « S'il vous plaît, chère maman, je baise vos pieds ? S'il vous plaît, ne me donnez plus de sandwich au saucisson, votre royale majesté ? »
- C'est une possibilité, a répondu Hélène en souriant. En voici une autre : « Maman, est-ce trop te demander de préparer autre chose que des sandwichs au saucisson ? J'en ai assez de ceux-là. » Quand on me parle de cette façon-là, ça me fait sentir que je suis utile.
- (Marc mordillait pensivement un petit bout d'ongle.) Eh bien, je n'ai pas toujours le goût de dire ce que tu veux que je dise.
- Je vois, a dit Hélène, momentanément décontenancée. Alors tu pourrais écrire une note, contenant des suggestions précises.
- Non, a-t-il rétorqué. Les notes, c'est débile. Il faut que je parte maintenant, maman. Jérémie m'attend. »

Eh bien, songeait Hélène, j'ai vraiment fait un pas en avant, cette fois. Au moins, nous avons rétabli la communication. La prochaine fois, il pensera peut-être un peu à la façon de demander ce qu'il veut.

Le lendemain matin, elle fut stupéfaite de trouver sur sa table de travail un vieux morceau de carton proposant un menu pour la semaine. C'était écrit :

Lundi - *thon*
Mardi - *fromage*
Mercredi - *thon*
Jeudi - *confitures*
Vendredi - *saucisson,*
mais seulement s'il ne reste plus de thon.

La semaine suivante, Catherine a décrit sa propre réaction à sa crise de colère avec Diane. Pendant des heures, elle s'était sentie trop bouleversée pour fonctionner normalement. Elle ne pouvait s'arrêter de penser : « Je suis de nouveau devenue l'ennemie. Malgré tout ce que j'ai appris et tout ce que je sais, j'ai tout ramené à cette vieille routine qui ne mène nulle part : la punition. Désormais, Diane peut tout laisser tomber et rejeter tout le blâme sur sa *mère cruelle.* Et elle aura raison, mais pas parce que je suis cruelle. Juste bête.

« Pourquoi m'accuser moi-même ? Ainsi, je n'ai pas été la mère parfaite, qui donne la réponse parfaite. Un enfant ne porte-t-il pas aussi une part de responsabilité pour ses gestes ? Ce n'est pas moi qui dérange la classe. C'est Diane. Que dirait Haim Ginott ? Je suppose qu'il dirait que la punition n'est pas ce dont Diane a besoin. Il dirait, je suppose, qu'elle a besoin qu'un de ses parents soit *avec elle* et non pas *contre elle,* pendant qu'elle se débat pour trouver ses propres solutions ! Je ne sais pas si j'en suis capable. Je ne sais pas si j'en ai l'habileté ou la force. »

Peu à peu, Catherine s'est mise à réfléchir à toutes les plaintes de Diane à propos de l'école. Je n'aurais sans doute pas dû nier ses sentiments négatifs. Si elle sent que ses professeurs la détestent, il y a probablement un peu de vérité là-dedans. Et même s'il n'en était rien, il y a lieu d'être attentive à ce qu'elle ressent.

Mais qu'y a-t-il de l'autre côté de la médaille ? Diane est en train de rater deux matières scolaires et elle utilise ses *méchants enseignants* comme excuse pour éviter de se prendre en main. Il fallait mettre au clair que ce n'est pas une façon acceptable de faire face au problème.

Puis, Catherine s'est souvenue que l'école offre un service d'aide aux élèves, à frais abordables. Un enfant du voisinage avait eu recours à ces services, avec d'excellents résultats. Ça pourrait être exactement la réponse au besoin de Diane : une élève amicale, du niveau secondaire, avec qui elle pourrait se sentir à l'aise ; une jeune sachant ce qu'elle veut dans la vie, qui pourrait même devenir pour elle une source d'inspiration.

Catherine commençait à se sentir mieux.

Dans sa tête, elle a formulé une ébauche approximative de ce qu'elle comptait aborder avec Diane. En premier lieu, elle exprimerait honnêtement ses sentiments, mais cette fois en omettant les insultes. « Quand j'ai vu ce bulletin scolaire, j'étais tellement bouleversée, tellement déçue et tellement fâchée que je me suis tout simplement mise à bouillir. J'ai dit des choses que je ne pensais même pas. Mais désormais, j'en ai fini avec ça. »

Deuxièmement, elle laisserait à Diane amplement de temps pour dire tout ce qui lui passerait par la tête. De façon consciente, elle écouterait et refléterait les sentiments de Diane. « Ce n'est pas facile d'apprendre quand tu sens que les enseignants ne t'aiment pas, surtout s'ils enseignent des matières aussi difficiles que l'anglais et les mathématiques. »

Elle ferait de son mieux pour ne pas empêcher Diane d'exprimer tout ce qu'elle aurait à dire. Une écoute avec l'esprit ouvert peut très bien aider Diane à découvrir de nouveaux éléments du problème.

Troisièmement, elle aiderait Diane à trouver des solutions à son problème. « Diane, il faut réussir ces matières. Mais, c'est à toi qu'il revient de trouver *la façon* d'y parvenir. »

Elles pourraient explorer les possibilités ensemble. Ce serait peut-être utile de faire quelques suggestions au bon moment.

« Que penses-tu de l'idée de rencontrer ton conseiller en orientation ?

- Tu pourrais considérer la possibilité d'utiliser les services d'aide aux élèves. »

Catherine a reconnu qu'elle commençait à mieux comprendre en quoi consiste son rôle. Il s'agit de soutenir son enfant dans les efforts qu'elle fait pour trouver ses propres réponses.

Elle a avoué que, lorsqu'elle a finalement parlé à Diane, les mots ne lui sont pas venus aussi facilement que ceux qu'elle avait formulés dans sa tête, mais que l'idée générale y était. Diane n'avait pas grand-chose à dire, jusqu'au moment où elles ont abordé le service d'aide aux élèves. Elle a alors secoué la tête.

« Je n'ai pas besoin de ce service, maman, a-t-elle affirmé. Il y a une fille dans ma classe qui prend de très bonnes notes. Elle peut m'aider à me rattraper sans que ça coûte quoi que ce soit. »

Catherine a dit qu'elle avait éprouvé, un instant, la tentation d'argumenter, de mettre de l'avant le service d'aide aux élèves, mais qu'elle a retenu sa langue. Elle a plutôt ajouté : « Ainsi, tu prévois t'occuper de ça toi-même. Je vois. » Puis, spontanément, elle a entouré de son bras les épaules de sa fille.

Ça faisait un bon moment que j'exerçais mes dents sur le thème de la colère. Tel un vieux bouledogue, j'avais rongé le même os pendant des mois, en reniflant chaque centimètre ; je l'avais tourné et retourné, venant à bout des extrémités plus dures, pour avoir enfin accès aux derniers morceaux de moelle.

Maintenant, je pouvais laisser reposer tout ça. Nos trois expériences, celle de Catherine, celle d'Hélène et la mienne, survenues à peu près au même moment, me donnaient, chacune à sa manière, la réponse que j'étais si avide de connaître : *Pas nécessaire d'avoir aussi peur de ma colère. Elle ne détruira personne. Même si je perdais tout contrôle, tout n'est pas perdu. Il y a des façons de faire marche arrière.*

Quel soulagement ! Je n'avais plus à vivre les montagnes russes de la culpabilité et du désespoir. Je pouvais en descendre, aller de l'avant. Je disposais de moyens pour m'aider moi-même.

Tout un ensemble de nouveaux messages me bourdonnaient dans la tête. Après la prochaine crise, j'essaierai de me les rappeler : « Ce n'est pas la fin du monde. Tout le monde peut transgresser ses propres normes de comportement quand il est sous l'effet d'une provocation suffisante. Ne sois pas si dure à ton égard. Plus d'orgies d'autocondamnation. Tu peux utiliser une partie de ta culpabilité pour t'aider à opérer des changements. Le reste, mets-le de côté, sinon ça te fera couler, ça te paralysera.

« Je ne me définis pas à partir d'un échec temporaire. Ça ne représente pas ce que je suis. Je suis ce que je choisis d'être, et tout n'est pas encore terminé pour moi. Je suis encore en processus de devenir. Ce qui est arrivé était déconcertant et regrettable, mais ce qui compte le plus, c'est la façon dont je me conduis par la suite.

« Pas de panique si tu es incapable de trouver tout de suite une façon de réparer. Donne-toi du temps : du temps pour être seule avec tous tes sentiments pénibles ; du temps pour ne *pas* détenir la réponse ; du temps pour vivre dans l'incertitude. Il n'y a pas de raccourci. C'est seulement après t'être donné du temps que tu peux commencer à te considérer comme utile. Et ça prendra le temps qu'il faut. »

Puis, quand les émotions pénibles et confuses se seront un peu atténuées, j'essaierai de réfléchir de façon constructive. Je me demanderai si l'on peut récupérer quelque chose dans tout ce désordre. Y a-t-il, dans ces décombres, une nouvelle prise de conscience, bien enfouie, qui attend d'être déterrée et utilisée à l'avenir ? Y a-t-il des changements que *moi,* j'ai à faire ? Y a-t-il des changements que *mon enfant* doit faire ? Puis-je moi-même trouver ce que je cherche ou ai-je besoin de l'aide d'une autre voix, d'une autre oreille ?

Si je trouve une vérité utile, je réfléchirai à la façon de l'exprimer simplement, brièvement, sans blâmer ni faire la morale. J'utiliserai le langage de l'empathie, le langage descriptif, le langage qui indique une direction nouvelle, le langage qui guérit.

Mon impression de calme était si complète qu'il m'était difficile de croire jusqu'à quel point j'avais été agitée. Qu'est-ce qui m'avait fait si peur ? Pourquoi n'avais-je pas été capable, pendant tout ce temps, de prendre les choses comme elles viennent ? J'ai souvent entendu des gens dire : « Bien sûr, j'ai perdu patience. Bien sûr, je l'ai frappé et je lui ai dit qu'il était idiot. Et puis après ? Il sait que je ne le pense pas vraiment. De toute façon, ma réaction a contribué à dégager l'atmosphère. Quand c'est terminé, c'est oublié. N'en faisons pas une montagne. »

Pourtant, *c'était* une montagne. Il y a des raisons en dessous de mes peurs. La blessure occasionnée par une rage incontrôlée n'est jamais minime. J'ai pu moi-même constater comment une série de crises peuvent ébranler la meilleure des relations et la laisser faible et vulnérable. J'ai vu comment les paroles haineuses, une fois dites et accomplies, deviennent un article de plus dans l'entrepôt des mauvais souvenirs, des souvenirs qui peuvent s'atténuer, mais sans jamais disparaître tout à fait.

Je sais désormais qu'on peut émerger des crises avec plus de sagesse, mais qu'on n'en sort jamais indemne. Il y aura toujours des dommages, un accroc de plus dans le tissu de la relation. La meilleure chose qu'on puisse dire à propos d'une attaque soudaine à l'endroit d'un enfant, c'est qu'elle nous oblige à centrer notre attention sur une situation qui nécessite une attention particulière.

Au départ, j'avais espéré qu'en étudiant la nature de la colère, je pourrais m'immuniser en permanence contre mes propres impulsions violentes. C'était sans doute un peu insensé. Toutefois, il m'est arrivé tant de choses remarquables, presque magiques, depuis que j'ai abordé ce travail, que j'espérais : « Pourquoi pas ? Pourquoi ne peut-on pas obtenir ce dernier miracle ? » Eh bien, non, on ne le peut pas.

Quand je suis revenue sur terre, je me suis consolée. Il n'y aura pas de prix Nobel de la paix pour moi, mais j'ai gagné plusieurs prix plus modestes, tous également précieux.

J'ai appris plusieurs habiletés spécifiques, sur lesquelles je peux me fier.

J'en suis venue à me rendre compte que ma famille et moi ne sommes pas aussi fragiles que ma peur me l'avait fait croire.

J'ai fait la paix avec cette réalité : je ne maîtriserai jamais complètement ma colère. Chaque fois que la colère frappera, elle surviendra avec une férocité toute fraîche. Chaque fois, j'aurai à me débattre pour trouver une façon civilisée d'exprimer mes sentiments indomptés.

Haim Ginott a raison. C'est le travail de toute une vie.

XIII

Un nouveau portrait
pour un père et une mère

Nous étions contentes de voir Éveline de retour à sa place habituelle. Elle avait manqué les trois dernières rencontres. Haim Ginott l'a accueillie chaleureusement et il s'est informé de sa famille.

Éveline a souri tristement. « Je pense que les enfants vont bien, mais pas mon mari. » Elle nous a ensuite raconté que Martin avait souffert d'une crise cardiaque. Il était en convalescence à la maison. Les médecins étaient satisfaits de ses progrès, mais il y avait d'autres problèmes.

Après l'enthousiasme initial, à la fin du séjour de leur père à l'hôpital, les garçons avaient commencé à se plaindre : « Papa n'est plus pareil. Il ne joue plus à la boxe avec nous, il ne nous porte plus dans notre lit. Il ne veut même plus jouer au base-ball avec nous ! »

« Vous imaginez comme ce genre de discours déprime Martin, a poursuivi Éveline. Je pense qu'à la vue de la déception de ses enfants, sa douleur est pire que la crise cardiaque. Il sent qu'il n'est plus un vrai père pour ses garçons. »

Ginott a écouté avec sympathie. « Éveline, être père n'a rien à voir avec le fait de jouer à la boxe ou au base-ball. Je sais que c'est une image très attrayante que celle du papa dans le parc, en train de lancer et d'attraper la balle avec son fils ; mais n'importe qui peut enseigner le base-ball. Le travail d'un père, c'est d'aider son fils à se sentir bien par rapport à lui-même. »

« Bien se sentir par rapport à lui-même ? » a-t-elle repris anxieusement, en écho.

Ginott lui a fourni des précisions. « Le travail le plus important d'un père, c'est d'aider ses enfants à s'aimer eux-mêmes, de leur dire qu'ils sont de bons êtres humains, dignes de respect, que c'est agréable d'être en leur compagnie, que leurs sentiments et leurs idées sont valables. »

« J'aimerais avoir un magnétophone, a soupiré Éveline. Ça ferait du bien à Martin d'entendre ça. J'aimerais aussi savoir comment apporter du réconfort aux garçons. Toute cette expérience a été très difficile pour eux. Ils ont été bouleversés quand on a amené leur père à l'hôpital. Maintenant qu'il est de retour à la maison, beaucoup de contraintes nouvelles pèsent sur eux. Ils ne peuvent pas recevoir d'amis. Dans la maison, ils doivent même marcher sur la pointe des pieds et parler à voix basse. Ils ne sont pas très heureux de ça non plus. »

Ginott a parlé avec une pointe d'impatience dans la voix. « Éveline, est-ce le rôle d'une mère de garder ses enfants heureux en tout temps ? »

« Pas vraiment, a protesté Éveline, mais aucune mère ne veut voir ses enfants tristes ou en larmes. »

« Selon moi, a enchaîné Ginott, les pleurs et les rires d'un enfant sont aussi importants l'un que l'autre. Je ne voudrais pas le priver de sa déception, de son chagrin ou de sa douleur. Les émotions anoblissent le caractère. Plus on ressent des émotions profondes, plus on devient humain. »

Éveline pouvait difficilement accepter cela. « Êtes-vous en train de dire qu'il peut être bon pour les enfants de se sentir malheureux ? »

« Je ne rechercherai jamais le malheur, mais quand les problèmes surviennent, je les considère comme des occasions d'enseigner aux enfants qu'ils peuvent faire partie de la solution. Éveline, la période de convalescence de votre mari peut être une occasion de maturation pour vos fils. Il leur faudra démontrer plus d'égards. Ils devront prendre des responsabilités supplémentaires. Ils peuvent grandir à partir de cette expérience, pourvu qu'on ne la contamine pas pour eux. »

Éveline semblait perplexe. « Je ne suis pas certaine de comprendre. » Haim Ginott se taisait. Éveline s'est mordillé les lèvres et elle a baissé la tête quelques instants.

« Vous voulez dire que mon attitude envers les garçons est importante ? »

« Qu'en pensez-vous ? » demanda simplement Ginott.

« Je pense, a-t-elle dit d'un ton abattu, que j'ai eu pitié d'eux et que ça les a amenés à se prendre en pitié. (Un autre silence.) J'aurais dû savoir mieux ! Vous nous avez dit des centaines de fois que notre travail ne consiste pas à rendre nos enfants heureux, mais plutôt à les aider à devenir plus humains. Combien de fois faut-il que j'entende cette pensée avant qu'elle ne fasse partie de moi ? »

Ginott a fait un signe de résignation. « Combien de fois doit-on accorder un violon avant qu'il reste accordé ? » Éveline l'a regardé un moment sans comprendre, puis elle a esquissé un faible sourire.

Une autre femme, qui attendait impatiemment sa chance, a pris la parole pour proposer qu'on examine son problème, mais je ne pouvais pas me concentrer sur la discussion qui a suivi. J'étais secouée par ce que je venais d'entendre et je voulais juste y réfléchir davantage… Éveline était venue à la rencontre avec deux idées préconçues à propos du rôle de chacun des parents : le père jouant à la balle avec ses fils ; la mère se vouant au bonheur de ses enfants. Aucune de ces deux idées n'avait été utile, ni pour elle, ni pour sa famille. Elle partirait aujourd'hui avec deux interprétations très différentes du rôle des parents, des interprétations qui devraient être plus utiles à tout le monde, espérons-le.

Il m'est venu à l'esprit que chacun de nous joue à une sorte de jeu de *pairage*. Nous avons dans la tête une image préconçue de ce que de bons parents devraient être, puis nous essayons de ressembler à cette image. Quand nos sentiments ou notre comportement coïncident avec notre image intérieure, nous sommes satisfaits, comblés. Dans le cas contraire, nous devenons anxieux, coupables et déprimés. Nous sentons en quelque sorte que nous avons laissé tomber nos enfants, sans parler de nous-mêmes.

J'ai jeté un coup d'oeil autour de moi. Une femme parlait avec animation ; d'autres se penchaient pour écouter attentivement ; quelques-unes prenaient des notes. Tout à coup, je me suis rendu compte que, dans cette pièce, il s'était passé une chose très importante au cours des cinq dernières années. Petit à petit, nous avions toutes révisé notre image intérieure du bon papa et de la bonne maman. Plus que révisé ! Nous avions peint un tout nouveau portrait.

Du coup, j'ai éprouvé un grand désir de prendre du recul et de regarder le portrait dans son ensemble. Plus précisément, je voulais savoir comment il différait du portrait original, de celui que nous avions au début. Ginott venait tout juste de mentionner quelques-unes des différences importantes. Quelles étaient les autres ?

Il m'est d'abord venu à l'esprit notre attitude devant la colère.

Nous avions d'abord cru qu'un bon père, qu'une bonne mère, c'est patient, calme, logique ; ça ne crie jamais.

Désormais, nous ne sentions plus le besoin d'embouteiller notre colère. Nous l'exprimions totalement ; mais au lieu de lancer des insultes, nous exprimions aussi nos sentiments, nos valeurs, nos attentes.

Nous avions d'abord cru que des bons parents doivent toujours être désireux de *faire des choses* pour leur enfant : l'aider avec ses devoirs, répondre à toutes ses questions, trouver des solutions à ses problèmes.

Désormais, nous savions que les parents *aident parfois davantage en n'aidant pas*, en faisant en sorte qu'on en vienne à se passer d'eux.

Nous avions d'abord cru que chacun des parents doit à tout prix être constant.

Désormais, nous nous sentions plus libres d'y penser à deux fois, de changer d'idée, de vivre davantage selon nos sentiments réels du moment.

Nous avions toujours cru que certains des sentiments négatifs que nous éprouvions en tant que parents sont *peu gentils*, déraisonnables, qu'ils sont même honteux.

Désormais, nous savions que les sentiments ne sont ni bons ni mauvais. Les sentiments *existent*, tout simplement. L'important, c'est la manière de nous y prendre avec nos sentiments.

Jusque-là, j'aimais le portrait que je voyais. Il était certainement moins stressant, moins empreint de culpabilité que l'ancien, beaucoup plus indulgent pour les parents. Les avantages qu'en retirent les enfants sont-ils aussi importants ?

Nous avions toujours cru que ce qui compte, c'est que nos enfants sentent qu'on les aime, peu importe notre façon de leur parler. Nos paroles traduiraient nos sentiments.

Désormais, nous accordions toujours de l'importance à la spontanéité, mais nous étions conscientes du pouvoir énorme de nos paroles et nous tentions de faire la distinction entre ce qui aide et ce qui blesse.

Auparavant, nous ne savions jamais quoi faire des émotions intenses de nos enfants. Nous pensions qu'il fallait atténuer leurs émotions, ou encore enseigner aux enfants à ressentir autre chose : « Ne dis pas ça, mon chéri. Dans ton cœur, tu l'aimes vraiment, ta sœur. »

Désormais, nous comprenions qu'en reconnaissant les sentiments d'un enfant, on lui donne force et santé.

Nous avions toujours cru que les parents doivent décider ce qui est mieux pour leurs enfants.

Désormais, nous savions que, chaque fois qu'on permet à un enfant de traverser les étapes pénibles d'une prise de décision, on lui fournit une expérience inestimable, pour le moment présent et pour son autonomie future.

Il nous avait semblé que c'est la tâche des parents de *faire comprendre le bon sens* à l'enfant, de lui expliquer pourquoi certains de ses plans sont imprudents et irréalistes.

Désormais, nous comprenions que le monde extérieur a vite fait de couper les ailes des personnes et que c'est le privilège des parents de nourrir le rêve de leur enfant.

Nous avions cru qu'en disant à un enfant ce qu'il a fait de mal, il s'améliore ; qu'en le traitant de menteur, il devient honnête ; qu'en le traitant d'idiot, il devient intelligent ; qu'en le traitant de paresseux, il devient travailleur.

Maintenant, nous savions que l'amélioration d'un enfant s'amorce quand on le traite comme s'il *était* déjà ce qu'il est capable de devenir.

La liste n'est que partielle. Il y avait beaucoup d'autres changements dans notre façon de voir les choses, des changements qui influençaient directement notre comportement. Nous ne punissions plus les enfants ; nous ne les faisions plus passer devant nous comme devant un juge ; nous persistions à insister, à demander ou à avoir des attentes à leur égard, mais toujours de façon à garder intacte leur dignité.

La dignité ! Voilà la différence fondamentale entre l'ancien portrait et le nouveau ! Le nouveau portrait confère infiniment plus de dignité, tant aux parents qu'aux enfants.

Mes pensées m'ont ramenée à mes propres enfants. Sont-ils conscients de tous les changements que j'ai faits dans leur intérêt ? Peuvent-ils même commencer à comprendre comme il m'a été difficile de briser mes anciens modèles et de mettre en place les pièces du nouveau modèle ?

J'ai réfléchi à ma conversation de la veille avec Julie. Elle avait été irritable toute la soirée. J'avais passé cette soirée assise sur son lit, à l'écouter se décharger de ses problèmes les uns après les autres. Sa dispute avec son amie Émilie. Ses difficultés en classe : on venait d'aborder l'algèbre et elle n'y comprenait rien. Elle n'avait plus que deux jours pour remettre son travail sur la montée du nazisme en Allemagne et elle ne l'avait même pas encore commencé.

Mon ancienne image intérieure de la *bonne maman* s'est aussitôt activée et elle a commencé à me faire des exhortations. « Quelle sorte de mère es-tu ? Ne reste pas là à ne rien faire. Ton enfant est malheureuse. Fais quelque chose ! Rassure-la à propos de l'algèbre. Dis-lui qu'elle est intelligente et qu'elle finira par comprendre. Rappelle-lui de ne plus remettre ses devoirs à la dernière minute. En ce qui concerne Émilie, conseille-lui d'oublier le passé. »

Cependant, j'avais aussi accès à une autre image, plus récente et heureusement plus insistante que l'ancienne. Je suis donc simplement restée assise, presque sans rien dire, à tout écouter, ses pensées et ses sentiments, certains à plusieurs reprises. Peu à peu, elle a commencé à explorer quelques solutions possibles. Encore là, je me contentais d'écouter. Puis, sans insister, j'ai avancé une suggestion. Ça ne réglait rien, mais j'ai bientôt pu voir la tension quitter son corps. En la bordant, je lui ai dit : « Eh bien, tu te débats face à beaucoup de choses. »

Elle a saisi ma main et l'a retenue un instant. Je l'ai embrassée, j'ai éteint la lumière et me suis préparée à partir.

Julie m'a rappelée : « Maman ? »

« Oui ? »

Dans le noir de sa chambre, je pouvais presque sentir qu'elle cherchait une façon de formuler ce qu'elle avait sur le cœur. Quand elle a finalement ouvert la bouche, sa voix était solennelle.

« Avec toi, je suis capable de parler... Sais-tu ce que je pense ?

- Quoi ?
- Je pense que si Hitler t'avait eue pour mère, il n'aurait pas été Hitler. »

J'ai souri. Croyait-elle vraiment que sa mère aurait pu, à elle seule, renverser le cours de l'histoire ? Puis, j'ai réfléchi à son *compliment*. En fait, Julie ne rendait pas seulement hommage à sa mère, en particulier, mais à une façon d'être en relation, entre personnes humaines, une façon qui l'avait profondément touchée, elle et sa famille.

Tout doucement, ça s'est imposé à moi : dans sa candeur, mon enfant avait peut-être raison. Et dans ce cas, si les sentiments d'affection engendrés par ce processus suffisent vraiment à empêcher l'arrivée d'un autre Hitler, Eh bien, il y a de l'espoir pour presque tout le monde !

En me penchant pour l'embrasser de nouveau, j'ai conclu : « Jeune fille, tu viens de me donner beaucoup de matière à réflexion. Bonne nuit ! »

Épilogue

Quelques semaines après la parution de ce livre, nous avons reçu notre première lettre. Nous étions aux anges ! Quelque part, quelqu'un avait lu notre livre. Et l'avait aimé ! Avec fierté, nous avons ajouté un nouveau dossier dans notre classeur et nous l'avons nommé LETTRES. Au cas où nous en recevrions quelques autres de plus.

Aujourd'hui, presque deux décennies plus tard, nous avons un plein tiroir de ces lettres dont nous ne pouvons nous séparer. Voici des extraits de certaines d'entre elles.

J'ai pleuré tout au long de votre livre en lisant toutes les choses à la fois sensées et chargées d'amour qu'on peut faire en travaillant avec un enfant. Ça m'a aidée à changer une idée que j'avais maintenue depuis l'âge de treize ans : « Je n'aurai jamais d'enfant. » Je ne voulais ni les brutaliser, ni les négliger et je craignais de le faire, parce que c'est tout ce que j'avais connu. Le seul fait de savoir qu'on peut apprendre une autre façon de faire et l'exprimer a été pour moi comme le ciel sur la terre.

P.-S. Mon mari et moi attendons un enfant.

C'est maintenant le moment de vérité !

Votre livre a immensément aidé chacun des membres de notre famille ; il a apporté un souffle nouveau dans des situations qui semblaient sans issue. Le calme ainsi qu'une intimité toute nouvelle ont envahi la maison. Le changement est déjà saisissant, dans mes relations avec mes enfants. L'amour et l'ouverture continuent à grandir au fur et à mesure que je deviens de plus en plus habile à mettre ces idées en pratique.

On m'a libérée de mes chaînes ! Pendant onze ans, je croyais que, pour être une bonne mère, je devais faire tout ce que les autres désirent, à un point tel que j'étais en train de m'épuiser. Désormais, je sais que je peux être bonne pour moi-même tout en continuant d'être une bonne maman.

Ceux qui nous ont écrit n'étaient pas tous des parents. Le prochain extrait est tiré d'une lettre envoyée par une élève du secondaire.

Je retire beaucoup de bienfaits de votre livre. Il y a quelques jours, mon amie pleurait à chaudes larmes en me racontant l'histoire de son cousin qui est atteint de leucémie. Je l'ai écoutée en essayant de mettre en mots la douleur et la colère qu'elle éprouvait. Quand ses pleurs se sont finalement apaisés, elle a dit qu'elle allait lui écrire.

Le même jour, mon père se plaignait de la douleur causée par l'extraction d'une dent, en plus de la chute du plâtre du plafond, dans son magasin de meubles. Je lui ai dit que ça devait être difficile de vivre deux douleurs en même temps. Quelques instants plus tard, il était capable de changer de sujet.

Une enseignante nous a écrit ceci.

Je n'ai pas d'enfant à moi, mais je me suis demandé si vos méthodes pouvaient s'appliquer dans un contexte scolaire. Après avoir lu comment Thomas avait aidé son fils belliqueux à résoudre leur conflit, j'ai essayé son approche avec deux garçons de notre école primaire du centre-ville. L'incident que je vais décrire se serait normalement terminé par l'envoi d'au moins un des garçons au bureau du directeur. Voici plutôt ce qui s'est passé.

(La scène se passe dans la cafétéria de l'école. Je suis l'enseignante chargée de faire la surveillance.)

CHRISTOPHE :   *(plongeant vers Josué) Je vais tuer Josué ! Je vais le battre.*

ENSEIGNANTE :   *(le retenant) Eh bien, Tu es vraiment fâché contre lui !*

CHRISTOPHE :   *Il a lancé mon crayon en bas de l'escalier !*

ENSEIGNANTE :   *Josué, Christophe n'aime pas qu'on lance son crayon dans l'escalier. Ça le met en colère !*

JOSUÉ :   *Je voulais juste voir jusqu'où son crayon pouvait aller.*

ENSEIGNANTE :   *(à Christophe) Oh ! je vois. Josué ne voulait pas te fâcher. Il voulait seulement voir jusqu'où le crayon pouvait descendre. Eh bien, maintenant qu'il sait que tu n'aimes pas ça, je pense que tu n'as plus à craindre qu'il le fasse de nouveau.*

CHRISTOPHE :   *Il fait mieux de ne pas recommencer.*

JOSUÉ :   *(lui tendant son propre crayon) Tiens, Christophe, tu peux lancer le mien.*

ENSEIGNANTE :   *On ne lance pas de crayon dans l'école. Vous pouvez le faire après la classe, à l'extérieur.*

Fin de la dispute. Je me sens géniale !

Une femme nous a remerciées du rôle que *Liberated parents*… avait joué dans son mariage.

Il y a environ un an, mon mari a commencé à vivre une crise de la cinquantaine et notre relation en était chambardée. La lecture de votre approche sur la communication est arrivée juste à point, c'est le moins qu'on puisse dire. (La première fois que je l'ai essayée, mon mari a dit : « Je sais exactement ce que tu fais. Mais j'aime ça ! ») J'irais même jusqu'à dire que la thérapie individuelle, la thérapie de couple ainsi que les idées exposées dans votre livre ont contribué, de façon égale, non seulement à la sauvegarde de notre mariage, mais aussi à l'énorme enrichissement de notre relation.

Des personnes nous ont même attribué des miracles médicaux.

Votre livre a éliminé mes « bouffées de chaleur. » Je croyais qu'elles étaient dues à la ménopause (j'ai 42 ans), mais depuis que j'ai commencé à modifier mes façons de faire avec les enfants, elles ont complètement disparu. Mon médecin me disait constamment que c'était nerveux, mais je ne le croyais pas.

Tout le monde n'était pas aussi enthousiaste.

Je m'oppose fortement à l'attitude permissive de votre livre. Dans ma jeunesse, mes parents avaient pour principe : « Qui aime bien châtie bien. » Nous avons été battus pour avoir transgressé les règles et punis pour nos mauvaises actions. Mes frères, mes sœurs et moi-même, nous nous en tirons tous bien. Nous avons beaucoup de respect pour nos parents, aujourd'hui. Je ne crois pas que les enfants de votre livre en auront autant pour les leurs.

Si j'allais dans le même sens que vos idées, il faudrait que je change ma façon d'exprimer tout ce que je dis. Je crois qu'il est ridicule d'avoir à s'arrêter et à soupeser chacun de nos mots avant d'ouvrir la bouche. De plus, j'aurais l'air d'un hypocrite de première classe.

Puis, il s'est mis à arriver des lettres portant des estampilles de l'étranger, par exemple, de la Nouvelle-Zélande.

J'ai eu une enfance difficile, car mes parents, pleins de sollicitude mais malhabiles, ne savaient que faire de ma nature très affirmative. Je suis devenue psychologue en milieu scolaire. Toutefois, en devenant la mère d'un fils très affirmatif, je me suis vue en train de répéter le même modèle que mes parents. Comme toute formation qu'on offre d'habitude dans les universités, la mienne était très théorique et ne m'était d'aucune utilité dans ma relation avec mon fils de six ans. C'est alors que j'ai acheté votre livre ! Il a mis de la chair sur le squelette de toutes mes théories. Ce qui est encore plus encourageant pour moi, c'est qu'il m'a montré qu'il faut beaucoup de travail et de temps pour devenir une mère positive et habile. Quoi qu'il en soit, il m'a aidée à changer mon attitude tout en stimulant ma confiance en moi. Mon fils a maintenant six ans et il est tout à fait normal ; c'est un vrai plaisir de partager l'existence avec lui !

Ensuite, de la Suède.

Depuis la lecture de votre livre, j'ai le goût de courir dans la rue en criant : « Euréka ! J'ai trouvé ! J'ai trouvé ! » Newton a dû se sentir ainsi quand il a découvert la gravité. Moi, j'ai seulement appris qu'il y a de l'espoir pour nous, les parents !

De l'Indonésie, nous avons reçu une longue lettre réfléchie, de la part d'un jeune homme. Notre livre avait soulevé, chez lui, des réflexions sur la façon dont il avait lui-même été élevé. En voici quelques extraits.

Je m'appelle Zubir. J'ai 25 ans, je suis célibataire, le benjamin de quatre enfants. Je vis des choses difficiles. Je suis rendu à l'âge adulte, mais je ne vais nulle part. Voici mon problème : Pourquoi est-ce si difficile pour moi de parvenir à la maturité ? Mes amis me disent infantile, et en fait, je sens que c'est vrai.

Je ne veux pas dire que mes parents ne sont pas bons. Toutefois, j'ai senti dès l'âge de cinq ou six ans qu'ils ne m'invitaient pas du tout à participer à des activités. Ils me demandaient rarement de m'asseoir à leurs pieds afin de partager une idée, par exemple : « Zubir, que penserais-tu si papa faisait ceci ? » ou « Que penses-tu de ce film ? » Je ne me suis jamais senti libre d'exprimer mes idées devant eux, je n'ai jamais eu la chance de leur parler « entre quat'z'yeux, de cœur à cœur. » J'ai plutôt été entraîné à me la fermer et à suivre chaque directive : « Et surtout, n'essaie pas d'argumenter ! »

À l'adolescence, je n'osais jamais parler en classe ou dans des situations sociales. Je n'avais aucune confiance en moi-même. C'est pourquoi je suis à la recherche de toutes les occasions d'aide qui se présentent. Cependant, je pense parfois à la difficulté de changer son caractère une fois qu'il est formé.

Puis, de la Turquie.

À la fois père et professeur de sociologie et de psychologie sociale, je suis à court de mots pour décrire ma joie d'avoir découvert votre livre extraordinaire. J'espère qu'un jour viendra où l'on reconnaîtra l'impact déterminant des expériences de l'enfance sur l'avenir des sociétés et des individus, un jour où ceux qui s'efforcent, comme nous, à travers le monde, d'amener les autres à écouter les enfants, ne seront plus seulement une minorité.

Nous avons également été heureuses d'apprendre que notre travail était utile à des enfants qui ont des défis particuliers à relever.

Ma fille Sara a quatre ans et demi. Elle souffre d'un grave problème auditif. Récemment, son enseignante m'a recommandé votre livre. Je l'ai lu deux fois. Il m'a fait rire, il m'a fait pleurer, mais plus que tout, il m'a fait réfléchir. Il m'a amenée à devenir mon propre témoin, à entendre ma voix quand je parle ou communique par signes avec ma fille. Il m'a poussée à me poser des questions : Quels messages est-ce que j'envoie à mon enfant ? Comment aurais-je pu agir différemment dans telle situation ? Je vois déjà une grande différence dans ma relation avec ma fille... Elle ne cesse de m'étonner.

Il y a aussi des lettres venant de parents qui nous décrivent en détails comment ils ont commencé à appliquer, avec leurs propres enfants, les habiletés apprises dans *Liberated Parents*... Nous avons été charmées par leur originalité.

Retour à la maison après une journée d'enseignement. La neige tombe lourdement. Les garçons se pourchassent dans la cuisine. Je dis : « Je viens tout juste de lire un livre sur les parents et les enfants. On y affirme que les enfants n'aiment pas les longues explications. Les parents devraient être brefs. Alors voilà. Écoutez-vous ?

Neige...
Pelles...
Partez ! »

C'est ce qu'ils ont fait.

Le pire, c'est le matin. Mon mari et moi devons quitter la maison à la même heure pour aller au travail et nos deux fillettes doivent être prêtes à partir avec nous. (Nous déposons celle de trois ans chez une gardienne et celle de six ans à l'école.) Le problème, c'est que les deux filles prennent un temps infini pour s'habiller. Je suis constamment derrière elles : « As-tu mis tes chaussures ? T'es-tu brossé les dents ? » C'est pas à pas que je dois les pousser dans le dos.

Alors, un soir après souper, nous nous sommes assises ensemble pour faire une liste des choses qu'elles ont à faire pour se préparer. (À l'intention de la plus jeune, j'ai ajouté des dessins à côté des mots.

Se laver le visage

Se brosser les dents

S'habiller

Faire son lit

Déjeuner

Ça m'a sauvé la vie. Désormais, chaque matin, elles vont et viennent en vérifiant la liste. Hier matin, elles étaient prêtes avant nous ! J'espère que ça va durer.

Mon mari n'a pas, comme moi, la patience de lire des livres sur l'art d'être parents, y compris le vôtre que je viens tout juste de terminer et que j'essaie de lui faire lire. Mais je vois qu'il m'observe lorsque je suis en train de mettre mes nouvelles habiletés à l'essai. Hier soir, j'ai dit à mon fils : « Voici tes choix, Samuel. Ce soir, tu peux marcher jusqu'à ton lit ou encore, tu peux t'y rendre en sautillant. À toi de choisir. » Samuel a d'abord eu l'air surpris, puis il a sautillé jusqu'à son lit. Je voyais bien que mon mari était impressionné.

Aujourd'hui, il s'est fâché contre Samuel qui n'avait pas rangé son tricycle. Il s'est écrié : « Tu as deux choix ! » (Je n'en croyais pas mes oreilles !) Après un instant de réflexion, il a ajouté : « Et ta mère va te les dire ! »

Une mère dont l'enfant avait un problème persistant nous a décrit ce qui s'est passé la première fois qu'elle a utilisé les habiletés.

J'ai une fille de neuf ans qui pique encore des crises de colère. À la naissance, elle avait des coliques et ça n'a jamais cessé depuis. Quand elle fait une crise, elle devient rouge, elle bat l'air, lance des hurlements à vous glacer le sang dans les veines et à vous percer les tympans, et ça dure des heures et des heures. Elle ne s'est jamais avouée vaincue. Moi, oui.

J'ai tout essayé.

L'ignorer. Elle crie encore plus fort. C'est une pure torture. Je m'avoue vaincue.

La restreindre physiquement. Elle commence à griffer et à frapper. Je m'avoue vaincue.

L'isoler. Elle réduit la chambre en pièces. Je m'avoue vaincue.

L'embrasser en lui disant que je l'aime. Elle me repousse et crie encore plus fort.

Lui donner du Benadryl (suggéré par un médecin.) Elle dort douze heures et je suis envahie de culpabilité.

Lui donner la fessée. Oh ! mon Dieu ! Ça fait baisser le volume. Pendant des jours, elle me lance des regards furieux et me jette au visage sa haine et son ressentiment, chaque fois qu'elle en a l'occasion.

Hier soir, alors que je terminais votre livre, elle a commencé une crise de rage magistrale. J'ai crié : « Hé ! Comme tu es fâchée ! Vite ! Attrape du papier et un crayon et dessine-moi comment tu te sens. »

Elle m'a regardée dans un silence de mort. Puis, elle a ajouté d'une voix très sophistiquée : « C'est l'idée la plus idiote que j'aie entendue de toute ma vie. » Elle a ensuite vaqué à ses affaires comme si rien ne s'était passé. MAIS ELLE A MIS FIN À SA CRISE ! C'était la toute première fois.

J'ai juste pensé que vous aimeriez le savoir.

De toute évidence, plusieurs personnes veulent que *nous sachions*. Quand nous avons commencé à donner des ateliers à travers le pays, basés sur le livre *Liberated Parents...*, nous avons rencontré nombre de parents qui nous ont dit comment ils ont mis les habiletés en pratique avec leurs enfants. Nous étions enchantées du feed-back et chaque fois que nous entendions une histoire qui semblait pouvoir aider d'autres parents, nous leur demandions de l'écrire. Les deux expériences suivantes nous viennent de mères célibataires qui se disent reconnaissantes de savoir qu'il leur est possible de « donner à leurs enfants, par l'imaginaire, ce qu'elles ne peuvent pas leur offrir dans la réalité. »

Mon fils (sept ans) est extrêmement sensible depuis le départ de son père. Il pleure pour tout et pour rien. À la halloween, après l'avoir aidé à découper sa citrouille (son père avait l'habitude de le faire avec lui), je l'ai laissé la transporter jusqu'à la véranda. Elle lui a glissé des mains.

Les larmes se sont mises à couler sur ses joues. Sa citrouille avait perdu son unique dent. Je savais qu'il fallait vite trouver quelque chose. J'ai donc dit : « Je sais ! Mettons la dent en dessous de la citrouille et voyons si la fée des dents viendra cette nuit et lui laissera un cadeau. »

Il s'est aussitôt arrêté de pleurer. « Il n'y a pas de fée des dents pour les citrouilles ! » Il a esquissé un petit sourire.

J'ai répondu : « Comment le sais-tu ? As-tu déjà vu ta fée des dents ? »

Bien sûr, sa réponse fut : « Non. » Alors, j'ai ajouté : « Tu vas voir. Ce soir, une grosse citrouille va voler jusqu'à notre véranda et elle va laisser quelque chose pour ta petite citrouille. »

Nous nous sommes bien amusés avec cette histoire. Nous avons finalement décidé de remettre la dent en place à l'aide d'un cure-dent. C'était formidable d'être capable de l'aider à surmonter sa déception.

Ma fille de 15 ans a trouvé la robe « idéale », qui est fort chère. Je lui ai dit que j'ai moins d'argent depuis mon divorce et que je ne pouvais tout simplement pas l'acheter. Elle était furieuse et maussade. J'ai continué à essayer de faire appel à sa raison, mais sans succès.

Tout à coup, j'ai pensé à « l'imaginaire. » J'ai donc changé de tactique.

« *Je suppose que tu préfères avoir ta robe plutôt que notre vieille voiture.*
- *Oui ! Vends l'auto ! On pourra alors acheter la robe.*
- *Je gage que tu vendrais aussi la maison.*
- *C'est ça ! Et pourquoi pas les meubles aussi.*
- *Tous les meubles ?*
- *Ouais ! Même les meubles de ta chambre.* »
Puis elle a changé de sujet. Mais un peu plus tard, elle est revenue avec des suggestions pour gagner de l'argent afin d'acheter sa robe. (Je n'ai rien ajouté !)

La prochaine contribution nous vient d'une femme en instance de divorce.

Mes garçons ont sept et trois ans. Je travaille, et c'est ma future « ex-belle-mère » qui garde celui de sept ans après l'école. Je déteste aller le chercher après le travail. C'est toujours la même chose. Je dis : « C'est le temps de partir. » Il répond : « Non, je ne veux pas partir. » Le plus jeune entonne à son tour : « On veut rester ici avec grand-maman. » La grand-mère me jette un regard significatif : « Que veux-tu ? Il se plaît chez moi. » Je finis par rester beaucoup trop longtemps et par me morfondre intérieurement.

En lisant la section : « Les parents sont des personnes » dans votre livre, je me suis rendu compte que je me laissais manipuler par tout le monde. Je me suis donc assise avec les garçons et j'ai laissé sortir à toute vitesse tout ce que je ressentais. « Écoutez. Je travaille toute la journée ; ensuite, je dois conduire chez eux les membres de notre système de co-voiturage ; puis, je dois aller chercher Bruno à la garderie ; ensuite, je dois me rendre chez grand-maman pour cueillir Olivier ; et je n'ai pas le goût d'attendre. Ça me met en colère ! J'ai juste le goût de retourner à la maison avec mes fils, de manger, et de pouvoir enfin me reposer et d'avoir du temps à moi. »

Celui de sept ans était sous le choc. « Je ne veux pas que tu sois fâchée. Je n'ai qu'à être prêt quand tu viens me chercher. »

Celui de trois ans a ajouté : « Je resterai dans l'auto à vous attendre. Comme ça, tu n'auras pas à te fâcher. »

Je n'en revenais pas. Depuis ce jour, quand Olivier veut rester plus longtemps chez sa grand-mère, il me téléphone au travail pour me demander la permission. Même qu'à l'anniversaire de sa grand-mère, il lui a dit qu'il ne pouvait pas rester. Il a dit que ça dérangeait maman quand il n'était pas prêt. Ma belle-mère m'a donc téléphoné afin de me demander si j'étais d'accord pour qu'il reste un peu plus longtemps, « juste cette fois-ci. » Je me suis sentie merveilleusement bien. Libérée !

Nous avons aussi été heureuses d'entendre parler des beaux-parents. Ils nous ont dit que, dans les familles reconstituées, il est particulièrement important que les sentiments soient communiqués avec honnêteté, mais sans blesser personne. De toute évidence, ce sont surtout les *notes écrites* qui ont été les plus prisées pour accomplir cet exploit.

J'ai de la difficulté à communiquer avec ma belle-fille (14 ans) qui vit maintenant avec nous à plein temps. Il suffit de presque rien pour que nos paroles se transforment en dispute entre nous. Notre principal sujet d'accrochage tourne autour de sa négligence habituelle. Elle s'est accoutumée à laisser sa mère ramasser derrière elle. Très peu pour moi, merci.

Dernièrement, à mon retour à la maison, je me suis rendu compte qu'elle avait invité ses amis chez nous. Il y avait des plats sales et de la nourriture partout dans la salle familiale. J'étais furieuse. Je savais que mes paroles ne réussiraient pas à l'atteindre. Elle serait trop hostile pour les entendre. J'avais peur aussi qu'en parlant, je finisse par dire des choses regrettables. Je me suis donc assise et j'ai écrit cette note :

> *« Chère Jennifer,*
> *J'étais agacée par le désordre dans la salle familiale. Tu as le droit de recevoir la visite de tes amis et j'ai le droit d'avoir une maison raisonnablement propre. Si tu ne veux pas nettoyer après le passage de tes amies (et je ne te blâmerai pas si tu ne le fais pas), tu pourrais peut-être leur demander de le faire elles-mêmes. Ce serait vraiment chouette. »*

Elle a été capable d'accepter ça. Son hostilité a commencé à fondre.

Récemment, je suis devenue une mère instantanée en épousant un homme qui avait deux petits garçons, un de trois ans et demi et l'autre de cinq ans. J'ai lu votre livre et j'ai tout de suite perçu que le truc d'écrire des notes pourrait me servir. Je sais que ça peut paraître insensé, mais je tenais à vous dire que les notes fonctionnent avec des enfants qui sont trop jeunes pour lire.

Par exemple, les garçons ne pensaient jamais à lever le siège de la toilette quand ils s'en servaient. Résultat : quand c'était mon tour, je m'assoyais toujours sur un siège humide. Pouah ! J'ai donc écrit sur une grande feuille de papier, que j'ai ensuite collée au-dessus de la toilette :

> *Je déteste un siège humide !*
> *Tendrement,*
> *Rachel.*

Celui de cinq ans a demandé : « Qu'est-ce qui est écrit sur le papier, au-dessus de la toilette ? »

Je lui en ai fait la lecture. Il a répondu avec un sourire : « Oh ! je comprends. » Peu après, il a « lu » la note à son petit frère. Au cours des deux semaines suivantes, je peux compter sur les doigts d'une main le nombre de fois où je me suis assise sur un siège humide. Un changement remarquable !

Ce qui nous a surprises davantage, c'est la réaction que nous avons reçue de la part des pères. Lorsque nous avons commencé nos conférences, nos auditoires étaient presque tous composés de mères, avec ici et là quelques pères égarés, dispersés dans la salle. Au cours des dix dernières années, cette petite minorité a substantiellement grandi. Les pères forment maintenant le tiers de nos auditoires. Que s'est-il passé ? Les hommes nous ont eux-mêmes fourni quelques réponses.

Je n'ai jamais été proche de mon père. Je veux que ce soit différent pour moi et mes enfants.

Mon père était toujours cette figure terne et distante qui travaillait toute la journée et se cachait derrière le journal le soir. Je veux que mes enfants me connaissent.

Des études récentes corroborent ce désir des pères de participer davantage à la vie de leurs enfants. Un article de la revue *Psychology Today* traite de deux cents pères suivis sur une période de quatre décennies. Les conclusions ? « Chaleur et attention de la part du père entraînent maturité et habileté chez les garçons, ainsi qu'autonomie chez les filles. »

Mais si un homme n'a pas fait l'expérience de la chaleur et de l'attention de la part de son propre père, ce nouveau rôle plus *nourrissant* pose tout un défi. Au cours d'une de nos conférences, un père a fait un plaidoyer en faveur de la compréhension. « Vous, les femmes, vous vous êtes exercées toute votre vie à devenir mères. La plupart d'entre nous n'avons eu aucune préparation en vue de devenir pères. Nous aimerions voir nos efforts reconnus. Nous pouvons faire des erreurs, mais nous avons besoin d'encouragement. »

Eh bien, voici. Nous sommes heureuses de vous présenter des témoignages exprimant ce que font les pères d'aujourd'hui.

Quand ma femme est partie en me laissant la garde des trois enfants, je me suis rendu compte que la propreté de la maison était attribuable au fait que c'était elle qui nettoyait. J'ai essayé d'obtenir l'aide des enfants, mais aussitôt que je leur criais de nettoyer, ils semblaient complètement dépassés. Ils ne savaient pas quoi faire, ni où commencer. Maintenant, je dis : « O.K. les enfants, TROIS CHOSES ! » Ils savent ce que ça signifie : chacun est responsable de ranger trois articles de son choix. Laissez-moi vous dire que quand on range douze objets (je fais, moi aussi, ma part), ça paraît !

Depuis un bon moment, ma fille (huit ans) mettait son argent de côté en vue de s'acheter une poupée à la mode. Puis, elle a vu une annonce publicitaire la proposant à rabais dans un magasin de jouet de la région. Elle était tout excitée. Samedi, nous sommes sortis dans une tempête de neige pour découvrir que le magasin n'avait pas en stock l'objet annoncé. Pour empirer les choses, les commis n'étaient pas sympathiques.

Elle a été envahie de tristesse toute la journée. Aucune manifestation d'empathie n'arrivait à la soulager. Au souper, elle pouvait à peine manger. Puis, la lumière s'est faite dans ma tête. Je lui ai tendu une feuille de papier en disant : « Aimerais-tu écrire au magasin de jouets pour leur dire comment tu te sens ? » Voici ce qu'elle a écrit.

« Cher TOYS-R-US,
J'ai été vraiment furieuse de voir que vous n'aviez pas en magasin la poupée Thristy la marcheuse que vous aviez pourtant annoncée dans une publicité. Mon père et moi sommes sortis juste pour aller acheter la poupée chez vous. Nous sommes sortis même s'il neigeait. À mon retour, j'ai pleuré très fort. Si vous voulez m'écrire, voici mon adresse ... »

Après avoir écrit la lettre, elle a été capable de manger.

Récemment, j'ai eu la conversation la plus insensée avec Mathieu, mon fils de deux ans. Nous étions en train de prendre notre petit déjeuner dans la salle à manger. Pour une raison ou pour une autre, Mathieu n'arrêtait pas de regarder en direction de la cuisine.
« C'est quoi, là-bas, papa ? a-t-il demandé.
- *Il n'y a rien là, lui ai-je répondu.*
- *(Mais il n'était pas satisfait.) C'est quoi qui est là ? a-t-il insisté.*
- *C'est quoi qui est là ? lui ai-je dit en lui retournant la question.*
- *Un monstre, a-t-il répondu en me regardant avec de grands yeux.*
- *(Ma première réaction a été de nier ce qu'il disait : Ne sois pas stupide. Il n'y a pas de monstre dans notre cuisine. Mais je me suis rattrapé.) De quoi a-t-il l'air ?*
- *Il est vert.*
- *Qu'est-ce qu'il fait ?*
- *Il a faim. Il voudrait manger des céréales.*
- *Veux-tu l'inviter à manger des céréales ?*

- *Non.*
- *Eh bien, tu peux lui dire de s'en aller.*
- *Mathieu a crié de toutes ses forces en regardant vers la cuisine : MONSTRE, VA-T-EN !*
- *Est-il parti ? ai-je demandé.*
- *Dans son auto, a-t-il répondu. »*

Les histoires que vous venez de lire montrent des parents mettant leurs habiletés à l'oeuvre dans une situation précise. La prochaine lettre nous est parvenue d'une mère qui a travaillé pendant plus de quinze ans en suivant les principes de notre livre, avec son fils qui avait des problèmes récurrents.

Je vous écris parce que je veux que vous sachiez ce que votre travail a apporté à mon fils, même s'il ne le sait pas lui-même. Commençons par le début. Je n'avais pas vraiment de problème avec Jérôme quand il était petit garçon. J'ai commencé à me préoccuper, à son sujet, quand il est entré à l'école. J'ai remarqué qu'il était seul et qu'il avait très peu d'amis. Pourtant, il ne semblait pas trop malheureux et son rendement scolaire était satisfaisant.

C'est vers l'âge de 13 ans que j'ai commencé à m'inquiéter vraiment. Quelque chose n'allait pas. Il était déprimé et irritable. Il a commencé à accumuler des échecs scolaires. Je ne savais pas ce qui se passait. C'était comme si nous étions toujours à couteaux tirés. Il disait ceci et je disais cela. Puis il explosait et quittait les lieux. J'ai aussi remarqué qu'il avait l'air étrange. Ses pupilles étaient dilatées. Je l'ai amené chez un pédiatre et chez un ophtalmologiste. Ils n'ont rien trouvé. Finalement, je l'ai amené chez un psychiatre pour demander une évaluation.

J'ai été frappée par ses découvertes. Jérôme prenait de la drogue : marijuana, remontants et tranquillisants. Mais j'ai été encore plus tourmentée par le commentaire du psychiatre, après quelques sessions avec la famille. Il a dit que, lorsque mon mari et moi faisions des sermons à Jérôme, avec les meilleures intentions du monde, celui-ci se sentait humilié. J'étais renversée. La dernière chose que je voulais faire, c'était d'humilier mon propre fils.

Puis, il s'est passé deux choses : quelqu'un m'a donné un exemplaire de votre livre et ma mère a téléphoné. Elle a demandé des nouvelles de Jérôme et j'ai fait l'erreur de lui dire la vérité. Elle s'est aussitôt mise à me harceler.

« L'as-tu fait vérifier par un médecin ? A-t-il eu des analyses d'urine ? Comment as-tu trouvé ce psychiatre ? Par l'entremise de Gertrude ? Eh bien, je ne fais pas beaucoup confiance à son jugement. Je ne sais pas qui est à blâmer pour tout ça, mais je ne peux tout simplement pas comprendre comment une telle chose peut arriver à un enfant aussi habile et intelligent. »

J'étais malade quand j'ai raccroché. Et j'ai fait la prise de conscience la plus extraordinaire. Les mots de ma mère m'avaient fait sentir stupide et inadéquate ! Sa façon de me parler était exactement ma façon de parler à Jérôme ! Soudain, tout ce que j'avais lu dans votre livre prenait un sens qui ne m'était jamais apparu auparavant. (J'en avais écarté une grande partie parce qu'il touchait surtout à des pré-adolescents.) Je me suis assise et je l'ai relu, mais cette fois, je ne me suis pas concentrée sur le récit mais plutôt sur le langage et les habiletés.

Peu à peu, j'ai commencé à changer. Chaque fois que je brisais mon ancienne habitude de sermonner, pour me mettre plutôt à l'écouter, c'était comme si j'avais tourné une clé qui ouvrait une porte. Par exemple, Jérôme avait un jour obtenu une note très basse dans son cours de français. D'habitude, j'aurais dit : « Tu n'as aucune excuse pour cette note ! Je suis vraiment déçue. Tu sais que tu es capable. Ça m'indique simplement que tu ne t'appliques pas assez. Tu n'es certainement pas à la hauteur de ton potentiel. » Mais cette fois, j'ai plutôt dit : « Hum ! Alors, qu'est-ce que tu en penses ? » Il a haussé les épaules, mais plus tard, il a admis qu'il n'était pas satisfait de son rendement. Je me suis contentée d'acquiescer de la tête.

Au trimestre suivant, il est revenu à la maison avec une bonne note en français, mais je ne lui ai pas dit que j'étais fière de lui. J'ai plutôt dit : « Hé ! Jérôme, ta note s'est vraiment améliorée. Je suppose que tu es vraiment fier de toi. »

Et ce qui est le plus étrange dans tout cela, c'est qu'en parlant de cette façon, ma réalité changeait en même temps. Je voulais vraiment savoir comment il se sentait à propos de son rendement. Et je me sentais réellement fière de le savoir fier de lui-même.

Même quand il ne réussissait pas trop bien, j'essayais de trouver un domaine où je pourrais lui faire un compliment véridique. Mon mari essayait lui aussi de le « traiter comme s'il était déjà ce que nous souhaitions qu'il devienne. » Nous n'avons pas su exactement quand il a cessé de se droguer, mais un jour, nous nous sommes rendu compte que le problème était réglé.

L'obstacle suivant est survenu quand il m'a suppliée de lui permettre de quitter l'école régulière pour s'inscrire à un programme innovateur qui venait d'être créé dans son école. Je n'aimais pas du tout l'idée. Le manque de structure ne me semblait pas du tout approprié, surtout pour quelqu'un qui avait un parcours comme celui de Jérôme. J'aurais pu le forcer à rester dans le programme traditionnel, mais mon mari était en faveur de ce nouveau programme. C'est donc avec réticence que j'ai donné mon consentement écrit.

En bout de ligne, ça s'est avéré la meilleure chose que j'aie pu faire.

Jérôme a démarré comme une fusée. Il est devenu rédacteur en chef du journal, il a participé à des pièces de théâtre, il a écrit de la poésie, des nouvelles, etc. Je ne l'avais jamais vu aussi heureux. À mes yeux, il était évident que toute cette énergie créatrice qui prenait son envol chez lui était le résultat de ce nouveau programme, en plus de ce que nous avions accompli à la maison.

Je croyais que nous étions finalement tirés d'affaires, mais ses années d'université ont été un cauchemar. Ce n'était peut-être pas la bonne école pour lui. Il était peut-être loin de la maison ou il n'avait peut-être pas de vrais amis et pas encore de but réel. Quoi qu'il en soit, Jérôme est devenu de plus en plus déprimé ; il a même, une fois, fait allusion au suicide. J'étais affolée (le frère de mon mari s'est suicidé). J'ai persuadé Jérôme d'aller voir un psychiatre. Ce dernier lui a offert de la thérapie et des médicaments.

Nous avions de fréquents échanges téléphoniques tout au long de ces années. Chaque fois que je téléphonais, j'avais l'impression de parler à un mort. Je cherchais frénétiquement dans ma tête quelque chose pour le repêcher. Une fois de plus, je me suis accrochée aux principes. Je savais que je ne pouvais pas simplement lui « redonner sa gaieté. » J'ai essayé de rester en contact avec sa tristesse, puis de le mettre peu à peu en relation avec des aspects positifs de lui-même. Après nos conversations, il avait l'air de redevenir lui-même. Au cours de sa dernière année d'université, il a commencé à exprimer un certain niveau d'optimisme à l'égard de la vie ; il nous a même consultés sur son désir de s'inscrire à un programme doctoral. Nous l'avons tous les deux encouragé à le faire.

Croyez-le ou non, Jérôme est maintenant professeur au niveau universitaire. Et un très bon professeur. Il a une excellente réputation auprès de ses collègues et ses étudiants l'aiment et le respectent. Côté lacunes, il reste encore une personne complexe, difficile, sujette à des changements d'humeur. Mais quand je pense au stade où il était rendu et où nous en étions dans notre relation, je suis profondément reconnaissante. Par moments, il ne nous aimait pas. Maintenant, il nous aime. Il ne nous faisait pas confiance. Maintenant, il le fait. Ça n'aurait rien donné de l'envoyer à tous les psychiatres du monde si mon mari et moi n'avions pas changé. Si nous ne nous étions pas entré ces principes dans la tête, à coups de marteau, je ne sais pas où en serait Jérôme aujourd'hui.

Nous n'avions jamais reçu une lettre de ce genre auparavant, jamais entendu parler d'un père ou d'une mère qui avait persisté avec un enfant pendant une aussi longue période. Une fois de plus, nous revenions à la même prise de conscience, à un niveau encore plus profond : le pouvoir des parents a des limites. Tant de forces façonnent la vie de nos enfants, des forces qui échappent à notre emprise : le tempérament, l'intelligence, l'aspect physique, la santé, la culture, le temps et tout simplement la chance. Si peu de choses que nous pouvons changer ; tant de choses que nous devons accepter. Nous avons toutefois le pouvoir de déterminer comment nous allons communiquer avec nos enfants. Nous pouvons choisir nos mots et nous pouvons choisir nos attitudes. Et parfois, ces choix peuvent changer la destinée d'un enfant.

Pour poursuivre la démarche...

Si vous souhaitez discuter avec d'autres parents des habiletés de communication présentées dans ce livre, ou si vous désirez vous entraîner à développer ces habiletés, vous pouvez obtenir des renseignements sur deux ateliers créés par Adele Faber et Elaine Mazlish et traduits en français par Roseline Roy.

Le matériel requis pour chacun de ces ateliers comprend, en français, une trousse d'animation et un cahier de travail pour les participants. On y suggère également de faire certaines lectures, notamment dans le présent livre : *« Parents épanouis, enfants épanouis. »*

Le premier atelier : *« Parler pour que les enfants écoutent »*, porte sur les habiletés de communication entre parents et enfants. Quant au second, il traite de la rivalité fraternelle : *« Frères et sœurs sans jalousie ni rivalité. »*

Pour tout renseignement additionnel, on peut s'adresser aux endroits suivants.

En langue anglaise :

Workshop Kit
P.O. Box 37, Rye
NY 10580 USA
Tel. : 1-800-944-8584
Fax : 1-914-967-8130
Internet : www.fabermazlish.com

En langue française :

Relations ... plus
1234, allée des Hirondelles
Cap-Pelé (N.-B.) Canada E4N 1R7
Téléphone : (506) 577-6160
Télécopieur : (506) 577-6727
Courriel : relplus@fundy.net
Internet : www.relationsplus.ca

INDEX

Parler pour que les enfants écoutent, écouter pour que les enfants parlent

traduction française de
How to Talk so Kids will Listen and Listen so Kids will Talk

Vous venez d'apprendre, par la lecture du livre que vous avez en main, comment Adele Faber et Elaine Mazlish ont transformé radicalement leur relation avec leurs propres enfants en s'inspirant des enseignements de Haim Ginott, psychologue pour enfants.

Dans leur deuxième ouvrage, publié six années après le premier, elles présentent aux parents une méthode simple et efficace de faire l'apprentissage des habiletés de communication qu'elles transmettent dans leur populaire atelier *Parler pour que les enfants écoutent.*

Elles décrivent, étape par étape, toute une gamme d'outils de communication ainsi que les multiples façons, pour un père ou une mère, de s'en servir pour améliorer ses relation avec ses propres enfants.

Traduit en plus de seize langues, ce livre a été accueilli avec enthousiasme par les parents et les professionnels à travers le monde. Les francophones du monde entier ont désormais accès à cet ouvrage magistral grâce à la traduction de Roseline Roy. De lecture facile, il est à la portée de tous.

Un complément idéal pour le lecteur de « *Parents épanouis, enfants épanouis* » et une lecture recommandée pour toute personne participant aux ateliers « *Parler pour que les enfants écoutent* ».

Disponible chez

RELATIONS ... PLUS

L'atelier de groupe

« *Parler pour que les enfants écoutent* »

Certaines personnes préfèrent être seules pour se mettre à l'apprentissage des habiletés présentées dans le livre « *Parler pour que les enfants écoutent, écouter pour que les enfants parlent* ». Toutefois, d'autres personnes préfèrent apprendre en groupe, afin de bénéficier de la richesse unique des interactions entre les participants.

Pour ces personnes, Faber et Mazlish ont créé un atelier permettant aux parents intéressés d'animer par eux-mêmes une série de rencontres de groupe, sans l'intervention d'un animateur chevronné.

C'est ainsi qu'est né l'atelier « *How to Talk so Kids Will Listen* » qui a été traduit en plusieurs langues et a déjà fait le tour de la planète. Jusqu'ici, il n'était pas disponible en langue française ; toutefois, il est maintenant à la disposition des francophones de tous les pays.

Le matériel d'atelier, adapté et publié par **Relations ... plus,** comprend une trousse d'animation qui présente de façon simple, étape par étape, toutes les directives nécessaires pour animer efficacement un groupe de parents intéressés à faire l'apprentissage de ces habiletés. Des cahiers de travail sont également disponibles pour permettre à chacun des participants de compléter les exercices de l'atelier.

Le matériel français pour cet atelier est disponible chez

RELATIONS ... PLUS

L'atelier de groupe

« *Frères et sœurs sans jalousie ni rivalité* »

Les enfants d'une même famille éprouvent parfois des difficultés à s'entendre entre eux. Il leur arrive même de faire face à des conflits assez sérieux. Confrontés à ce genre de situation, les parents qui recherchent des solutions à la fois habiles et respectueuses ont désormais à leur disposition les outils appropriés.

S'adressant aux parents qui ont plus d'un enfant, Faber et Mazlish leur proposent un atelier sur mesure, leur permettant d'aborder efficacement les difficultés d'interaction qui surgissent entre leurs enfants. Le matériel de « *Siblings Without Rivalry* » leur permet de se regrouper avec d'autres parents afin de découvrir ensemble des stratégies et des habiletés applicables à leur situation.

C'est ce matériel que **Relations … plus** a adapté et traduit en français. Il comprend une trousse d'animation ainsi que des cahiers de travail pour les participants. Aussi flexible que l'atelier « *Parler pour que les enfants écoutent* », mais mettant spécifiquement l'accent sur les conflits au sein de la fratrie, l'atelier « *Frères et sœurs sans jalousie ni rivalité* » ouvre des horizons nouveaux aux parents désireux d'explorer la complexité de la relation entre frères et sœurs.

Le matériel français pour cet atelier est disponible chez

RELATIONS … PLUS

IMPRESSION
IMPRIMERIE GAGNÉ

IMPRIMÉ AU CANADA